MICHAEL CRICHTON
et
RICHARD PRESTON

MICRO

roman

Traduit de l'anglais (États-Unis)
par Christine Bouchareine

ROBERT LAFFONT

Titre original : MICRO
© 2011, The John Michael Chrichton Trust.
Traduction française : Éditions Robert Laffont, S.A., Paris, 2012

ISBN 978-2-221-11672-2
(édition originale : ISBN 978-0-06-097302-8, HarperCollins Publishers, New York)

À Jr

« Une nuée de créatures microscopiques fourmillent autour de nous... et
pourraient faire l'objet d'une étude et
d'une admiration sans fin si nous
condescendions à quitter l'horizon des
yeux pour ramener notre regard sur le
monde qui se trouve à portée de notre
main. On pourrait ainsi passer une vie
entière à faire, autour du tronc d'un
arbre, un voyage digne de Magellan. »

E. O. WILSON

Introduction

Dans quel type de monde vivons-nous ?

En 2008, le célèbre naturaliste David Attenborough s'inquiétait de ce que les écoliers modernes se montraient incapables d'identifier des plantes et des insectes trouvés communément dans la nature, alors que les générations précédentes les reconnaissaient sans peine. Les enfants modernes, semblait-il, se retrouvaient coupés de la vie sauvage, car ils ne jouaient plus dans nos campagnes. De nombreux facteurs se voyaient incriminés : la vie urbaine ; le manque d'espaces naturels ; les ordinateurs et Internet ; la charge de devoirs trop lourde. Résultat, les enfants, n'ayant plus de contact avec la nature, ne pouvaient plus en tirer d'expérience directe. L'ironie voulait que cela arrive alors que les pays occidentaux se souciaient plus que jamais de l'environnement et élaboraient des projets de plus en plus ambitieux pour le préserver.

Inculquer aux enfants le respect de l'environnement étant désormais un des grands fers de lance du mouvement écologiste, on leur enseigna à protéger un univers dont ils ignoraient tout. D'aucuns remarquèrent que ces bonnes intentions avaient déjà entraîné des catastrophes écologiques dans le passé, la dégradation des parcs nationaux américains et la politique américaine de prévention des incendies de forêt en étant de malheureux exemples. On n'aurait jamais lancé de telles actions si l'on avait réellement appréhendé l'environnement que l'on tentait de protéger.

Le problème, c'est qu'on croyait le comprendre. Et il est à craindre que les nouvelles générations d'élèves sortent plus que jamais armées de certitudes. À défaut d'autre chose, l'école leur enseigne que toute question a une réponse. Et ce n'est que dans la nature qu'ils peuvent découvrir que bien des aspects de la vie sont imprévisibles, mystérieux, voire inexplicables. Si vous avez la chance de jouer dehors et qu'un coléoptère vous bombarde, que les couleurs de l'aile d'un papillon déteignent sur vos doigts, ou que vous voyez une chenille tisser son cocon, vous en retirez une sensation de mystère et d'incertitude. Plus vous observez la nature, plus elle vous semble énigmatique, plus vous prenez conscience de votre ignorance. Parallèlement à sa beauté, vous découvrez sa fécondité, son gaspillage, son agressivité, sa cruauté, son parasitisme et sa violence. Des propriétés dont on ne parle pas assez dans les livres.

La plus importante leçon que l'on peut tirer de l'expérience directe, c'est sans doute que la nature, par tous ses éléments et ses interconnexions, représente un système si complexe que nous ne pouvons ni la comprendre ni anticiper son comportement. Ce serait absurde d'agir comme si c'était possible, tout comme ce serait absurde de se croire capable d'anticiper les cours de la Bourse, autre système d'une grande complexité. Si quelqu'un se targue de prédire le comportement d'une action sur le marché sur plusieurs jours, nous savons que nous avons affaire à un escroc ou à un charlatan. En revanche, si un environnementaliste se lance dans des divagations similaires sur l'environnement ou un écosystème, nous n'avons pas le réflexe de le considérer comme un faux prophète ou un fou.

Les êtres humains interviennent avec succès sur les systèmes complexes. Nous le faisons constamment. Mais en les gérant, sans prétendre les comprendre.

Nous agissons sur un système : nous réalisons une action, observons la réaction et intervenons de nouveau dans l'espoir d'obtenir le résultat désiré. Cette suite infinie d'interactions prouve bien que nous ne savons pas avec certitude comment le système va réagir. Nous sommes dans l'expectative. Nous avons notre petite idée sur ce qui risque de se passer. Cette idée peut être confirmée. Mais nous n'en sommes jamais certains.

Dès que nous interférons avec la nature, toute certitude nous est déniée. Et il en sera toujours ainsi.

Alors comment les jeunes peuvent-ils faire l'expérience du monde naturel ? L'idéal serait qu'ils passent un certain temps dans une forêt tropicale, dans un de ces environnements immenses, inconfortables, angoissants et magnifiques qui ont si vite fait de bousculer nos idées préconçues.

Inachevé
Michael Crichton
28 août 2008

Les sept étudiants de troisième cycle

Rick Hutter   Ethnobotaniste se consacrant à l'étude des médecines utilisées par les peuples indigènes.

Karen King   Arachnologiste (experte en araignées, scorpions et acariens).
Passionnée d'arts martiaux.

Peter Jansen   Spécialiste des venins et de l'envenimation.

Erika Moll   Entomologistc et coléoptériste (spécialiste des scarabées).

Amar Singh   Botaniste spécialisé dans les hormones végétales.

Jenny Linn   Biochimiste spécialisée dans l'étude des phéromones, les odeurs émises par les animaux et les plantes pour communiquer.

Danny Minot   Doctorant dont la thèse porte sur les codes linguistiques scientifiques et la transformation du paradigme.

Première partie

LE GÉNÉRATEUR

Prologue

Nanigen
9 octobre, 23 h 55

Il suivait le Farrington Highway, à l'ouest de Pearl Harbor, et longeait les champs de canne à sucre d'un vert sombre sous le clair de lune. Cette partie d'Oahu, longtemps consacrée à l'agriculture, commençait à changer. Sur sa gauche, il aperçut les toits métalliques et plats du nouveau parc industriel de Kalikimaki, d'un éclat argenté sur le vert environnant. Mais Marcos Rodriguez savait que cet endroit n'avait de parc industriel que le nom : il comprenait surtout des entrepôts d'un loyer modique. Il s'y trouvait également un magasin d'accastillage, quelques ateliers mécaniques, un ferronnier. C'était à peu près tout... sans compter, bien sûr, la raison de sa visite ce soir : Nanigen MicroTechnologies, une nouvelle société venue du continent, installée dans un grand hangar, à l'extrémité du parc.

Rodriguez quitta l'autoroute et roula entre les bâtiments silencieux. Il était presque minuit ; le parc industriel était désert. Il se gara devant Nanigen.

De l'extérieur, rien ne distinguait ce hangar des autres : une façade en acier d'un seul étage ; un toit en tôle ondulée ; apparemment, rien de plus qu'un énorme entrepôt de construction rudimentaire et bon marché. Mais Rodriguez savait qu'il ne fallait pas s'y fier. Avant de le bâtir, on avait creusé une énorme cavité dans le sol volcanique et on l'avait bourrée d'électronique. Et c'est seulement après qu'avait été dressée cette façade peu avenante, à présent recouverte d'une fine poussière rouge venue des champs avoisinants.

Rodriguez enfila ses gants en caoutchouc et glissa dans sa poche son appareil photo numérique et son filtre infrarouge. Puis il descendit de sa voiture. Il s'était déguisé en vigile : il rabattit sa casquette sur son visage, au cas où des caméras surveilleraient la rue. Il sortit la clé qu'il avait obtenue en enivrant la réceptionniste de Nanigen quelques semaines plus tôt. Elle s'était effondrée au bout de trois Blue Hawaii et il en avait profité pour lui subtiliser la clé et en faire une copie.

Grâce à cette employée, il avait appris que Nanigen représentait quatre hectares de laboratoires et d'installations de haute technologie et qu'on y réalisait de la robotique de pointe. Quoi exactement ? Elle n'aurait su le dire, sauf qu'il s'agissait de robots extrêmement petits.

— Ils font de la recherche sur les substances chimiques et les plantes, lui avait-elle vaguement précisé.

— Et ils ont besoin de robots pour ça ?

— Faut croire ! avait-elle répondu avec un haussement d'épaules.

Elle lui avait également révélé que le bâtiment lui-même n'était pas surveillé : pas de système d'alarme, pas de détecteurs de mouvements, pas de gardiens, pas de caméras, pas de rayons laser.

— Qu'est-ce que vous avez, alors ? Des chiens ?

Elle avait secoué la tête.

— Rien. Juste une serrure sur la porte. Ils disent que ça suffit.

À cette époque, Rodriguez avait pensé que Nanigen n'était qu'une escroquerie ou une société-écran. Aucune société de haute technologie ne viendrait s'installer dans un hangar poussiéreux, loin du centre d'Honolulu et de l'université d'où provenaient toutes les compagnies high-tech. Pour aller s'exiler si loin, Nanigen devait avoir quelque chose à cacher.

Son client le pensait, lui aussi. C'était d'ailleurs la raison pour laquelle il l'avait engagé. À vrai dire, enquêter dans le milieu des techniques de pointe sortait de ses attributions habituelles. Le plus souvent, il se voyait embauché par des avocats du coin pour photographier des maris infidèles venus batifoler à Waikiki. Dans le cas présent, c'était également un avocat local, Willy Fong, qui l'avait contacté. Mais Willy n'était qu'un intermédiaire et avait refusé de lui révéler le nom de son mandataire.

Rodriguez avait sa petite idée. Nanigen avait soi-disant acheté pour des millions de dollars d'électronique à Shangai et à Osaka. Certains de ses fournisseurs souhaitaient sans doute savoir à quoi servaient leurs produits.

— Ce sont eux vos clients, Willy ? avait-il insisté. Les Chinois ou les Japonais ?

— Vous savez bien que je ne peux pas vous le dire, Marcos.

— Mais ça n'a pas de sens ! L'endroit n'est pas surveillé, vos clients n'ont qu'à crocheter la serrure une nuit pour aller voir par eux-mêmes. Ils n'ont pas besoin de moi.

— Vous ne voulez pas de ce boulot ?

— Je veux juste savoir de quoi il retourne.

— Tout ce qu'ils vous demandent, c'est de vous introduire dans le bâtiment et d'y prendre des photos. C'est tout.

— Ça ne me plaît pas. Ça sent l'arnaque.

— Et c'en est sans doute une !

Willy lui avait jeté un regard las, l'air de dire : « Qu'est-ce que ça peut vous foutre ? »

— Pour une fois que vous ne risquez pas de voir un type se lever de table pour vous mettre son poing sur la gueule ! avait-il ajouté.

— C'est vrai.

— Alors, dites-moi, Marcos ? avait demandé Willy en repoussant sa chaise pour croiser les bras sur son ample bedaine. Vous irez ou pas ?

Mais quand il se dirigea à minuit vers la porte d'entrée, Rodriguez n'en menait pas large. *Ils n'ont pas besoin de sécurité. Qu'est-ce que ça peut bien signifier ? Au jour d'aujourd'hui, tout le monde en a besoin, et de beaucoup, surtout dans la banlieue d'Honolulu. On ne peut plus faire autrement.*

Le bâtiment ne comportait aucune fenêtre. Juste une simple porte métallique. À côté, un panneau : NANIGEN TECHNOLOGIES, INC. Et en dessous : SEULEMENT SUR RENDEZ-VOUS.

Il enfonça la clé dans la serrure et tourna. La porte s'ouvrit avec un bruit sec. Trop facile ! songea-t-il avant de jeter un dernier regard vers la rue déserte et de se glisser à l'intérieur.

Des veilleuses éclairaient une entrée vitrée, le bureau de la réceptionniste et une salle d'attente pourvue de canapés, de magazines et de documentation sur la société. Rodriguez alluma sa lampe torche et se dirigea vers le couloir derrière l'accueil. Au fond se trouvaient deux portes. Il ouvrit la première et déboucha dans un autre corridor, aux parois vitrées. Il donnait des deux côtés sur des laboratoires aux longues paillasses noires, couvertes de matériel et surmontées d'étagères remplies de flacons. Tous les dix mètres, il y avait un réfrigérateur en inox qui ronronnait doucement et une machine qui ressemblait à un lave-linge.

Panneaux d'affichage couverts de notes, Post-it sur le réfrigérateur, tableaux blancs noircis de formules... l'ensemble donnait une impression de négligé, pourtant Rodriguez eut la conviction que la société était tout ce qu'il y avait de plus réel. Et que Nanigen y effectuait bien des travaux scientifiques. Mais pourquoi avaient-ils besoin de robots ?

C'est alors qu'il les vit et ils lui parurent bigrement bizarres : des engins métalliques argentés aux formes carrées, hérissés de bras mécaniques, d'antennes et d'appendices, comme les appareils qu'on envoyait sur Mars. Ils étaient de grosseurs et de formes variées, certains de la taille d'une boîte à chaussures, d'autres beaucoup plus volumineux. Il remarqua alors qu'à côté de chaque robot figurait sa version miniature, et une autre encore plus petite. Et ainsi de suite jusqu'à arriver à un robot de la taille d'un ongle : minuscule, mais très détaillé. Les paillasses étaient toutes équipées d'énormes loupes pour que les opérateurs puissent les voir. Il se demanda comment on pouvait construire des objets aussi petits.

Au bout du couloir il trouva une porte avec une petite pancarte : Noyau du générateur. Il l'ouvrit, sentit un courant d'air frais et pénétra dans une grande pièce plongée dans l'obscurité. Sur la droite, il remarqua des rangées de sacs à dos, suspendus à des crochets fixés au mur, comme en prévision d'un départ en camping. Sinon, la pièce était vide. On entendait un gros bourdonnement électrique, rien d'autre. Il nota que des hexagones étaient gravés dans le sol. Ou peut-être s'agissait-il de grosses dalles ; la lumière était trop faible pour qu'il le sache avec certitude.

Quoique... on voyait quelque chose en dessous, s'aperçut-il. Un énorme réseau complexe d'hexagones faits de tubes et de fils de cuivre, à peine visible. En fait, le sol était en plastique et laissait voir l'électronique qui avait été enterrée dans les profonds soubassements.

Rodriguez s'accroupit pour regarder de plus près et, tandis qu'il scrutait les hexagones au-dessous de lui, une goutte de sang s'écrasa par terre. Puis une autre. Il les fixa avec curiosité avant de penser à se tâter le front. Il saignait juste au-dessus du sourcil droit.

— Mais qu'est-ce que...

Il s'était coupé, Dieu sait comment. Il n'avait rien senti, pourtant il avait bien du sang sur sa main gantée et son arcade sourcilière continuait à ruisseler. Il se releva. Un filet rouge dégoulina sur sa joue, son menton puis son uniforme. Une main plaquée sur le front, il se précipita dans le laboratoire le plus proche à la recherche d'un Kleenex ou d'un chiffon. Il trouva une boîte de mouchoirs en papier et s'approcha d'un lavabo surmonté d'un petit miroir. Il se tamponna le visage. Le saignement commençait déjà à diminuer ; la coupure était petite, mais fine comme celle d'un rasoir ; il ne voyait pas comment il s'était écorché, mais c'était le genre de coupure qu'on pouvait se faire avec une feuille de papier.

Il consulta sa montre. Minuit vingt. Il était grand temps de se mettre au travail. Au même instant, il vit une estafilade écarlate s'ouvrir sur le dos de sa main : du poignet aux phalanges, la peau s'écarta et se mit à saigner. Avec un cri de surprise, il attrapa une poignée de mouchoirs, puis la serviette accrochée au lavabo qu'il déchira pour l'enrouler autour de sa main. Il sentit alors une douleur à la jambe et baissa les yeux : son pantalon était fendu à mi-cuisse et il saignait aussi à cet endroit.

Renonçant à comprendre, Rodriguez tourna les talons et prit la fuite. Il remonta le couloir d'un pas chancelant, en traînant sa jambe blessée, et franchit la porte d'entrée, conscient qu'il laissait suffisamment de preuves pour qu'on l'identifie. Mais il s'en fichait, il n'avait qu'une idée en tête, sortir de là.

Il était presque 1 heure quand il s'arrêta devant le cabinet de Fong. Il y avait encore de la lumière au premier étage ; il gravit en titubant l'escalier de service. Il se sentait affaibli par le sang qu'il avait perdu, mais ne souffrait pas. Il entra par la porte de derrière, sans frapper.

Fong se trouvait en compagnie d'un homme que

24

Rodriguez n'avait jamais vu. Un Chinois d'une vingtaine d'années, vêtu d'un costume noir. Il fumait une cigarette.

Fong se retourna.

— Bon sang ! Qu'est-ce qui vous est arrivé ? Comment vous êtes-vous mis dans un état pareil ? s'écria-t-il en se levant pour aller fermer la porte à clé. Vous vous êtes battu ?

Rodriguez s'appuya pesamment sur le bureau. Il perdait toujours du sang. Le Chinois en noir recula légèrement, sans rien dire.

— Non, je ne me suis pas battu.

— Mais que vous est-il arrivé, nom de Dieu ?

— Je ne sais pas. Je me suis retrouvé comme ça.

— Qu'est-ce que vous racontez ? Vous dites n'importe quoi, mon vieux ! Qu'est-ce que vous avez foutu ?

Le jeune Chinois toussa. Rodriguez le regarda et vit une plaie en arrondi sous son menton. Le sang inonda sa chemise blanche. Le jeune homme semblait sonné. Il porta la main à sa gorge et le sang coula entre ses doigts. Il tomba en arrière.

— Merde alors ! lâcha Willy Fong.

Il se précipita vers le jeune Asiatique soudain pris de convulsions et dont les talons martelaient fébrilement le sol.

— C'est vous qui avez fait ça ?

— Non, répondit Rodriguez, c'est ce que j'essaie de vous expliquer.

— Mais quel bordel ! Vous aviez besoin de venir saloper mon bureau ? Vous avez réfléchi ? Parce que pour nettoyer tout ce...

Du sang éclaboussa la partie gauche de son visage. Il jaillissait par petits jets de l'artère sur son cou, sectionnée. Fong plaqua une main sur la blessure, mais le sang gicla entre ses doigts.

— Putain ! gémit-il en s'effondrant sur son fauteuil. Mais comment c'est possible ? demanda-t-il à Rodriguez.

— Aucune idée.

Rodriguez savait ce qui allait suivre. Il lui suffisait d'attendre. Il sentit à peine la coupure sur sa nuque, mais il fut presque aussitôt pris de vertiges et tomba. Couché sur le côté, baignant dans son propre sang, il regarda le bureau de Fong. Puis ses chaussures, sous le bureau. Le temps de penser « Ce salaud ne m'a jamais donné mon fric » et l'obscurité se refermait sur lui.

TROIS MORTS DANS UN ÉTRANGE SUICIDE COLLECTIF, lisait-on à la une du *Honolulu Star-Advertiser*. Assis à son bureau, le lieutenant Dan Watanabe reposa le journal et leva la tête vers son patron, Marty Kalama.

— On vient de m'appeler, dit-il. Il paraît qu'il y a un problème, Dan ?

Kalama portait des lunettes cerclées de fer et clignait beaucoup des yeux. Il avait l'air d'un professeur, pas d'un flic. Mais c'était un *akamai*, un génie en hawaiien, et il connaissait son boulot.

— Au sujet des suicides ? M'en parlez pas ! Un sacré problème ! Ça ne tient pas debout, si vous voulez mon avis.

— Alors où ces scribouillards ont-ils été pêcher cette idée ?

— Dans leur imagination, comme toujours.

— Racontez-moi tout.

Watanabe n'avait pas besoin de consulter ses notes. Plusieurs jours après, la scène restait toujours aussi vive à son esprit.

— Le cabinet de Willy Fong se trouve au premier étage d'un petit immeuble de Pu'uhui Lane, derrière Lollihi Street, au nord de l'autoroute. Un bâtiment en bois, assez miteux, divisé en quatre locaux commerciaux. Willy avait une soixantaine d'années. Vous le connaissiez sûrement, il défendait des gens du coin jugés pour conduite en état d'ivresse et ce genre de petites affaires, il a toujours été clean. Les voisins se sont plaints d'une mauvaise odeur venant de ses bureaux. Quand nous sommes entrés, nous avons découvert trois cadavres de sexe masculin. Comme la

26

clim était coupée, ça empestait. Les trois sont morts de blessures par arme blanche. Willy a eu la carotide tranchée et s'est vidé de son sang sur son fauteuil. À l'autre bout de la pièce se trouvait un jeune Chinois, toujours pas identifié, sans doute un étranger, les deux jugulaires sectionnées. Il a dû mourir rapidement. Et la troisième victime, c'est ce photographe portugais, Rodriguez.

— Celui qui traquait les mecs qui trompent leur femme avec leur secrétaire ?

— En personne. Il passait son temps à se faire casser la gueule. Bref, il gisait par terre couvert de coupures sur tout le corps : le visage, le front, la main, les jambes, la nuque. Je n'ai jamais rien vu de tel.

— C'est lui qui se les est faites ?

Watanabe secoua la tête.

— Je ne pense pas. Le médecin légiste non plus. Ces blessures lui ont été infligées. Sur un certain laps de temps, en plus, une heure peut-être. Nous avons trouvé de son sang dans l'escalier de service et des traces de pas sanglantes sur le trottoir. Il y en avait aussi dans sa voiture garée devant l'immeuble. Donc il était déjà blessé quand il a franchi la porte du cabinet.

— Alors que s'est-il passé, à votre avis ?

— Aucune idée. Si c'est un suicide, aucun de ces gars n'a laissé de message, ce qui ne s'est jamais vu. Pas de couteau non plus, et je peux vous assurer que nous avons passé l'endroit au peigne fin. En outre, le bureau était fermé de l'intérieur, donc personne n'a pu partir. Les fenêtres étaient closes et verrouillées, elles aussi. Nous y avons quand même cherché des empreintes, au cas où quelqu'un serait entré par là. Nous n'avons rien relevé de récent, à part une bonne couche de poussière.

— On n'a pas jeté de lame dans les toilettes ?

— Non. Il n'y avait pas de trace de sang dans la salle de bains. Ce qui veut dire que personne n'y est entré une fois que cette boucherie a commencé. Pas de motif, pas d'arme, rien.

— Alors que fait-on ?

— On ne sait pas d'ou sortait le Portugais, répondit Watanabe avec un haussement d'épaules. Il s'était déjà fait larder ailleurs. Je cherche où ça lui est arrivé. Où tout a commencé. On a trouvé sur lui une facture de la station Mobil à Kalepa. Il a fait le plein à 22 heures. Nous savons à présent combien il a consommé d'essence, donc on va pouvoir établir la distance parcourue entre chez Kelo et sa mystérieuse destination avant de revenir chez Willy et ainsi déterminer un rayon de recherches.

— Un sacré rayon ! Ça doit couvrir la moitié de l'île.

— On progresse petit à petit. Il y avait du gravier frais dans les rainures de ses pneus. Du calcaire concassé. Il y a donc des chances qu'il se soit rendu sur un chantier ou un truc du genre. De toute façon, on y arrivera. Cela nous prendra peut-être du temps, mais nous trouverons cet endroit. En attendant... conclut-il en poussant le journal vers le bout du bureau, je dirai que les journaux ont raison. C'est un triple suicide, point final. Du moins pour l'instant.

1.

Divinity Avenue, Cambridge
18 octobre, 13 heures

Dans le labo de biologie du premier étage, Peter Jansen, vingt-trois ans, abaissa lentement la pince métallique dans la cage en verre. Puis, d'un geste rapide, il coinça le cobra juste derrière son capuchon. Le serpent siffla rageusement tandis qu'il le saisissait fermement et l'approchait de l'éprouvette. Il passa de l'alcool sur la membrane, y planta les crocs du serpent et regarda le venin jaunâtre couler le long du verre.

La récolte ne rapporta que quelques pauvres millilitres. Jansen aurait eu besoin d'une demi-douzaine de cobras pour obtenir la quantité nécessaire à son étude, mais il manquait de place dans le laboratoire. Ils avaient une animalerie avec des reptiles à Allston, mais leurs animaux tombaient souvent malades ; Peter préférait avoir ses serpents sous la main et pouvoir veiller sur leur condition.

Le venin était facilement contaminé par des bactéries, d'où l'application d'alcool sur la membrane et la couche de glace sous le tube. Les recherches de Peter portaient sur la bioactivité de certains polypeptides du venin de cobra ; son travail faisait partie d'un vaste programme de recherche sur les serpents, les grenouilles et les araignées qui, tous, produisaient des toxines neuroactives. Son expérience en herpétologie en faisait un « spécialiste de l'envenimation », que l'hôpital consultait parfois en cas de morsures exotiques, ce qui provoquait une certaine jalousie chez les autres étudiants du laboratoire. Ils formaient un groupe à l'esprit de compétition particulièrement développé et remarquaient tout de suite quand l'un d'eux attirait l'attention du monde extérieur. Ils ripostaient en prétendant que c'était dangereux de garder un cobra dans le laboratoire et qu'il n'avait rien à faire là. Et ils traitaient Peter de « passionné d'herpès ».

Peter s'en moquait ; il était d'un caractère enjoué et égal. Il venait d'une famille d'intellectuels et ne prenait donc pas ces critiques trop au sérieux. Il avait perdu ses parents dans le crash d'un avion de tourisme sur les montagnes du nord de la Californie. Son père avait été professeur de géologie à UC Davis et sa mère avait enseigné à la faculté de médecine de San Francisco ; son frère aîné était physicien.

Peter venait de remettre le cobra dans sa cage quand Rick Hutter arriva. Hutter, vingt-quatre ans, était ethnobotaniste. Ses recherches récentes portaient sur les analgésiques que l'on trouve dans l'écorce des arbres de la forêt tropicale. Comme d'habitude, il était vêtu d'un jean délavé, d'une chemise en denim et de grosses bottes. La barbe toujours bien taillée, il affichait un froncement de sourcil perpétuel.

— Je vois que tu n'as pas mis de gants, remarqua-t-il.

— Non, je n'en ai plus vraiment besoin...

— Quand je faisais des recherches sur le terrain, c'était obligatoire.

Rick Hutter ne ratait jamais l'occasion de rappeler aux autres étudiants du labo qu'il avait effectivement travaillé sur le terrain. À l'entendre, on aurait pu croire qu'il avait passé des années au fin fond de l'Amazonie. En réalité, il s'agissait de quatre mois dans un parc national du Costa Rica.

— Un de nos porteurs a voulu déplacer un rocher

les mains nues et *paf !* il s'est fait mordre par un *terciopelo*. Un fer-de-lance de deux mètres de long. Il a fallu l'amputer du bras. Et il a eu de la chance de s'en tirer à si bon compte !

— Hum, ouais..., marmonna Peter, espérant qu'il s'arrêterait là.

Il aimait bien Rick, mais celui-ci avait une fâcheuse tendance à faire la leçon à tout le monde.

S'il y avait quelqu'un dans le labo qui ne supportait pas Rick Hutter, c'était Karen King, une grande brune aux épaules carrées qui étudiait le venin et les toiles d'araignées. Elle travaillait justement sur une paillasse voisine quand elle l'entendit ramener sa science devant Peter en évoquant son expérience dans la jungle.

— Rick, lui lança-t-elle par-dessus son épaule, tu dormais dans un lodge pour touristes au Costa Rica, n'oublie pas !

— Arrête tes conneries ! Nous avons campé dans la forêt...

— Deux nuits en tout et pour tout, avant que tu t'enfuies à l'hôtel, terrorisé par les moustiques !

Rick la fusilla du regard. Il rougit et ouvrit la bouche pour protester, mais se ravisa. Parce qu'il ne pouvait rien dire. Elle avait raison. Un enfer, ces moustiques ! Il avait eu si peur qu'ils lui refilent la malaria ou la dengue qu'il avait couru se réfugier dans sa chambre.

Plutôt que de discuter avec Karen King, il préféra se tourner vers Peter.

— À propos. J'ai entendu dire que ton frère devait passer aujourd'hui. C'est pas celui qui a fait fortune en montant une start-up ?

— C'est ce qu'il m'a dit.

— Eh bien, il n'y a pas que l'argent qui compte. Personnellement, je ne travaillerai jamais dans le secteur privé. C'est un désert intellectuel. Les grands esprits restent à l'université, ça leur évite de se prostituer.

Il n'était pas question pour Peter de discuter avec Rick qui avait des idées bien arrêtées sur tous les sujets. Mais Erika Moll, l'entomologiste récemment arrivée de Munich, ne put se retenir.

— Je te trouve bien sévère. Moi, ça ne me gênerait pas du tout de travailler pour une compagnie privée.

Hutter leva les bras au ciel.

— Eh bien tu te prostitueras !

Erika avait couché avec plusieurs gars du département de biologie sans chercher à le cacher.

— Va te faire foutre, Rick ! répondit-elle en lui faisant un doigt d'honneur.

— Je vois que tu maîtrises de mieux en mieux l'argot américain, entre autres choses, rétorqua-t-il.

— Les autres choses ne te regardent pas. Et tu ne les connaîtras jamais. Quoi qu'il en soit, continua-t-elle en se tournant vers Peter, je ne vois pas ce qu'il y a de mal à travailler dans le privé.

— Et de quelle société s'agit-il, exactement ? demanda une voix douce derrière eux. – Peter se retourna et vit Amar Singh, leur expert en hormones végétales, bien connu pour son esprit pratique. – Oui, qu'est-ce qu'on y fabrique dans cette société pour qu'elle ait pris une telle valeur ? De la biologie ? Mais ton frère est physicien, si je ne me trompe ? Comment ça se fait ?

Peter entendit au même moment Jenny Linn pousser un cri d'admiration à l'autre bout du labo.

— Waouh, matez ça !

Elle contemplait la rue d'où montait un rugissement de grosses cylindrées.

— Peter, viens voir. C'est ton frère ?

Ils se précipitèrent tous vers les fenêtres.

Peter vit son frère les saluer de la main, rayonnant comme un enfant. Il se tenait près d'une Ferrari jaune vif, son bras passé autour des épaules d'une ravissante blonde. Derrière eux se trouvait une seconde Ferrari, d'un noir rutilant.

— Deux Ferrari ! Y en a pour un demi-million de dollars ! lâcha une voix tandis que le grondement des moteurs se répercutait entre les laboratoires scientifiques qui bordaient Divinity Avenue.

Un homme descendit de la Ferrari noire. Un physique de sportif, un goût visible pour les vêtements coûteux et, pourtant, une allure très décontractée.

— C'est Vin Drake ! s'exclama Karen King.

— Comment tu le sais ? demanda Rick Hutter, debout à côté d'elle.

— Comment peux-tu ne pas le savoir ? Vincent Drake est sans doute le capital-risqueur le plus brillant de Boston.

— Si vous voulez mon avis, marmonna Rick, c'est une honte ! Ça fait des années que ces voitures devraient être interdites.

Mais personne ne l'écoutait. Tout le monde s'était précipité vers l'escalier pour descendre dans la rue.

— Qu'est-ce qui leur prend ? s'étonna-t-il.

— Tu n'es pas au courant ? lui jeta Amar en passant devant lui. Ils viennent pour recruter.

— Recruter ? Mais recruter qui ?

— Tous ceux qui se distinguent dans les domaines qui nous intéressent, annonça Vin Drake aux étudiants attroupés autour de lui. La microbiologie, l'entomologie, l'écologie chimique, l'ethnobotanique, la phytopathologie, bref, tout ce qui touche à l'environnement naturel à l'échelle microscopique ou nanoscopique. Voilà le type de scientifiques que nous cherchons, et nous recrutons sur-le-champ. Vous n'avez pas besoin de doctorat. On s'en fiche. Si vous avez du talent, vous pourrez faire votre thèse chez nous. Mais il vous faudra vous installer à Hawaii, parce que nos labos sont là-bas.

Peter passa un bras autour des épaules de son frère.

— C'est vrai, Eric ? Vous embauchez tout de suite ?

— Oui, c'est vrai, répondit la blonde.

Elle lui tendit la main et se présenta : Alyson Bender, directrice financière de la société.

Peter lui trouva une poignée de main chaleureuse mais des manières brusques. Elle portait un tailleur fauve et un collier de perles autour du cou.

— Nous aurons besoin d'au moins une centaine d'excellents chercheurs d'ici à la fin de l'année. Ce n'est pas facile à trouver, même si nous offrons sans doute le meilleur environnement de recherche de toute l'histoire de la science.

— Ah bon ? Comment ça ? s'étonna Peter.

C'était une affirmation plutôt hardie.

— C'est vrai, affirma son frère. Vin va vous expliquer.

Peter fit un geste vers sa voiture.

— Ça ne t'ennuie pas si... Je peux monter dedans ? demanda-t-il, incapable de se retenir plus longtemps. Juste une minute ?

— Bien sûr. Vas-y !

Peter se glissa derrière le volant et ferma la portière. Le siège baquet étroit l'enveloppa. Le cuir sentait l'opulence. Les instruments de bord étaient gros, sérieux et le volant petit et couvert d'un nombre étonnant de boutons rouges. Le jaune lustré renvoyait la lumière du soleil. Tout semblait si luxueux qu'il en était gêné ; il n'aurait su dire si cela lui plaisait vraiment. Il se tortilla sur le siège et sentit quelque chose sous sa cuisse. C'était un petit objet blanc qui ressemblait à un morceau de pop-corn et qui en avait la légèreté. Pourtant, on aurait dit de la pierre. Songeant que ses bords rugueux risquaient d'érafler le cuir, Peter le glissa dans sa poche et descendit.

Une voiture plus loin, Rick Hutter lançait des regards assassins à la Ferrari noire que Jenny Linn admirait.

— Jenny, rends-toi compte, cette voiture gaspille tant de ressources qu'elle est une véritable offense à Dame Nature.

— C'est vrai ? Elle te l'a dit ? plaisanta-t-elle en

passant les doigts sur l'aile. Moi, je la trouve magnifique !

Ils s'étaient installés au sous-sol, dans une pièce meublée d'une table en formica et d'une machine à café. Vin Drake s'était assis près de la table, encadré par les deux directeurs de Nanigen, Eric Jansen et Alyson Bender. Les étudiants les entouraient, certains assis autour de la table, d'autres adossés au mur.

— Vous êtes de jeunes scientifiques et vous débutez, commença Vin Drake. Alors vous devez regarder les choses en face. Pourquoi, par exemple, accorde-t-on tant d'importance aux sciences de pointe ? Pourquoi attirent-elles tant de monde ? Parce que ce sont ces nouveaux domaines qui récoltent tous les honneurs et toutes les récompenses. Il y a trente ans, quand la biologie moléculaire en était encore à ses débuts, elle accumulait les prix Nobel et les découvertes se succédaient. Puis on les a jugées moins fondamentales, moins novatrices. La biologie moléculaire n'avait plus l'attrait de la nouveauté. Les esprits les plus brillants s'étaient déjà tournés vers la génétique, la protéomique ou se lançaient dans des secteurs spécialisés : le fonctionnement du cerveau, la conscience, la différenciation cellulaire, là où les problèmes étaient immenses. Une bonne stratégie ? Pas vraiment, car les problèmes n'ont toujours pas été résolus. À croire qu'il ne suffit pas que le domaine soit nouveau. Il faut aussi de nouveaux outils. Le télescope de Galilée – une nouvelle vision de l'univers. Le microscope de Leeuwenhoek – une nouvelle vision de la vie. Et ainsi de suite, jusqu'à aujourd'hui. Les radiotélescopes ont fait exploser les connaissances en astronomie. Les sondes spatiales inhabitées ont réécrit notre connaissance du système solaire. Le microscope électronique a changé la biologie cellulaire. Et cetera, et cetera. Les nouveaux outils sont synonymes de grands progrès. Et donc, en qualité de jeunes chercheurs, vous devriez vous demander qui possède les nouveaux outils.

Il y eut un bref silence.

— D'accord, je donne ma langue au chat, lança une voix. Qui les possède ?

— Nous, répondit Vin. Nanigen MicroTechnologies. Nous possédons les outils qui définiront les limites de la découverte pour la première moitié du XXIᵉ siècle. Je ne plaisante pas. Je n'exagère pas. J'énonce simplement la vérité.

— C'est énorme comme affirmation ! lâcha Rick Hutter.

Son gobelet de café à la main, il s'adossa au mur et croisa les bras.

Vin Drake se tourna calmement vers lui.

— Nous n'affirmons rien sans preuve.

— Alors de quels outils disposez-vous exactement ?

— C'est secret ! Si vous voulez le savoir, vous signez l'accord de non-divulgation et vous venez à Hawaii juger par vous-même. Nous vous payons le voyage.

— Quand ?

— Dès que vous êtes prêts. Demain, si vous voulez.

Vin Drake était pressé. Une fois la présentation terminée, tous quittèrent la salle pour remonter sur Divinity Avenue où étaient garées les Ferrari. En cet après-midi d'octobre où l'air se faisait mordant et les arbres s'enflammaient de rouge et d'orange, Hawaii semblait à des millions de kilomètres du Massachusetts.

Peter remarqua qu'Eric n'écoutait pas. Il avait passé le bras autour de la taille d'Alyson Bender et souriait, l'esprit ailleurs.

Il s'approcha d'Alyson.

— Vous me permettez de vous l'enlever pour une petite conversation entre frangins ?

Il entraîna Eric par le bras un peu plus loin, hors de portée de voix.

Son frère avait cinq ans de plus que lui. Il l'avait toujours admiré et enviait ses facilités dans tous les

36

domaines, que ce soit le sport, les filles ou les études. Eric ne s'énervait jamais, tout était simple pour lui. Qu'il s'agisse de se faire sélectionner dans l'équipe de crosse ou de passer un oral pour son doctorat, Eric donnait l'impression de savoir ce qu'il fallait faire. Il était toujours confiant, toujours détendu.

— Alyson a l'air sympa, commença Peter. Ça fait longtemps que tu sors avec elle ?

— Deux ou trois mois. Oui, elle est sympa, répéta-t-il, d'un ton pourtant peu convaincu.

— Mais..., l'aiguillonna Peter.

Eric haussa les épaules.

— Oh, faut juste regarder la réalité en face ! Alyson a un MBA. En fait, c'est une femme d'affaires et une dure à cuire. Son père voulait un fils, si tu vois ce que je veux dire.

— Eh bien, Eric, elle est ravissante comme garçon manqué.

— Oui, ravissante, répéta-t-il du même ton désabusé.

— Et comment ça se passe avec Vin ? continua Peter, cherchant toujours à tâter le terrain.

Vin Drake avait assez mauvaise réputation. Il avait été mis deux fois en examen et, dans les deux cas, avait échappé aux poursuites sans qu'on sache bien comment. Il était considéré comme un homme impitoyable, intelligent, sans scrupules, mais avant tout extrêmement brillant. Peter avait été sidéré qu'Eric s'associe avec lui.

— Vin sait lever des fonds comme personne, lui répondit-il. Ses présentations sont géniales. Et il finit toujours par ferrer le poisson, comme on dit. J'accepte ses défauts, notamment qu'il soit prêt à raconter n'importe quoi pour décrocher un marché. D'ailleurs, ces derniers temps, il se montre plus... plus prudent. Plus digne d'un président.

— Alors il est le président de la compagnie, Alyson la directrice financière, et toi ?

— Le vice-président responsable de la technologie.

— Et ça te convient ?

— À la perfection. Je voulais m'occuper du côté technique. Et, ajouta-t-il avec un sourire, conduire une Ferrari...

— Justement, à ce sujet, enchaîna Peter alors qu'ils s'approchaient des voitures, où comptez-vous aller avec ces joujoux ?

— Nous allons suivre la côte Est en nous arrêtant dans tous les grands centres universitaires de recherche biologique pour faire notre petit numéro et appâter les candidats. Ensuite, nous les rendrons à Baltimore.

— Vous les rendrez ?

— On les a louées. Juste pour se faire remarquer.

— Ça marche ! reconnut Peter avec un regard éloquent vers l'attroupement autour des voitures.

— C'est ce qu'on espérait.

— Et vous recrutez réellement tout de suite ?

— Oui, tout de suite, répéta Eric d'un ton qui manquait d'enthousiasme, comme Peter put le remarquer à nouveau.

— Alors qu'est-ce qui ne va pas, mon frère ?

— Rien.

— Je t'en prie, Eric !

— Rien, je t'assure. La société se développe, nous faisons d'énormes progrès, notre technologie est stupéfiante. Y a rien qui cloche.

Peter resta silencieux. Ils marchèrent quelques instants en silence. Eric enfonça les mains dans les poches.

— Tout va bien. Franchement.

— Si tu le dis.

— Je t'assure.

— Je te crois.

Ils arrivèrent au bout de la rue, firent demi-tour et revinrent vers le groupe agglutiné autour des Ferrari.

— Mais dis-moi, reprit Eric, laquelle de ces filles fréquentes-tu ?

— Moi ? Aucune.

— Alors avec qui sors-tu ?

— Je n'ai personne pour le moment, avoua Peter d'une voix abattue.

Eric avait toujours eu des tas de filles alors que la vie amoureuse de Peter se révélait chaotique et peu satisfaisante. Il était sorti avec une étudiante en anthropologie qui travaillait un peu plus loin au Peabody Museum, mais elle l'avait quitté pour un professeur résidant arrivé de Londres.

— Elle est mignonne la petite Asiatique, enchaîna Eric.

— Jenny ? Oui, très. Mais elle est de l'autre bord.

— Quel dommage ! Et la blonde ?

— Erika Moll. Une Munichoise. Pas intéressée par une relation amoureuse exclusive.

— Ce n'est pas...

— Laisse tomber !

— Mais si tu...

— J'ai déjà donné.

— D'accord. Et qui est-ce, la grande brune ?

— Karen King. Une arachnologiste. Elle étudie la formation des toiles d'araignées. Mais depuis qu'elle a travaillé sur le livre *Systèmes vivants*, elle en rebat les oreilles à tout le monde.

— Elle se la joue ?

— À peine !

— Elle a l'air sacrément sportive, remarqua Eric sans cesser de la regarder.

— C'est une dingue de fitness et une fana d'arts martiaux et de gym.

Alors qu'ils rejoignaient le groupe, Alyson appela Eric d'un geste.

— Tu es prêt, mon chéri ?

Eric opina. Il étreignit Peter et lui serra la main.

— C'est quoi la prochaine étape, frangin ? demanda Peter.

— On ne va pas très loin. Nous avons rendez-vous au MIT. En fin d'après-midi, on doit passer à l'université de Boston et ensuite on prendra la route. Bon, on reste en contact ! ajouta-t-il en donnant une bourrade à Peter. Viens me voir.

— C'est promis.

— Et amène tes potes. Je te promets, je vous promets à tous que vous ne serez pas déçus.

2.

Bâtiment de biosciences
18 octobre, 15 heures

Quand ils regagnèrent le labo, cet environnement familier leur parut soudain quelconque, vieillot. Et étouffant aussi. Il y avait des tiraillements entre eux depuis longtemps. Rick Hutter et Karen King se méprisaient depuis le premier jour. Erika Moll avait semé la zizanie dans le groupe en passant d'un garçon à l'autre alors qu'une forte rivalité régnait évidemment entre ces doctorants. En outre, ils en avaient assez de ce qu'ils faisaient. Un ras-le-bol apparemment général. Et c'est en silence qu'ils regagnèrent leurs paillasses respectives et se remirent sans conviction au travail. Peter sortit l'éprouvette de venin de la glace, l'étiqueta et la rangea sur son étagère dans le réfrigérateur. Entendant un cliquetis bizarre au milieu de la monnaie qui tintait au fond de sa poche, il y plongea machinalement la main et en sortit le petit objet trouvé dans la Ferrari louée par son frère. Il le jeta sur la paillasse. Celui-ci se mit à tourner.

— Qu'est-ce que c'est ? demanda Amar Singh, le spécialiste en biologie végétale.

— Oh, un truc qui a dû tomber de la voiture de mon frère. Une pièce quelconque. J'ai eu peur que ça abîme le cuir.

41

— Je peux le voir ?

— Bien sûr. Tiens, répondit-il en le lui tendant sans le regarder.

C'était à peine plus grand que l'ongle de son pouce. Amar la posa au creux de sa paume et plissa les yeux.

— Je n'ai pas l'impression que ce soit une pièce de voiture.

— Non ?

— Non. On dirait un avion.

Peter écarquilla les yeux. C'était si petit qu'il avait du mal à distinguer les détails, mais à présent qu'il l'examinait avec plus d'attention, cela ressemblait bel et bien à un avion minuscule. Comme il y en avait sur les maquettes qu'il aimait construire quand il était petit. Peut-être un avion de combat à coller sur un porte-avions. Mais dans ce cas, c'était un modèle comme il n'en avait jamais vu. Il avait un nez écrasé, un siège à l'air libre, sans verrière, et un arrière carré et trapu, avec de minuscules renflements, sans ailes à proprement parler.

— Tu permets...

Amar se dirigeait déjà vers la grosse loupe sur sa paillasse. Il mit l'objet sous le verre et le fit tourner lentement.

— C'est vraiment fantastique !

Peter se pencha par-dessus son épaule. Sous le verre grossissant, l'avion, si c'en était un, se révélait de toute beauté et d'une grande richesse de détails. Le cockpit possédait des commandes d'une complexité ahurissante, si minuscules qu'on avait du mal à imaginer comment elles avaient pu être gravées.

— Peut-être par lithographie laser, marmonna Amar qui se faisait apparemment la même réflexion. Comme pour la confection des puces électroniques.

— Mais est-ce un avion ?

— J'en doute. Il n'y a pas de système de propulsion. Je ne sais pas. Peut-être que c'est juste une sorte de maquette.

— Une maquette ?

— Tu devrais poser la question à ton frère, suggéra Amar en repartant vers sa paillasse.

Peter appela Eric sur son portable. Il entendit des voix fortes en fond sonore.

— Où es-tu ? demanda-t-il.

— À Memorial Drive. Ils nous adorent au MIT. Ils savent de quoi on parle.

Peter décrivit le petit objet qu'il avait trouvé.

— Tu n'aurais pas dû le prendre, bougonna Eric. C'est top secret.

— Mais c'est quoi ?

— En fait, il s'agit d'un essai. Un des premiers tests de notre technologie robotique. C'est un robot.

— On dirait qu'il a un cockpit, avec un petit siège et des instruments, comme si quelqu'un allait s'y asseoir...

— Non, non, ce que tu vois, c'est le logement du microbloc d'alimentation et le boîtier de contrôle qui permet de le commander à distance. Je te le répète, Peter, c'est un robot. L'une des premières preuves de notre capacité à miniaturiser bien au-delà de tout ce qu'on connaît. Je voulais te le montrer si on avait le temps, mais... écoute, je préfère que tu gardes ce machin pour toi, au moins pour l'instant.

— Bien sûr, pas de problème.

Inutile de lui parler d'Amar.

— Rapporte-le quand tu viendras nous voir à Hawaii, conclut Eric.

Le directeur du laboratoire, Ray Hough, vint passer le reste de la journée à remplir des papiers. D'un accord tacite, les étudiants jugeaient incorrect de parler en sa présence d'autres possibilités d'emploi. Ils se retrouvèrent donc à 16 heures au Lucy's Deli, sur Massachusetts Avenue. À peine furent-ils serrés autour de deux petites tables que la discussion commença. Rick Hutter continuait à soutenir que l'université était le seul endroit où l'on pouvait entreprendre des recherches dans le respect de l'éthique. Mais personne ne l'écoutait vraiment ; les déclarations que leur avait faites Vin Drake les intéressaient bien davantage.

— Il a été excellent, reconnut Jenny Linn, mais c'est un baratineur.

— Oui, acquiesça Amar Singh, n'empêche qu'il y a du vrai dans ce qu'il a dit. Les découvertes découlent vraiment des nouveaux outils. Si ces types possèdent l'équivalent d'une nouvelle sorte de microscope ou d'une nouvelle technique style PCR, ils vont vite déboucher sur de nouvelles découvertes.

— Mais peuvent-ils réellement avoir le meilleur environnement de recherche du monde ? insista-t-elle.

— On n'a qu'à aller juger par nous-mêmes, répondit Erika Moll. Ils ont dit qu'ils nous payaient le billet.

— Quel temps fait-il à Hawaii en ce moment ? demanda Jenny.

— Je n'arrive pas à croire que des gens comme vous se laissent piéger ! grommela Rick.

— Il fait toujours beau là-bas, répondit Karen King. J'ai fait ma formation de taekwondo à Kona. C'était fabuleux !

Karen, vraie fan d'arts martiaux, s'était déjà mise en survêtement pour son entraînement du soir.

— J'ai entendu leur directrice financière dire qu'ils devaient recruter une centaine de personnes avant la fin de l'année, reprit Erika qui ne souhaitait pas laisser la conversation dériver entre Karen et Rick.

— C'est censé nous effrayer ou nous appâter ?

— Ou les deux à la fois ? suggéra Amar Singh.

— Quelqu'un a-t-il une idée de ce que peut être la nouvelle technologie qu'ils prétendent détenir ? poursuivit Erika. Tu le sais, Peter ?

— Du point de vue de votre carrière, ce serait de la folie de ne pas finir d'abord votre doctorat, déclara Rick Hutter.

— Je n'en ai aucune idée, répondit Peter tout en

glissant un regard vers Amar qui se contenta de hocher la tête.

— Franchement, j'ai hâte de voir leurs installations, renchérit Jenny.

— Moi aussi, opina Amar.

— J'ai regardé leur site Internet, poursuivit Karen. Nanigen MicroTech. Ils disent qu'ils fabriquent des robots spécialisés, à l'échelle microscopique et nanoscopique. Ce qui veut dire de quelques millimètres à des millièmes de millimètres. Ils montrent des robots qui ont l'air de mesurer quatre ou cinq millimètres de long, six à tout casser. Et d'autres qui font à peine la moitié, peut-être deux millimètres. Les robots paraissent extrêmement détaillés. Et il n'y a pas d'explication sur la façon dont ils ont été réalisés.

Amar fixa Peter qui resta coi.

— Ton frère ne t'en a pas parlé, Peter ? s'enquit Jenny.

— Non, tout cela est secret.

— En tout cas, continua Karen King, je ne vois pas ce qu'ils entendent par des robots à l'échelle nanoscopique. Ça ferait moins que l'épaisseur d'un cheveu. Personne ne peut fabriquer quoi que ce soit d'une telle dimension. Il faudrait construire le robot atome par atome, et ça, personne n'en est capable.

— Et eux prétendent y arriver ? ricana Rick Hutter. C'est du bluff !

— Leurs voitures, en revanche, c'était du sérieux.

— C'étaient des voitures de location.

— Je dois partir à mon cours, annonça Karen King en se levant. Je vais vous dire quand même une chose. Bien que Nanigen garde un profil très bas, depuis un an certains sites financiers y font de brèves références. Un consortium réuni par Davros Venture Capital lui a même accordé un financement de près d'un milliard de dollars...

— Un milliard !

— Ouais. Et ce consortium est surtout composé de groupes pharmaceutiques internationaux.

Jenny Linn fronça les sourcils.

— Mais pourquoi des groupes pharmaceutiques s'intéresseraient-ils à des microrobots ?

— Ça se corse, dit Rick, si les médicamenteurs sont dans le coup !

— Peut-être qu'ils espèrent trouver de nouveaux modes d'administration ? supposa Amar.

— Non, ils les ont déjà avec les nanosphères. Ils n'ont pas besoin de dépenser des millions de dollars pour ça. Ils doivent espérer de nouveaux médicaments.

— Mais comment...

Erika secoua la tête, déconcertée.

— J'ai découvert autre chose sur eux, poursuivit Karen King. Peu après avoir obtenu son financement, Nanigen a été attaquée par une autre compagnie de microrobotique de Palo Alto. Celle-ci affirmait que Nanigen avait obtenu ces fonds grâce à de fausses déclarations et ne possédait pas la technologie dont elle se vantait. Cette autre compagnie fabriquait, elle aussi, des microrobots.

— Tiens, tiens...

— Et que s'est-il passé ?

— La plainte a été retirée. La société de Palo Alto a fait faillite. Et ça s'est arrêté là, sauf que le directeur de cette compagnie aurait déclaré que Nanigen possédait bien la technologie nécessaire, finalement.

— Alors tu penses que c'est vrai ? s'enquit Rick.

— Je pense surtout que je vais arriver en retard à mon cours.

— Moi, je crois que c'est vrai ! s'écria Jenny Linn. Et je vais aller à Hawaii en juger par moi-même.

— Moi aussi, opina Amar.

— J'y crois pas ! marmonna Rick Hutter.

Peter descendait Massachusetts Avenue vers Central Square en compagnie de Karen King. L'après-midi touchait à sa fin, mais le soleil chauffait encore. Karen portait son sac d'une main, l'autre était libre.

— Rick m'exaspère. Il joue les vertueux alors que c'est en fait un paresseux.

— Que veux-tu dire ?

— Choisir l'université, c'est choisir la sécurité. Une vie sympa et confortable assurée. Sauf qu'il ne le reconnaîtra jamais. Fais-moi plaisir, ajouta-t-elle, marche de l'autre côté, tu veux bien ?

— Pourquoi ? demanda-t-il en se mettant à sa gauche.

— Pour laisser ma main libre.

Il s'aperçut que Karen tenait son trousseau dans son poing fermé avec la pointe de sa clé de voiture qui saillait entre ses phalanges telle la lame d'un couteau. Et, suspendue au porte-clés, une bombe de poivre ballottait contre son poignet. Il ne put s'empêcher de sourire.

— Tu crois qu'on est en danger ici ?

— Le monde est dangereux.

— Massachusetts Avenue ? À 5 heures de l'après-midi ? En plein cœur de Cambridge.

— Les universités cachent le nombre réel de viols qui y sont perpétrés. Ce serait mauvais pour leur image. Leurs riches anciens élèves n'y enverraient plus leurs filles.

— Et qu'est-ce que tu comptes faire en tenant tes clés comme ça ? poursuivit-il, le regard rivé sur son poing.

— Frapper droit à la trachée-artère. Ce qui entraîne une douleur paralysante même sans la perforer. Et si ça ne suffit pas à me débarrasser de mon adversaire, je lui vide ma bombe en pleine figure. Et je lui donne un coup de pied dans la rotule pour la briser. Du coup, il s'écroule et il ne risque plus de s'enfuir.

Elle était sérieuse, presque menaçante. Peter se retint de rire. La rue devant eux semblait normale, quelconque. Les gens sortaient du travail et rentraient chez eux. Ils croisèrent un professeur à l'air harassé en veste de velours côtelé, serrant contre lui une pile de copies, puis une vieille dame avec un déambulateur. Un groupe de joggeurs les précédait.

Karen plongea la main dans son sac, en sortit un petit canif et dégagea d'un coup sec une épaisse lame-scie.

— Avec mon Spyderco, je peux même saigner ce salaud s'il le faut. Tu me trouves ridicule, n'est-ce pas ? ajouta-t-elle, surprenant son regard.

— Non. C'est juste que... tu te sens vraiment d'étriper quelqu'un avec ton couteau ?

— Écoute. Ma sœur est avocate à Baltimore. Un jour, elle va prendre sa voiture dans le garage, à 2 heures de l'après-midi. Soudain, un type lui saute dessus et la pousse en arrière, elle heurte le béton et perd connaissance. Là, il la tabasse et il la viole. Elle se réveille avec une amnésie rétrograde et ne se souvient pas de son agresseur, ni de ce qu'il lui a fait ni à quoi il ressemble. Rien. Bref, après une journée d'hôpital, on la renvoie chez elle. Mais voilà, il y a un type dans sa boîte, un collègue, qui a la gorge égratignée et elle pense que c'est peut-être lui. Il aurait très bien pu la suivre et la violer. Mais comme elle n'a aucun souvenir, elle n'en est pas sûre. Et ça la ronge. Du coup, elle quitte sa boîte et part s'installer à Washington où elle doit recommencer à zéro avec un boulot mal payé. Tout ça parce qu'elle ne tenait pas ses clés de cette façon ! soupira-t-elle en levant son poing. Elle était trop gentille pour se défendre. Quelle connerie !

Peter se demanda si Karen King pourrait vraiment poignarder quelqu'un avec sa clé ou le saigner avec son couteau. Il avait la désagréable impression qu'elle en serait tout à fait capable. Alors que, dans le milieu universitaire, tant de gens se contentaient de parler, elle ne demandait qu'à passer à l'action.

Ils arrivèrent devant le centre d'arts martiaux ; les vitres étaient tapissées de papier. À l'intérieur, on entendait des gens pousser des cris à l'unisson.

Karen se tourna vers lui.

— Eh bien, je suis arrivée. À plus tard. Mais si jamais tu as ton frère, demande-lui donc pourquoi les groupes pharmaceutiques investissent autant d'argent dans la microrobotique, d'accord ? Je serais curieuse de le savoir.

Sur ces mots, elle franchit les portes battantes et rejoignit son cours.

Ce soir-là Peter retourna au labo. Il devait nourrir le cobra tous les trois jours, de préférence la nuit, les cobras étant des animaux nocturnes. Il était 20 heures et les lumières du labo étaient tamisées quand il posa un rat blanc dans la cage et la referma. Le rat trottina jusqu'au fond du terrarium et s'immobilisa. Seul son nez tressaillait. Lentement, le serpent se tourna, se déroula et lui fit face.

— Je ne supporte pas de voir ça, murmura Rick Hutter qui était venu se planter derrière Peter.

— Pourquoi ?

— C'est trop cruel.

— Tout le monde doit manger, Rick.

Le cobra frappa et enfonça profondément ses crocs dans le corps du rat. Le rongeur frissonna, toujours debout, puis il s'effondra.

— C'est pour ça que je suis végétarien, continua Rick.

— Parce qu'à ton avis les plantes n'éprouvent rien ?

— Ne commence pas. Jenny et toi...

Les recherches de Jenny portaient sur la communication entre les plantes et les insectes par l'intermédiaire des phéromones, ces substances chimiques qu'émettent les organismes pour déclencher des réactions. Ce domaine avait énormément progressé au cours des vingt dernières années. Jenny insistait pour que l'on considère les plantes comme des créatures actives et intelligentes, guère différentes des animaux. Et Jenny adorait énerver Rick.

— C'est ridicule ! poursuivit-il. Les petits pois et les haricots n'ont pas de sentiments.

— Évidemment, répondit Peter avec un petit sourire, puisque tu as déjà tué la plante, égoïstement sacrifiée pour satisfaire ton appétit. Tu prétends qu'elle n'a pas poussé de hurlement d'agonie parce que tu refuses d'affronter les conséquences de ce massacre végétal commis de sang-froid.

— C'est absurde !

— C'est de l'espècisme et tu le sais !

Peter souriait toujours, pourtant il y avait une part de vérité dans ce qu'il disait. Il s'aperçut alors avec surprise qu'Erika se trouvait dans le labo et Jenny aussi. Peu d'étudiants de troisième cycle travaillaient la nuit. Que se passait-il ?

Debout devant un plateau de dissection, Erika Moll découpait délicatement un scarabée noir. Erika était coléoptériste, c'est-à-dire une entomologiste spécialisée dans les coléoptères. Comme elle le disait, il n'y avait rien de tel pour se faire remarquer dans les cocktails. « Qu'est-ce que vous faites ? – J'étudie les scarabées. » Néanmoins, les coléoptères jouaient un très grand rôle dans l'écosystème. Ils représentaient un quart de toutes les espèces connues. Il y a bien longtemps de cela, quand un journaliste avait demandé au célèbre biologiste J. B. S. Haldane ce que l'on pouvait déduire du Créateur d'après sa création, Haldane avait répondu : « Il avait un penchant excessif pour les coléoptères. »

— Qu'est-ce que tu tiens là ? lui demanda Peter.

— Un bombardier. Un de ces *Pheropsophus* australiens connus pour leurs projections spectaculaires.

Tout en parlant, elle poursuivait sa dissection. Elle changea de position et effleura Peter. Le contact semblait accidentel ; elle ne parut même pas s'en apercevoir. Cependant, tout le monde savait qu'elle adorait flirter.

— Et qu'a-t-il de spécial, ce bombardier ? continua-t-il.

Ces coléoptères doivent leur nom à leur faculté de projeter un liquide brûlant et nocif dans toutes les directions depuis une tourelle rotative située à la pointe de leur abdomen. Le jet est suffisamment désagréable pour empêcher les grenouilles et les oiseaux de les manger, et suffisamment toxique pour tuer les petits insectes sur le coup. La façon dont les bombardiers accomplissent cet exploit a été étudiée dès le début du XXe siècle et est désormais parfaitement comprise.

— Les bombardiers produisent un jet brûlant de benzoquinone fabriquée à partir de substances chimiques stockées dans leur corps. Ils possèdent deux chambres à l'arrière de l'abdomen. Je suis en train de les couper, là, tu les vois ? La première, le réservoir, contient des hydroquinones ainsi qu'un oxydant, du peroxyde d'hydrogène. La seconde, la chambre de réaction, rigide, contient des enzymes, des catalases et des peroxydases. Quand le bombardier est attaqué, d'une simple pression des muscles, il transfère le contenu de sa première chambre dans la seconde où tous les ingrédients se combinent pour produire une charge explosive de benzoquinone.

— Et ce bombardier-là ?

— Il ajoute une arme à son arsenal chimique. Il produit également du tridécanone-2, un composé de cétone. Celle-ci a des propriétés répulsives, mais elle agit également en tant qu'agent tensioactif, un agent humidifiant qui accélère la projection de la benzoquinone. Je veux savoir d'où vient cette cétone, précisa-t-elle en posant la main un instant sur son bras.

— Tu ne penses pas que c'est le coléoptère qui la produit.

— Pas forcément. Il peut avoir intégré une bactérie qui la fabrique pour lui.

C'était un processus courant dans la nature. Fabriquer des substances chimiques consommait de l'énergie et si un animal pouvait incorporer une bactérie pour faire le travail à sa place, c'était toujours ça de gagné.

— Et on trouve cette cétone ailleurs ? demanda Peter, ce qui laisserait entendre qu'elle était d'origine bactérienne externe.

— Oui, chez plusieurs chenilles.

— À propos, pourquoi travailles-tu si tard ?

— On est tous là.

— Oui, mais pourquoi ?

— Je ne veux pas prendre du retard, surtout que je pense partir toute la semaine prochaine. À Hawaii.

Un chronomètre à la main, Jenny Linn surveillait un appareillage complexe : un premier flacon, contenant des feuilles dévorées par des chenilles, était relié par un tuyau à trois autres flacons, contenant des plantes mais pas de chenilles. Une petite pompe assurait la circulation de l'air entre les différents récipients.

— Nous connaissons tous les données de base, expliqua-t-elle. Il y a dans le monde trois cent mille espèces de plantes connues contre neuf cent mille espèces d'insectes dont beaucoup mangent des plantes. Pourquoi n'ont-elles pas été rayées de la surface du globe ? Parce qu'il y a longtemps qu'elles ont mis au point des systèmes de défense contre les insectes qui les attaquent. Les animaux peuvent fuir leurs prédateurs, pas les plantes. Elles ont donc recours à la guerre chimique. Elles produisent leurs propres pesticides, elles génèrent des toxines qui donnent mauvais goût à leurs feuilles ou elles répandent des substances volatiles en vue d'attirer les prédateurs des insectes qui les attaquent. Et parfois, elles émettent des substances chimiques pour signifier aux autres plantes de rendre leurs feuilles plus toxiques, moins comestibles. Les communications interplantes, voilà ce que nous mesurons ici.

Les chenilles qui mangeaient les feuilles dans le premier flacon déclenchaient l'émission d'une substance

52

chimique, une hormone végétale, qui était ensuite transmise aux autres flacons. Et les autres plantes réagissaient alors en augmentant leur production d'acide nicotinique.

— J'essaie de mesurer le taux de réponse. Voilà pourquoi j'ai trois flacons. Je vais prélever des morceaux de feuilles en différents endroits pour mesurer les niveaux d'acide nicotinique. Seulement, dès que je coupe une feuille d'une nouvelle plante...

— Celle-ci réagit comme si elle était attaquée et émet davantage de substances volatiles.

— Exactement. Voilà pourquoi les flacons sont séparés. Nous savons que la réponse est relativement rapide, une question de minutes. Je mesure les émissions par chromatographie en phase gazeuse ultra-rapide, précisa-t-elle avec un geste vers le boîtier à côté d'elle. Et l'extraction de la feuille est immédiate. Maintenant, reprit-elle après un coup d'œil à son chrono, si tu veux bien m'excuser...

Elle souleva le premier flacon, commença à couper des feuilles de la base vers le haut et les posa sur le côté dans le même ordre.

— Tiens, tiens, tiens ! Mais que se passe-t-il ici ?

Danny Minot entra dans le laboratoire en agitant les mains. Rougeaud, grassouillet, vêtu d'une veste de tweed aux coudes renforcés de cuir, d'une cravate à rayures et d'un pantalon large, il avait tout d'un digne professeur anglais. Ce qui n'était pas loin de la vérité. Minot préparait un doctorat en sciences humaines, un mélange de psychologie et de sociologie assaisonné d'une bonne dose de postmodernisme français. Il était diplômé en biochimie et en littérature comparative. Cette matière l'ayant emporté, il citait Bruno Latour, Jacques Derrida, Michel Foucault et d'autres qui croyaient qu'il n'existait pas de vérité objective, mais seulement la vérité établie par le pouvoir. Minot travaillait au laboratoire pour achever une thèse sur « Les codes linguistiques scientifiques et la transformation du paradigme ». En pratique, cela lui permettait de se rendre odieux et d'emmerder les autres en enregistrant leurs conversations pendant qu'ils travaillaient.

Ils le méprisaient tous. Ils avaient eu de fréquentes discussions sur les raisons pour lesquelles Ray Hough l'avait accepté dans son laboratoire, jusqu'au jour où ils lui avaient enfin posé la question. Leur directeur avait alors répondu : « C'est le cousin de ma femme. Et personne ne voulait de lui. »

— Allez, il n'y a jamais personne qui travaille si tard dans ce labo et vous êtes tous là ! insista Minot en agitant de nouveau les mains.

— Brasseur d'air ! grommela Jenny Linn avec dédain.

— Je t'ai entendue, répliqua Minot. Qu'est-ce que tu insinues par là ?

Jenny se détourna.

— Qu'est-ce que tu as voulu dire ? Et ne me tourne pas le dos !

Peter s'approcha de Danny.

— Un brasseur d'air est quelqu'un qui n'a jamais mis ses idées en pratique et ne peut donc les défendre. Et dès qu'il doit s'expliquer, il se met à agiter les mains, à parler vite et conclut souvent avec de grands gestes par des « et cetera, et cetera ». En science, quand on agite les mains, ça signifie qu'on ne connaît pas son sujet.

— Ce n'est pas ce que je fais là, rétorqua Minot avec un nouveau mouvement de la main. Il y a confusion sémiotique.

— Hum...

— Mais comme le dit Derrida, la traduction mécanique est tellement difficile. J'essayais de vous impliquer tous ensemble par un mode gestuel englobant. Que se passe-t-il ?

— Ne lui dites pas sinon il va vouloir venir, gémit Rick.

— Bien sûr que je veux venir ! Je suis le chroniqueur de la vie de ce labo. Je *dois* venir. Où allez-vous ?

Peter lui résuma rapidement toute l'histoire.

— Oh, que oui, je vais venir ! La rencontre entre la science et le commerce ? La corruption de la jeunesse dorée ? Oh, évidemment que j'y serai !

Peter prenait un gobelet de café au distributeur dans le coin du labo quand Erika s'approcha de lui.

— Qu'est-ce que tu fais ce soir ?

— Je ne sais pas. Pourquoi ?

— Je pourrais venir chez toi.

Elle le regardait droit dans les yeux. Son côté direct le rebuta.

— Je ne sais pas, Erika, je risque de travailler très tard, répondit-il alors qu'il pensait que ça faisait au moins trois semaines qu'il ne l'avait pas vue.

— Moi, j'ai presque fini. Et il n'est que 9 heures.

— Je ne sais pas. On verra.

Elle le dévisagea.

— Elle ne t'intéresse pas, ma proposition ?

— Je croyais que tu voyais Amar.

— Je l'aime beaucoup. Il est très intelligent. Mais tu me plais aussi. Tu m'as toujours plu.

— Si on en parlait plus tard ? éluda-t-il en versant du lait dans son café et il partit si vite qu'il en renversa un peu.

— Quand tu veux.

Rick Hutter leva les yeux vers lui, un sourire aux lèvres.

— Un problème avec ton café ?

Éclairé par une lampe halogène, Rick tenait un rat la tête en bas et mesurait sa patte arrière avec un pied à coulisse.

— Non, je ne m'attendais pas à... à ce qu'il soit si chaud.

— En effet... C'est vraiment surprenant !

— Tu fais un test à la carraghénane ? enchaîna Peter, pressé de changer de conversation.

La carraghénane était couramment utilisée pour provoquer l'œdème de la patte d'un animal de laboratoire. C'était la méthode employée par tous les chercheurs du monde pour étudier l'inflammation.

— Exact, répondit Rick. J'ai injecté de la carraghénane et la patte a enflé. Je l'ai alors enveloppée d'un extrait d'écorce d'*Himatanthus sucuuba*, un petit arbre de la forêt tropicale. Et, avec un peu de chance, nous allons à présent démontrer ses propriétés anti-inflammatoires. Je l'ai déjà fait pour son latex. L'*Himatanthus* est un arbre aux vertus multiples, il guérit entre autres les blessures et les ulcères. Les chamans du Costa Rica prétendent qu'il possède également des qualités antibiotiques, antifièvres, anticancéreuses et antiparasites, mais je ne l'ai pas encore vérifié. En tout cas, l'extrait d'écorce a réduit l'inflammation de ce rat remarquablement vite.

— Tu as déterminé quelles substances étaient responsables de cette réponse anti-inflammatoire ?

— Les chercheurs brésiliens l'attribuent au cinnamate d'alpha-amyrin et à d'autres composants cinnamates, mais je ne l'ai pas encore confirmé.

Rick finit de mesurer le rat, le reposa dans sa cage et consigna la mesure et l'heure sur son ordinateur.

— Il est à noter qu'aucun des extraits de cet arbre ne semble toxique. Ce qui veut dire qu'on en donnera peut-être un jour aux femmes enceintes. Hé, regarde ça ! s'exclama-t-il en montrant le rat qui se déplaçait dans sa cage. Il ne boite plus.

— Fais gaffe qu'un grand groupe pharmaceutique ne vienne pas te coiffer sur le poteau, rétorqua Peter en lui donnant une tape dans le dos.

— Oh, je ne m'inquiète pas ! Si ces types voulaient vraiment développer de nouveaux médicaments, ils s'intéresseraient depuis longtemps à cet arbre. Mais pourquoi se donneraient-ils cette peine ? Ils préfèrent laisser le contribuable américain financer la recherche et attendre qu'un étudiant fasse une découverte après des mois de labeur, pour fondre dessus et la racheter à l'université. Ensuite, ils nous la revendront au prix fort. Jolie combine, non ? Je te le dis, ces putains de groupes pharm...

— Rick, le coupa Peter en pleine tirade. Il faut que j'y aille.

— Ben voyons ! Personne ne veut entendre la vérité, je le sais bien.

— Je dois centrifuger le venin de mon naja.

— Pas de problème. Écoute – Rick jeta un regard hésitant vers Erika par-dessus son épaule –, ça ne me regarde pas...

— En effet, ce n'est pas...

— Mais ça me tue de voir un mec sympa comme toi tomber entre les pattes... d'une fille qui est... bon... Peu importe, tu connais mon ami Jorge, celui qui étudie l'informatique au MIT ? Si tu veux savoir à quoi t'en tenir sur Erika, appelle ce numéro... (Il tendit une carte à Peter.) Jorge pourra avoir accès à ses appels, que ce soit ses SMS ou ses communications, et tu sauras la vérité sur... disons... ses mœurs légères.

— C'est légal ?

— Non, mais c'est sacrément utile !

— Merci, mais...

— Non, non, garde-le, insista Rick.

— Je ne m'en servirai pas.

— On ne sait jamais. Les enregistrements d'appels ne mentent pas.

— D'accord.

Jugeant plus facile de garder la carte que de discuter, Peter la glissa dans sa poche.

— Au fait, reprit Rick, en parlant de ton frère...

— Oui. Quoi ?

— Tu crois qu'on peut lui faire confiance ?

— Au sujet de sa boîte ?

— Ouais, Nanigen.

— Je pense. Mais, en toute franchise, je ne sais pas grand-chose.

— Il ne t'en a pas parlé ?

— Non, il a été assez secret sur toute cette histoire.

— Tu penses qu'ils sont aussi innovants qu'ils le prétendent ?

Oui, je les crois très, très innovants, songea Peter, alors que, penché sur le microscope à balayage, il examinait de nouveau le petit objet blanc, le microrobot. Il essayait de concilier ce qu'il voyait et l'explication de son frère selon lequel ce qu'il avait pris pour un cockpit n'était qu'un logement pour le microbloc d'alimentation ou le boîtier de contrôle. Cependant, ça n'y ressemblait pas du tout. Ça avait tout d'un siège face à un minuscule tableau de bord très complet.

Il s'interrogeait encore à ce sujet quand il s'aperçut qu'un grand silence s'était abattu sur le labo. Il releva la tête et vit que son microscope retransmettait l'image sur l'écran mural géant. Tout le monde la regardait fixement.

— Putain, qu'est-ce que c'est que ce machin ? demanda Rick.

— Je n'en sais rien, répondit Peter en éteignant l'écran. Et nous ne le saurons que si nous allons à Hawaii.

3.

Maple Avenue, Cambridge
27 octobre, 6 heures

L'un après l'autre, les sept étudiants avaient décidé d'accepter l'offre de Vin Drake. Ils avaient rassemblé leurs données, rédigé des comptes rendus de leurs recherches et envoyé des lettres et des informations à Alyson Bender, chez Nanigen. L'un après l'autre, ils avaient été informés que Nanigen les ferait venir à Hawaii. Par commodité, ils voyageraient en groupe. Alors qu'octobre tirait à sa fin, ils avaient consacré leurs journées à la préparation de leur expédition. Ils croulaient sous le travail : ils devaient terminer leurs expérimentations, mettre leurs projets de recherche en ordre avant de les abandonner pour un moment et, bien sûr, faire leurs valises. Ils partiraient tôt le dimanche matin de l'aéroport Logan, à Boston, et, après une correspondance à Dallas, ils arriveraient à Honolulu l'après-midi du même jour. D'un commun accord, il avait été décidé qu'ils resteraient quatre jours et rentreraient en fin de semaine.

La veille de leur départ, un samedi matin froid et gris, Peter Jansen travaillait chez lui sur son ordinateur tandis qu'Erika Moll préparait des œufs au bacon tout en chantant *Take a Chance on Me* quand il se souvint brusquement qu'il avait oublié de rallumer son téléphone – il l'avait coupé la veille au soir, à l'arrivée surprise d'Erika. Il le reconnecta et le posa sur son bureau. Une minute plus tard, l'appareil vibra. C'était un texto d'Eric, son frère.

ne viens pas

Il regarda fixement le message. C'était une blague ? Que s'était-il passé ? Il répondit :

pourquoi ?

Il scruta l'écran, mais aucune réponse n'apparut. Au bout de quelques minutes, il composa le numéro d'Eric à Hawaii et tomba sur son répondeur.

— Eric, c'est Peter. Que se passe-t-il ? Rappelle-moi.

— À qui parles-tu ? lança Erika depuis la cuisine.

— Personne. J'essaie juste de joindre mon frère.

Il revint au message. Il était arrivé à 21 h 49, la veille au soir ! Donc l'après-midi à Hawaii.

— Le petit déjeuner va être prêt ! annonça Erika.

Il emporta son mobile et le posa à côté de lui. Erika tordit le nez. Elle détestait les téléphones à table.

— J'ai suivi la recette de ma grand-mère, dit-elle en versant les œufs dans son assiette. Avec du lait et de la farine...

Le téléphone sonna.

Il le saisit aussitôt.

— Allô ?

— Peter ? demanda une voix féminine. Peter Jansen ?

— Oui, c'est moi.

— C'est Alyson Bender. De Nanigen. – L'image de la jeune femme blonde avec son bras passé autour de la taille d'Eric lui revint en mémoire. – Dites-moi, pourriez-vous venir à Hawaii plus tôt ?

— Nous devons prendre l'avion demain.

— Pourriez-vous partir aujourd'hui ?

— Je ne sais pas. Je...

— C'est important.

— Eh bien, je vais voir les vols...

— En fait, j'ai pris la liberté de vous réserver une place sur l'avion qui décolle dans deux heures. Vous pourrez le prendre ?

— Oui, je pense. Mais que se passe-t-il ?

— Je suis désolée, j'ai une mauvaise nouvelle, Peter. C'est au sujet de votre frère, ajouta-t-elle après un bref silence.

— Quoi donc ?

— Il a disparu.

— Disparu ? répéta-t-il, hébété. Que voulez-vous dire ?

— C'est arrivé hier. Il a eu un problème en bateau. Je ne sais pas s'il vous a dit qu'il avait acheté un bateau, un Boston Whaler ? Bref, il l'a pris hier pour aller au nord de l'île et il a eu un problème mécanique... Il était près des falaises, il y avait beaucoup de vagues. Les moteurs ne marchaient plus, le bateau a dérivé...

La tête de Peter se mit à tourner. Il repoussa son assiette. Erika le regarda et blêmit.

— Comment le savez-vous ? demanda-t-il.

— Il y avait des gens sur les falaises. Ils ont tout vu.

— Et qu'est-il arrivé à Eric ?

— Il a essayé de redémarrer les moteurs. Il n'a pas réussi. Les vagues étaient hautes, le bateau allait s'écraser sur les rochers. Eric a plongé... pour regagner la côte à la nage. Mais avec les courants... il n'est jamais arrivé au bord. Je suis vraiment désolée, Peter, ajouta-t-elle dans un souffle.

— Eric est un bon nageur. Un excellent nageur.

— Je sais. Et c'est pour cela que nous ne perdons pas espoir. Mais... euh... la police nous a dit que... eh bien... Ils aimeraient vous voir et parler de tout ça avec vous dès votre arrivée.

— Je pars immédiatement.

Il raccrocha. Erika, qui avait foncé dans la chambre, revint avec son sac, déjà préparé pour le départ du lendemain.

— On ferait bien d'y aller si tu veux attraper ce vol, dit-elle en lui passant un bras autour des épaules.

4.

Considérées comme un site touristique, les hautes falaises de Makapuu Point qui dominaient l'extrémité nord-est d'Oahu étaient réputées offrir une vue spectaculaire sur l'océan dans toutes les directions. Peter fut surpris de découvrir un endroit aussi désolé qu'aride. Un vent violent balayait les broussailles rabougries à ses pieds et faisait claquer ses vêtements, le forçant à se pencher pour avancer. Et aussi à parler très fort.

— C'est toujours comme ça ?

— Non, répondit Dan Watanabe, le policier qui l'accompagnait. Parfois, il fait un temps très agréable. Mais les alizés ont forci hier soir.

Watanabe portait des Ray-Ban. Il montra un phare sur leur droite.

— Le phare de Makapuu. Ça fait des années qu'il est automatisé. Plus personne ne vit ici.

Droit devant eux, les falaises de lave noire descendaient à pic vers l'océan qui les assaillait, soixante mètres plus bas, et se fracassait sur les rochers dans un bruit assourdissant.

— C'est là que ça s'est passé ?

— Oui. Le bateau s'est échoué par ici, répondit

Watanabe avec un geste vers la gauche, mais les gardes-côtes l'ont sorti des rochers ce matin, avant que les vagues le brisent.

— Donc son bateau se trouvait encore au large quand il est tombé en panne ?

Peter contempla l'océan agité, la forte houle, l'écume.

— Oui. Il a dérivé un moment, d'après les témoins.

— Il a essayé de redémarrer le moteur...

— Oui, et il se rapprochait de plus en plus du ressac.

— Et quel problème mécanique a-t-il rencontré ? J'ai cru comprendre que le bateau était tout neuf.

— En effet. Il l'avait depuis deux semaines à peine.

— Mon frère s'y connaissait en bateaux. Ma famille en a toujours eu sur le détroit de Long Island où nous passions tous les étés.

— La mer est différente par ici. On est en plein milieu de l'océan. La terre la plus proche, le continent, se trouve à quatre mille cinq cents kilomètres, ajouta Dan avec un geste vers l'horizon. Enfin, là n'est pas la question. Une chose est claire, c'est l'éthanol le responsable des problèmes de votre frère.

— L'éthanol ?

— L'essence vendue à Hawaii contient dix pour cent d'éthanol et ça ne convient pas aux petits moteurs. En plus, certains distributeurs bon marché en mettent beaucoup trop, jusqu'à trente pour cent. Ça encrasse les tuyaux d'alimentation et ça attaque tout ce qui est en caoutchouc ou en néoprène. Une vraie plaie pour les bateaux. Les gens sont forcés de mettre des réservoirs et des tuyaux en acier. En tout cas, nous pensons que c'est ce qui est arrivé à votre frère. Les carburateurs se sont bouchés et la pompe d'alimentation est tombée en panne. Bref, il n'a pas réussi à redémarrer à temps.

Peter gardait le regard rivé sur l'eau. Plus verte

près du bord et, au loin, d'un bleu profond couronné d'écume soufflée par le vent.

— Comment sont les courants par ici ?

— Ça dépend. En principe, ils ne posent pas de problème à un bon nageur. Le tout, c'est de trouver un endroit pour sortir de l'eau sans se couper sur la lave solidifiée. Le plus logique, c'est de viser la plage de Makapuu, là-bas, précisa Watanabe en montrant une bande de sable à huit cents mètres de là.

— Mon frère était un excellent nageur.

— C'est ce qu'on m'a dit. Mais les témoins ne l'ont plus vu après son plongeon. La mer était mauvaise et il a disparu tout de suite dans le ressac.

— Il y avait combien de témoins ?

— Deux. Un couple qui pique-niquait sur le bord de la falaise. Il y avait aussi des randonneurs et d'autres personnes, mais nous n'avons pas pu les retrouver. Que diriez-vous de nous mettre un peu à l'abri du vent ?

Il s'éloigna du bord et Peter le suivit.

— Je pense que nous avons terminé. Sauf si vous voulez voir la vidéo, bien sûr.

— Quelle vidéo ?

— Les gens qui pique-niquaient ont filmé le bateau quand ils ont vu qu'il était en difficulté. Ça dure une quinzaine de minutes, jusqu'au moment où votre frère saute à l'eau. Je n'étais pas sûr que vous voudriez la voir.

— Bien sûr que si.

Ils se trouvaient au premier étage du commissariat, les yeux rivés sur le minuscule écran d'une caméra vidéo. Au milieu du bruit et de l'agitation qui les entouraient, Peter avait du mal à se concentrer sur ce qu'il voyait. Les premières images montraient un homme d'une trentaine d'années, assis dans l'herbe au bord de la falaise, qui mangeait un sandwich, puis une jeune femme à peu près du même âge, qui buvait un Coca et repoussait la caméra en riant.

— C'est le couple, expliqua Watanabe. Grace et Bobby Choy. On les voit chahuter pendant six minutes environ.

Il appuya sur le bouton défilement rapide et s'arrêta.

— L'horodatage est activé, remarqua-t-il en montrant le petit cadran qui indiquait 15 h 50 mn 12 s. Là, vous voyez Bob braquer la caméra sur la mer. Il a repéré le bateau en panne.

La caméra faisait un panoramique de l'océan. La coque blanche du Boston Whaler se balançait sur l'horizon bleu. Il se trouvait encore à une centaine de mètres du rivage et donc trop loin pour que Peter puisse reconnaître son frère. La caméra revint sur Bobby Choy qui regardait à présent aux jumelles.

Quand Peter revit le bateau, il se trouvait beaucoup plus près du bord. Et il pouvait distinguer la silhouette de son frère, penché, qui apparaissait et disparaissait par intermittence.

— Je pense qu'il essayait de déboucher les tuyaux. C'est l'impression qu'on a.

— Oui.

La caméra montrait à présent Grace Choy, qui secouait la tête tout en essayant de passer un coup de fil.

On revenait ensuite sur le bateau, qui s'était encore rapproché du ressac.

De nouveau, Grace Choy qui parlait au téléphone en secouant la tête.

— La réception était mauvaise. Elle a appelé le 911, mais elle n'arrivait pas à se faire entendre. Ça ne passait pas. Si elle avait réussi à les joindre, ils auraient prévenu les gardes-côtes.

La prise de vues était saccadée, pourtant Peter vit quelque chose qui...

— Attendez !

— Quoi ?

— Arrêtez le film. Mettez-le sur pause !

Alors que l'image se figeait, Peter pointa le bord de l'écran.

— Qui est-ce dans le fond ?

On voyait une femme, vêtue de blanc, à quelques mètres des Choy. Elle fixait intensément la mer et semblait montrer le bateau du doigt.

— C'est un des autres témoins, répondit Watanabe. Il y avait aussi trois joggeurs. Nous n'avons pas encore pu les identifier. Mais je ne pense pas qu'ils pourraient nous en apprendre plus que ce que nous savons déjà.

— On dirait qu'elle a quelque chose à la main, non ? demanda Peter.

— Je crois qu'elle montre seulement le bateau.

— Je n'en suis pas sûr. J'ai vraiment l'impression qu'elle tient quelque chose.

— Je vais demander aux gars de l'audiovisuel de vérifier. Vous n'avez peut-être pas tort.

— Qu'est-ce qu'elle fait ensuite ?

— Elle part tout de suite, répondit Watanabe, en remettant le film en marche. Elle remonte la colline et disparaît du champ. Vous voyez : elle s'en va. Elle se dépêche. On dirait qu'elle va chercher des secours, mais personne ne l'a revue. Et le 911 n'a pas reçu d'autre appel.

Quelques instants plus tard, on voyait Eric sauter du Boston Whaler et disparaître dans le ressac. C'était difficile à évaluer, mais il semblait se trouver à une trentaine de mètres du bord. Il ne plongeait pas, non, il sautait les pieds en avant dans l'écume.

Peter scruta l'écran ; on ne le voyait pas remonter à la surface. Eric avait eu un comportement surprenant de la part d'un marin comme lui, ce qui le perturbait énormément.

— Mon frère n'a pas mis de gilet de sauvetage, remarqua-t-il à voix haute.

— Je l'avais noté, acquiesça Watanabe. Peut-être

qu'il avait oublié d'en emporter sur le bateau. Ce sont des choses qui arrivent...

— Et il n'a lancé aucun appel radio ?

Le bateau était sans doute équipé d'une VHF. En marin expérimenté, Eric n'aurait pas manqué d'envoyer un signal de détresse sur le canal 16 qui était toujours surveillé par les gardes-côtes.

— Les gardes-côtes n'ont rien entendu.

C'était très étrange. Pas de gilet de sauvetage, pas d'appel de détresse. La radio d'Eric était-elle cassée ? Peter gardait les yeux rivés sur la houle qui montait et descendait et l'océan dénué de toute trace de son frère.

— Vous pouvez arrêter, dit-il au bout d'une minute.

— Nous pensons qu'il s'est perdu dans la zone d'impact, déclara Watanabe en coupant la caméra.

— Dans quoi ?

— La zone d'impact. C'est ainsi qu'on appelle le chaos formé par les vagues qui se brisent en produisant toute cette écume. Il a peut-être heurté un rocher. Il y a des affleurements à moins d'un mètre de fond. On ne peut pas savoir... Vous voulez revoir des passages ? demanda-t-il après un silence.

— Non. J'en ai assez vu.

Watanabe rabattit l'écran d'un coup sec et éteignit la caméra.

— Cette femme sur la falaise. Vous la connaissez ?

— Moi ? Non. Aucune idée.

— Je me demandais... vous avez réagi si violemment.

— Non, désolé. J'ai juste été surpris... j'ai eu l'impression qu'elle surgissait d'un coup, c'est tout. Je n'ai pas la moindre idée de qui ça peut être.

— Vous me le diriez si vous la connaissiez ? insista Watanabe, imperturbable.

— Oui, évidemment !

— Eh bien, merci de m'avoir accordé tout ce temps, conclut le policier en lui tendant sa carte. Je vais demander à un de mes inspecteurs de vous raccompagner à votre hôtel.

Peter parla peu sur le chemin du retour. Il n'en avait pas envie et le lieutenant n'insista pas. C'est vrai que les images de son frère disparaissant dans les vagues avaient de quoi le bouleverser. Pourtant, elles le troublaient moins que la vision de la jeune femme vêtue de blanc, debout sur la falaise, qui braquait quelque chose sur le bateau. Parce que cette jeune femme n'était autre qu'Alyson Bender, la directrice financière de Nanigen, et sa présence sur les lieux changeait tout.

5.

Allongé sur son lit dans sa chambre d'hôtel, Peter
Jansen éprouvait un sentiment d'irréalité. Il ne savait
plus quoi faire. Pourquoi n'avait-il pas dit à Watanabe
qu'il avait reconnu Alyson Bender ? Il se sentait à la
fois épuisé et incapable de se reposer. La vidéo n'arrêtait pas de défiler dans son esprit. Il revoyait Alyson
le bras tendu regarder Eric mourir comme si cela ne
signifiait rien pour elle. Puis elle partait en courant.
Pourquoi ?

Il pensa soudain à ce que Rick Hutter lui avait dit
au sujet d'Erika Moll. Sur la façon dont on pouvait
obtenir des infos sur quelqu'un. Il attrapa son portefeuille et sortit en vrac des cartes, de l'argent... Ah, elle
était là ! La carte que Rick lui avait remise au labo, plus
d'une semaine auparavant. Avec juste le mot Jorge et
un numéro écrits de sa main. Les coordonnées du
hacker du MIT. Le gars qui avait accès aux communications téléphoniques.

C'était l'indicatif du Massachusetts. Il appela le
numéro. Il entendit sonner et sonner encore. Comme
il n'y avait pas de répondeur, Peter attendit. Enfin
quelqu'un répondit, du moins entendit-il un grognement.

— Ouais ?

— Je suis un ami de Rick Hutter, se présenta-t-il. Vous pouvez m'avoir la liste des derniers appels donnés et reçus par un téléphone ?

— Ouais. Pourquoi ?

— Rick me l'avait dit. Je vous paierai ce que vous voulez.

— C'est pas une question d'argent. Je le fais uniquement si c'est... intéressant.

Un léger accent latino, une voix douce.

Peter expliqua la situation.

— Une femme est peut-être impliquée dans... dans la... dans la mort de mon frère.

Mort. C'était la première fois qu'il employait ce mot en parlant d'Eric.

Seul le silence lui répondit.

— Écoutez, insista-t-il. J'ai le numéro du mobile avec lequel elle m'a appelé. Pouvez-vous savoir qui d'autre elle a contacté avec cet appareil ? Je pense que c'est le sien.

Il lui lut le numéro d'Alyson.

Il y eut un vide au bout du fil, un silence qui durait. Peter retint son souffle.

— Donnez-moi... deux heures, lâcha enfin Jorge.

Peter se laissa retomber sur le lit, le cœur battant. Il entendait la circulation sur Kalakaua Avenue, car sa chambre donnait sur *mauka*, l'intérieur de l'île et les montagnes qui entouraient la ville. La journée touchait à sa fin ; le soleil déclinait ; la pièce se remplissait d'ombres. Peut-être Eric avait-il regagné la rive ; peut-être souffrait-il d'amnésie et le retrouverait-on dans un hôpital ; peut-être y avait-il eu une terrible erreur... Peter devait espérer, il devait croire qu'Eric finirait par réapparaître, d'une manière ou d'une autre, quelque part. Qu'il restait encore une chance infime. À moins qu'Eric n'ait été... assassiné ? Finalement, ne supportant plus de rester enfermé dans sa chambre, Peter sortit.

Il s'assit sur la plage devant l'hôtel et regarda les traînées rouges du soleil couchant virer au noir au-dessus de l'océan. Pourquoi n'avait-il pas dit au policier qu'il l'avait reconnue sur la vidéo ? Une sorte d'instinct l'en avait empêché. Mais pourquoi ? Qu'est-ce qui l'avait poussé à se taire ? Quand Eric et lui étaient plus jeunes, ils veillaient toujours l'un sur l'autre. Eric l'avait couvert. Il avait couvert Eric...

— Vous voilà !

Il se retourna et vit Alyson Bender s'approcher dans la lumière du soir. Avec sa robe en tissu hawaiien bleu et ses sandales, elle n'avait pas du tout la même allure que lors de son passage à Cambridge, en tailleur et collier de perles. Là, elle avait l'air d'une innocente jeune fille.

— Pourquoi ne m'avez-vous pas téléphoné ? Je pensais que vous le feriez dès que vous en auriez terminé avec la police. Comment ça s'est passé ?

— Bien. Ils m'ont conduit à... à Makapuu Point et m'ont montré où ça c'était passé.

— Oh... Et il y a du nouveau ? Pour Eric, je veux dire ?

— Ils ne l'ont toujours pas retrouvé. Son corps non plus.

— Et le bateau ?

— Quoi, le bateau ?

— La police l'a examiné ?

— Oh, je ne sais pas, répondit-il avec un haussement d'épaules. Ils ne m'en ont pas parlé.

Elle s'assit sur le sable à côté de lui et posa la main sur son épaule. Elle était chaude.

— Je suis désolée pour cette épreuve, Peter. Cela a dû être terrible pour vous.

— Oui, très pénible. La police avait une vidéo.

— Une vidéo ? C'est vrai ? Vous l'avez vue ?

— Oui.

— Et alors ? Elle est instructive ?

N'avait-elle réellement pas vu la caméra entre les mains du couple assis plus bas sur la pointe ? Était-il

possible qu'elle n'ait eu d'yeux que pour le bateau ?
Elle le dévisageait dans la semi-obscurité.

— J'ai vu Eric sauter... et il n'est jamais remonté.

— Quelle horreur ! murmura-t-elle.

Elle lui pressa l'épaule, la frictionna. Il aurait
voulu lui dire d'arrêter, mais il avait peur que sa voix
ne le trahisse. Toute cette histoire le glaçait d'horreur.

— Et qu'en pense la police ? continua-t-elle.

— De quoi ?

— De ce qui s'est passé ? Je veux dire, sur le
bateau.

— Ils croient que c'est l'alimentation...

Son téléphone sonna. Il le sortit de la poche de sa
chemise et l'ouvrit.

— Allô.

— C'est Jorge.

— Un moment. Excusez-moi un instant, il faut
que je réponde, dit-il à Alyson en se levant.

Il s'éloigna sur la plage. Quelques étoiles commençaient à scintiller dans le ciel.

— Allez-y, Jorge.

— J'ai les informations que vous m'avez
demandées. Le téléphone est enregistré au nom de la
société Nanigen MicroTechnologies, à Honolulu. Et
plus précisément affecté à une de leurs employées,
Alyson F. Bender.

Peter se retourna. Alyson n'était plus qu'une
ombre sur le sable.

— Continuez.

— Hier, à 15 h 47 heure locale, elle a appelé le
646 673 26 82 trois fois de suite.

— À qui est ce numéro ?

— Il renvoie à un de ces mobiles jetables avec
carte prépayée qu'on peut acheter sans donner de
nom et dont on se débarrasse une fois la carte épuisée.

— Elle l'a appelé trois fois ?

— Oui, mais très brièvement : trois secondes, puis
deux secondes, puis trois secondes.

— D'accord... Cela veut-il dire que la communication ne passait pas.

— Non, ça passait, elle n'est pas tombée sur un répondeur, mais directement sur la sonnerie. Elle savait qu'elle avait joint le numéro. Il y a deux possibilités. Ou elle a rappelé en pensant que la personne finirait par décrocher ou elle a mis en marche un appareil.

— Un appareil ?

— Ouais. Vous pouvez connecter un téléphone portable sur un appareil de façon à ce qu'il le mette en marche dès qu'on l'appelle.

— D'accord, donc elle a passé trois appels d'affilée. Et ensuite ?

— À 15 h 55, elle a appelé un autre mobile professionnel enregistré au nom de Nanigen et attribué à Vincent Drake. Vous voulez entendre la communication ?

— Bien sûr.

Une sonnerie, puis un déclic.

Vin : Oui ?
Alyson (essoufflée) : C'est moi.
Vin : Oui ?
Alyson : Écoute. Je suis inquiète. Je ne sais pas si ça a marché. Il aurait dû y avoir de la fumée ou quelque chose...
Vin : Excuse-moi...
Alyson : Mais je suis inquiète...
Vin : Je préfère t'interrompre.
Alyson : Tu ne comprends pas...
Vin : Si, je comprends très bien. Maintenant, tu m'écoutes. Tu es au téléphone. Il me faut des informations plus... pertinentes.
Alyson : Oh !
Vin : Tu comprends ce que je dis ?
Un silence
Alyson : Oui.

Vin : Parfait. Bon. Où est l'objet ?
Nouveau silence
Alyson : Introuvable. Disparu.
Vin : Bien. Alors je ne vois pas où est le problème.
Alyson : Je suis toujours inquiète.
Vin : Mais l'objet n'a pas réapparu ?
Alyson : Non.
Vin : Donc tout va bien. Nous pourrons en parler de vive voix, mais pas maintenant. Tu rentres ?
Alyson : Oui.
Vin : Parfait. À bientôt.

Clic !

— Il y a deux autres appels, reprit Jorge. Vous voulez les entendre ?

— Plus tard, peut-être.

— D'accord. Je vous les ai envoyés par mail en WAV. Vous pourrez les écouter sur votre ordinateur.

Peter regarda Alyson et frissonna.

— Merci. Je peux les donner à la police ?

— Surtout pas ! Il faut une décision judiciaire pour avoir accès à ce genre d'infos. En leur fournissant de telles preuves, vous ruineriez tout espoir de poursuites. Pour perquisition et saisie illégales. En plus, vous me ficheriez dans un sacré pétrin.

— Alors qu'est-ce que je dois faire ?

— Ben... je ne sais pas. Forcez-les à avouer.

— Comment ?

— Désolé, là, je ne peux pas vous aider. Mais si vous avez besoin d'autres enregistrements téléphoniques, appelez-moi quand vous voulez.

Pris de sueurs froides, Peter rejoignit Alyson. Il faisait très sombre et il ne pouvait pas voir son expression. Elle était assise sur le sable, immobile.

— Tout va bien ? l'entendit-il demander.

— Oui, très bien.

En fait, Peter avait l'impression de se noyer,

enseveli sous cette avalanche d'événements. Il avait passé son existence à étudier, et, jusqu'à cet instant, il avait cru que son expérience de la vie lui donnait une idée claire, cynique même, de ses congénères et de ce dont ils étaient capables. Au fil des années, il avait croisé des étudiants qui trichaient, qui accordaient leurs faveurs en échange de bonnes notes ou qui falsifiaient leurs résultats, ainsi que des professeurs qui s'appropriaient le travail de leurs élèves. Il avait même connu un tuteur de thèse accro à l'héro. Il avait l'impression, à vingt-trois ans, d'avoir tout vu.

Plus maintenant. L'idée de meurtre, que quelqu'un ait pu froidement vouloir tuer son frère, le faisait trembler, suer à grosses gouttes, grelotter. Il avait peur de parler à cette jeune femme, censée être la petite amie de son frère alors qu'à l'évidence, elle avait comploté contre lui. Il n'y avait aucune larme à attendre d'elle ; elle n'avait pas le moins du monde l'air bouleversée.

— Vous êtes bien silencieux, Peter, remarqua-t-elle.

— La journée a été longue.

— Je vous offre un verre ?

— Non, merci.

— Leurs *mais tais* sont délicieux ici.

— Non, je ferais mieux d'aller me coucher.

— Vous avez dîné ?

— Non, je n'ai pas faim.

Elle se leva et s'épousseta.

— Vous devez être secoué. Je le suis aussi.

— Oui.

— Pourquoi êtes-vous si froid avec moi ? J'essaie juste de...

— Je suis désolé, s'empressa-t-il de s'excuser de peur d'éveiller ses soupçons, ce qui serait à la fois malavisé et dangereux. Je suis encore sous le choc.

Elle lui toucha la joue.

— Appelez-moi si je peux faire quoi que ce soit.

— D'accord. Merci.

Ils entrèrent dans l'hôtel.

— Vos amis arrivent demain. Ils sont émus par ce qui est arrivé à Eric. Mais la visite de nos installations est déjà organisée. Vous voulez y assister ?

— Absolument. C'est inutile que je reste assis à attendre les bras ballants.

— La visite commencera par l'arboretum de Waipaka, dans la vallée de Manoa, dans les montagnes, non loin d'ici. C'est de là que proviennent une grande partie des échantillons tropicaux sur lesquels nous travaillons. Elle est prévue à 16 heures demain. Je passe vous prendre ?

— Ce ne sera pas nécessaire. J'irai en taxi. Merci d'être venue, Alyson, finit-il, parvenant même à l'embrasser sur la joue. Cela me touche beaucoup.

— J'aimerais tellement vous aider, dit-elle en le regardant d'un air hésitant.

— Mais vous m'aidez, je vous assure. Vous m'aidez.

Incapable de dormir, tourmenté par les informations de Jorge, Peter Jansen sortit sur le balcon de sa chambre. Au-delà de la ville on distinguait un chaos de pics montagneux, sauvages et sombres, sans aucune lumière, se détachant à peine sur les étoiles qui éclairaient le ciel nocturne. Alyson Bender avait passé trois appels brefs à un mystérieux numéro de téléphone. Il était obnubilé par l'heure de ces appels : 15 h 47. Il se souvenait que la vidéo prise par le couple était horodatée. Il essaya de se remémorer l'heure qu'elle indiquait. Il avait une bonne mémoire des chiffres. Il s'en servait constamment dans l'enregistrement de ses données. L'horodatage lui revint à l'esprit : 15 h 50 et des poussières. À peine trois minutes après les appels d'Alyson, le bateau d'Eric apparaissait en panne sur la vidéo !

Une minute... Et le texto d'Eric ? À quelle heure était-il arrivé ? Peter revint dans la chambre, prit son téléphone et déroula le menu des appels. Le SMS était arrivé à 21 h 49, heure de la côte Est. Il y avait six heures de décalage entre la côte Est et Hawaii. Ce qui voulait dire que... qu'Eric l'avait envoyé à 15 h 49. Deux minutes après les trois coups de fil donnés par Alyson Bender à un mobile jetable. Et le texte ne comportait que trois mots : « ne viens pas ». Parce que Eric se trouvait dans une situation critique et n'avait pas eu le temps d'en écrire davantage. Il l'avait envoyé depuis son bateau alors qu'il essayait de redémarrer, quelques secondes avant de sauter par-dessus bord. Peter avait les mains si moites qu'il faillit lâcher son portable. Il ne pouvait détacher les yeux du texto « ne viens pas ». C'étaient les dernières paroles de son frère qu'il lisait !

6.

Ala Wai, Honolulu
28 octobre, 8 heures

L'atelier nautique Akamai se trouvait sur la droite du boulevard Ala Moana, à côté de la marina Ala Wai, au bout de Waikiki Beach. Quand le taxi y déposa Peter, à 8 heures, l'endroit bourdonnait déjà d'activité. Ce n'était pas un grand chantier naval, il y avait peut-être une dizaine de coques sorties de l'eau, et il ne lui fallut qu'un bref instant pour localiser le Boston Whaler.

Il venait chercher la réponse à la question posée la veille par Alyson. La police avait-elle examiné le bateau ?

Pourquoi cette interrogation ? En principe, Alyson aurait dû s'inquiéter de son petit ami qui avait sauté du bateau, mais elle semblait s'intéresser davantage à son embarcation.

Peter en fit le tour, en l'examinant de près.

Malgré ce qu'il avait subi dans les vagues, le Boston Whaler semblait étonnamment intact. Certes, la coque blanche en fibre de verre était rayée sur toute sa longueur, comme griffée par les ongles d'une créature gigantesque, une déchirure courait sur quelques centimètres à bâbord et il y avait un trou dans la proue. Mais les Boston Whaler étaient réputés insubmersibles, même avec une coque déchiquetée. Son frère les connaissait bien. Il devait donc savoir qu'il ne risquait pas de couler. De plus les dommages subis ne justifiaient en aucun cas son abandon. Manifestement, Eric n'aurait jamais dû plonger. Il se trouvait plus en sécurité à bord.

Alors, pourquoi avait-il sauté ? La panique ? La confusion ? Autre chose ?

Il y avait une échelle en bois sur le côté opposé, à l'arrière. Peter monta. Toutes les écoutilles ainsi que la porte qui donnait sur la cabine étaient scellées par des bandes adhésives jaunes de scène de crime. Il aurait voulu examiner les moteurs hors-bord, mais ils étaient scellés eux aussi.

— Je peux vous aider ?

L'homme qui le hélait d'en bas, était costaud, grisonnant, la salopette pleine de cambouis, les yeux cachés par une casquette de base-ball crasseuse.

— Oh, bonjour. Je m'appelle Peter Jansen. C'est le bateau de mon frère.

— Tiens donc ! Et qu'est-ce que vous fichez là ?

— Eh bien, je voulais voir...

— Vous savez pas lire ?

— Si, je...

— On dirait pas ! Z'avez pas vu le panneau, à l'entrée ? C'est pourtant écrit en gros, que les visiteurs doivent se présenter au bureau. Z'êtes un visiteur ?

— Je suppose.

— Alors pourquoi vous êtes pas passé au bureau ?

— J'ai pensé que je pouvais juste...

— Ben, vous vous êtes trompé. Vous pouvez pas. Alors qu'est-ce que vous foutez ici ?

— C'est le bateau de...

— De votre frère. J'avais compris. Vous voyez le scotch jaune ? Je suis sûr que vous voyez aussi ce qu'y a écrit dessus, vu que vous m'avez dit que vous saviez lire, pas vrai ?

— Oui.

— Donc, c'est une scène de crime et vous avez rien à faire ici. Maintenant, laissez ce bateau tranquille et allez au bureau présenter vos papiers. Vous avez des papiers ?

— Oui.

— Parfait. Descendez de là et arrêtez de me faire perdre mon temps.

L'homme repartit à grands pas et Peter regagna l'échelle de l'autre côté du bateau. Alors qu'il posait le pied par terre, il entendit l'homme demander de sa voix bourrue :

— Je peux vous aider, mademoiselle ?

Et une voix féminine lui répondre :

— Oui, je cherche un Boston Whaler que les gardes-côtes vous ont apporté.

C'était Alyson. Peter s'immobilisa, caché par la coque.

— Bon Dieu ! Mais qu'est-ce que vous lui voulez à ce rafiot ? Il reçoit plus de visites qu'un oncle à héritage sur son lit de mort !

— Comment ça ?

— Ben, hier, un gars est venu en disant qu'il était à lui. Et comme il avait pas de papiers, je lui ai dit d'aller se faire voir. Les gens ont vraiment peur de rien. Je viens à peine de virer du cockpit un jeune gars qui prétendait être le frère du proprio et maintenant c'est vot' tour ! Mais qu'est-ce qu'il a ce bateau ?

— Je ne saurais vous dire. Moi, je venais juste chercher un truc que j'ai oublié et que je voulais récupérer.

— Impossible. Sauf si vous avez une autorisation de la police. Z'en avez une ?

— Eh bien, non...

— Désolé. C'est une scène de crime, comme je viens de dire au petit jeune.

— Et où est-il ce petit jeune ?

— Il vient de descendre. Il doit être encore de l'autre côté. Il va arriver. Venez avec moi au bureau.

— Pour quoi faire ?

— Pour appeler la police et leur demander si vous pouvez récupérer vos affaires.

— Non, je ne veux pas vous déranger. C'est juste ma montre. Je l'ai enlevée et...

— Ça me dérange pas.

— Non, j'en achèterai une autre. Elle coûtait un peu cher mais...

— Hum... hum...

— Je pensais que ça serait facile.

— Comme vous voulez. Mais faut venir au bureau.

— Je ne vois pas pourquoi.

— Pass'que c'est comme ça.

— Non, pas question. Je ne veux pas me retrouver mêlée à cette affaire.

Peter attendit quelques minutes, puis il entendit l'homme l'interpeller :

— Tu peux sortir, fiston.

Il émergea de derrière la coque. Il ne vit aucun signe d'Alyson sur le chantier. L'homme le dévisagea d'un air interrogateur, la tête inclinée sur le côté.

— Tu voulais pas la voir ?

— On ne s'apprécie pas, répondit Peter.

— J'avais cru comprendre.

— Vous voulez que je passe au bureau ?

L'homme hocha la tête lentement.

— S'il te plaît.

Peter alla donc au bureau présenter ses papiers. Il ne voyait pas ce que ça changerait. Alyson Bender savait déjà qu'il était venu voir le bateau et devait donc se douter qu'il avait des soupçons. Désormais, il avait intérêt à agir vite.

Il fallait qu'il règle cette histoire avant la fin de la journée.

Il retourna à son hôtel où il trouva un mail de Jorge sur son ordinateur, sans explication. Juste trois fichiers WAV en pièces jointes. Le premier était l'enregistrement de la communication entre Alyson Bender et Vin Drake. Et les deux autres deux nouveaux dossiers. Il les écouta. Il s'agissait de l'enregistrement de deux appels qu'Alyson avait faits depuis son mobile dans les heures qui avaient suivi la disparition d'Eric. Ils semblaient assez anodins. Dans le premier, Alyson téléphonait à quelqu'un, sans doute un employé de Nanigen au service achat, pour lui demander une nouvelle répartition budgétaire. Dans le second, elle parlait brièvement de dépenses à une autre personne, un homme, peut-être un comptable.

Alyson : Omicron a perdu deux autres... euh... prototypes.
L'autre personne : Que s'est-il passé ?
Alyson : On ne m'a pas dit. Vin Drake voudrait que vous les entriez dans les dépenses de recherche ordinaires, pas en dépréciation de capital.
L'autre personne : Deux Hellstorm ? Mais ça représente un coût énorme ! Les gens de chez Davros...
Alyson : Affectez-le aux dépenses de recherche, d'accord ?
L'autre personne : Très bien.

Peter sauvegarda les fichiers après les avoir écoutés, mais ces appels lui étaient incompréhensibles et ne révélaient rien qui puisse lui servir. Il sauvegarda également la conversation entre Alyson et Vin qui, elle, néanmoins, pouvait s'avérer fort utile. Il les transféra sur une carte mémoire flash qu'il glissa ensuite dans sa poche. Puis il grava cette conversation sur un CD qu'il emporta au centre d'affaires de l'hôtel afin d'y imprimer une étiquette « DONNÉES NANIGEN 5.0 28/10 ». Quand il eut terminé, il était 11 heures passées à sa montre.

Il se rendit sur la terrasse prendre un petit déjeuner tardif au soleil. Tout en absorbant des œufs et un café, il prit conscience qu'il tablait sur beaucoup d'impondérables, le principal étant que Nanigen disposait d'une salle de conférences équipée du matériel électronique habituel. Ce qui semblait un pari assez raisonnable. Toutes les sociétés de haute technologie en possédaient.

Il espérait d'autre part qu'on leur ferait faire la visite tous ensemble et non par petits groupes. Mais il pensait que Vin Drake tiendrait à diriger en personne ce tour des lieux et qu'il préférerait une large audience. En outre, en gardant les étudiants réunis, Nanigen contrôlerait plus facilement les informations qu'on leur donnerait.

Pour Peter, il était primordial qu'ils restent ensemble, car il lui fallait le plus possible de témoins. À moins qu'il ne tente le coup devant seulement une ou deux personnes ? Non... son esprit galopait... non, il valait mieux lâcher la bombe devant beaucoup de monde. Ce serait sans doute le meilleur moyen de faire craquer la façade de Drake et peut-être de les forcer, Alyson et lui, à révéler ce qu'ils avaient fait à son frère. Enfin, il devait espérer que Drake perdrait son sang-froid, ou au moins Alyson, surtout s'il réussissait à les inquiéter suffisamment. Et il pensait savoir comment y parvenir. Bien manipulés, Drake ou Alyson pourraient se trahir devant ses camarades. Il n'en demandait pas plus.

7.

Arboretum de Waipaka
28 octobre, 15 heures

Dès que le taxi quitta l'océan, la route se mit à grimper à l'assaut des collines, sous les acacias.

— Des deux côtés, c'est l'université, annonça le chauffeur en désignant des bâtiments gris sans caractère qui ressemblaient à des immeubles d'habitation.

— Je ne vois personne, remarqua Peter.

— Ici ce sont juste les dortoirs. Les étudiants sont en cours en ce moment.

Ils dépassèrent un terrain de base-ball, une zone résidentielle, des petites villas de plain-pied. Au fur et à mesure qu'ils montaient, les maisons se faisaient moins nombreuses, les arbres plus imposants. Ils se dirigeaient vers un massif montagneux, couvert de forêt, qui se dressait six cents mètres au-dessus d'eux.

— Voilà le Koolau Pali, dit le chauffeur.

— Ce n'est pas habité ?

— Non, on peut rien y construire, c'est que de la roche volcanique friable là-haut, on peut même pas l'escalader. Comme vous le voyez, on a à peine quitté la ville qu'on se retrouve en pleine nature. Y a trop de pluie du côté *mauka,* près de la montagne. Personne n'habite ici.

La route grimpait, réduite à une voie, de plus en plus sombre sous l'épaisseur des arbres gigantesques.

— Et l'arboretum ?

— Il est à six ou sept cents mètres d'ici. Plus personne n'y vient non plus. Les gens préfèrent Foster ou d'autres arboretums plus jolis. Vous êtes sûr que vous voulez y aller ?

— Oui, répondit Peter.

La route se rétrécit encore et continua à sinuer sur le flanc abrupt couvert de jungle.

Une voiture arriva derrière eux, klaxonna et les dépassa dans un rugissement tandis que ses passagers agitaient la main en criant. Peter cligna des yeux en reconnaissant les étudiants de son laboratoire empilés dans une décapotable Bentley bleu marine. Le chauffeur de taxi marmonna quelque chose sur ces cinglés de homards.

— Quels homards ? demanda Peter.

— Les touristes. Cuits par le soleil !

Ils arrivèrent peu après devant un haut portail métallique, massif et neuf, posté à l'entrée d'un tunnel. Une pancarte enjoignait aux personnes non autorisées de ne pas s'approcher.

Le chauffeur ralentit et s'arrêta.

— Ils ont fait des changements ici. Pourquoi vous voulez aller là-bas ?

— Pour affaires, répondit Peter.

Mais la vue du boyau sombre le mit mal à l'aise. Derrière le portail grillagé, il ressemblait à un tunnel sans retour. Peter se demanda si cette grille servait à empêcher les gens d'entrer... ou à les enfermer à l'intérieur.

Le chauffeur soupira, retira ses lunettes de soleil et s'engagea dans la galerie étroite à une seule voie creusée dans un éperon rocheux. Ils émergèrent dans une vallée fermée, fortement boisée et enclavée entre les pentes abruptes et les falaises du Koolau Pali. Des cascades ruisselaient de ses flancs brumeux couverts de végétation luxuriante. La route descendit et ils débouchèrent dans une clairière, dominée par un immense hangar couvert d'une verrière. Devant, un espace boueux offrait quelques places de stationnement. Vin Drake et Alyson Bender s'y trouvaient déjà, debout près d'une BMW de sport rouge, tous deux équipés de bottes et de vêtements de randonnée. Les étudiants s'extirpèrent de la Bentley en chahutant, mais se calmèrent dès qu'ils virent Peter descendre du taxi.

— Désolé, Peter...

— Navré pour ton frère.

— Oui, j'ai vraiment été bouleversée...

Erika l'embrassa sur la joue et le prit par le bras.

— Des nouvelles ? Je suis tellement désolée.

— La police poursuit ses recherches, répondit-il.

Vin Drake lui donna une solide poignée de main.

— Je n'ai pas besoin de vous dire que c'est une grande, une immense tragédie. Si la disparition d'Eric se confirme, et je prie le ciel que ce ne soit pas le cas, ce sera une terrible perte pour nous tous. Sans parler du coup que cela va porter à notre société dans laquelle Eric occupait une place si importante. Je suis sincèrement désolé, Peter.

— Merci.

— C'est bon signe que la police continue ses recherches.

— Oui.

— Ils n'abandonnent pas, ils ne perdent pas espoir...

— Au contraire, le coupa Peter, on dirait qu'ils s'intéressent tout particulièrement à son bateau. Ils rechercheraient un portable... qui se serait désintégré dans le moteur... Je n'ai pas bien compris.

Vin fronça les sourcils.

— Un portable dans le moteur ? Je me demande ce qu'il pourrait y...

— Comme je viens de le dire, je n'ai pas tout compris. Je ne sais pas ce qui leur fait croire ça. Peut-être que mon frère a laissé tomber le sien... je ne sais pas. Mais ils vont aussi vérifier les appels téléphoniques.

— Les appels téléphoniques ? Ah oui ! Bien, bien. Ils ne laissent vraiment rien au hasard.

Vin aurait-il pâli ? Peter n'en était pas sûr.

Alyson se passa nerveusement la langue sur les lèvres.

— Avez-vous réussi à dormir, Peter ?

— Oui, merci. J'ai pris un cachet.

— Bien, bien.

Vin Drake se tourna vers les autres en se frottant les mains.

— Quoi qu'il en soit, bienvenue dans la vallée de Manoa. Que diriez-vous de commencer notre visite ? Suivez-moi, je vais vous donner un premier aperçu de la façon dont Nanigen travaille.

Drake quitta le parking et les conduisit vers la forêt. Ils longèrent un hangar très bas qui abritait des engins de terrassement d'une taille inhabituelle, ainsi que le fit remarquer Vin Drake.

— Vous n'avez sans doute jamais croisé des machines pareilles. Vous avez vu comme elles sont petites.

Pour Peter, elles ressemblaient à de minuscules voiturettes de golf équipées d'une pelle, surmontée d'une longue antenne recourbée vers l'avant.

— Ces excavatrices ont été spécialement conçues pour nous par Siemens, une entreprise allemande. Elles sont capables de creuser le sol au millimètre près. La pelletée est ensuite déposée dans les bacs que vous voyez à l'arrière du hangar. Ils font trente centimètres de côté, soit neuf cents centimètres carrés, et trois ou six centimètres de profondeur.

— Et à quoi sert l'antenne ?

— Comme vous pouvez le constater, elle se situe directement au-dessus de la pelle. Elle nous permet de lui indiquer avec précision où elle doit creuser et d'enregistrer dans nos données l'endroit exact où le prélèvement de sol a été effectué. Tout cela s'éclaircira au fur et à mesure de la visite. En attendant, allons examiner le site.

Ils s'enfoncèrent dans la forêt et suivirent un chemin étroit et très accidenté qui serpentait sous les arbres géants. Entre les troncs massifs enveloppés de lianes aux feuilles énormes et le sol foisonnant de plantes et de broussailles qui leur arrivaient aux genoux, ils se sentaient noyés dans des milliers de tons de vert. Même la lumière jaune pâle qui traversait la canopée prenait des reflets émeraude.

— On pourrait croire qu'il s'agit d'une forêt tropicale naturelle...

— Non, le coupa Rick Hutter. Pas du tout.

— Vous avez raison, acquiesça Drake. Ce n'est pas le cas. Cet endroit a été cultivé depuis les années 1920. Il a d'abord servi de station expérimentale aux fermiers d'Oahu et, plus récemment, aux études écologiques menées par l'université. Mais il y a déjà plusieurs années que personne ne s'en occupe plus et la terre revient peu à peu à son état naturel. Nous avons baptisé cet endroit le ravin des Fougères.

Drake pivota pour reprendre sa marche. Les étudiants le suivaient lentement sans cesser de regarder autour d'eux, s'arrêtant parfois pour examiner une plante ou une fleur.

— À partir d'ici, vous en remarquerez une profusion, continua Drake d'un ton vif. Autour de nous prédominent les espèces arbustives, du genre *Cibotium* ou *Sadleria* et, plus près du sol, les plus petites, genre *Blechnum* et *Lycopodium*, sans oublier, bien sûr, la fougère d'Uluhe qui couvre une grande partie des montagnes d'Hawaii, ajouta-t-il avec un geste vers les sommets.

— Quant à celle qui se trouve juste à vos pieds et que vous n'avez pas vue, intervint Rick Hutter, il s'agit d'une *Dicranopteris*, aussi connue sous le nom de fausse corne de cerf.

— C'est possible, opina Vin Drake, laissant percer

une pointe d'irritation. Ce sentier est bordé de fou- gères peahi ; les plus grosses sont des makue, un habitat très apprécié des araignées qui foisonnent par ici comme vous pouvez le constater. Pas moins de vingt-trois espèces sont représentées rien que dans cette petite zone.

Il s'arrêta ensuite dans une clairière où les arbres s'écartaient pour laisser voir les contreforts qui enser- raient la vallée.

— Ce pic s'appelle le Tantalus, dit-il une main tendue vers le point culminant de la crête rocheuse. Il s'agit du cratère d'un volcan éteint. C'est là que nous menons nos recherches ainsi que dans la vallée.

Alyson Bender rattrapa Peter Jansen.

— La police vous a contacté aujourd'hui ?

— Non. Pourquoi ?

— Je me demandais comment vous saviez qu'ils inspectaient le bateau... et pour les appels télépho- niques.

— Oh... eh bien, c'était aux nouvelles, mentit-il.

— Ah bon ? Je n'ai rien entendu. Sur quelle chaîne ?

— Je ne me souviens pas. La cinq, je crois.

Rick s'approcha à son tour.

— Je suis sincèrement désolé, Peter. Sincèrement.

— Je ne comprends pas votre programme de recherche, reprit alors Jenny Linn qui marchait depuis un moment derrière Vin Drake. Qu'est-ce que vous faites exactement dans cette forêt ?

— C'est parce que je ne vous l'ai pas encore expliqué, répondit-il en lui souriant. Pour faire simple, nous projetons de collecter des échantillons sur une coupe transversale de l'écosystème hawaiien qui s'étend du cratère Tantalus à la vallée Manoa, où nous nous trouvons.

— Et quel type d'échantillons ? s'enquit Rick Hutter, les mains sur les hanches.

Entre son air combatif habituel, la mâchoire crispée, les yeux plissés, et sa tenue rituelle, un jean et

90

une chemise sport aux manches roulées, trempée de sueur, il avait tout d'un explorateur perdu au fin fond de la jungle.

— En substance, nous voulons recueillir des spécimens de toutes les espèces vivantes dans cet écosystème.

— Pour quoi faire ? insista Rick, en le regardant droit dans les yeux.

Drake soutint son regard et lui décocha un sourire glacial.

— La forêt humide est le plus grand dépôt de composés chimiques actifs de la nature. Nous nous tenons au centre d'une mine d'or qui foisonne de nouveaux médicaments potentiels. Des médicaments qui pourraient sauver un nombre incalculable de vies humaines. Des médicaments qui vaudraient un nombre incalculable de milliards de dollars. Cette forêt, monsieur... heu...

— Hutter.

— ... cette forêt luxuriante, monsieur Hutter, détient les clés de la santé et du bien-être de tous les êtres humains de cette planète. Et pourtant, elle a été à peine explorée. Nous n'avons aucune idée des composés chimiques qui se trouvent réellement ici, dans les plantes, dans les animaux, dans les formes de vie microscopique. Nous sommes en *terra incognita*, en terre totalement inconnue. Cette forêt est aussi vaste, aussi riche et aussi inexplorée que l'était le Nouveau Monde pour Christophe Colomb. Notre but, monsieur Hutter, est très simple. Il se résume à la découverte de ces médicaments. Nous les cherchons sur une échelle d'une ampleur encore jamais imaginée. Nous avons commencé à répertorier de façon systématique les composés bioactifs de cette forêt, du sommet du Tantalus au fin fond de cette vallée. Les bénéfices seront immenses.

— Des bénéfices ! répéta Rick. Une mine d'or ! Un Nouveau Monde ! Mais c'est d'une ruée vers l'or dont vous nous parlez, monsieur Drake ! Il n'est question que d'argent !

— Cette analyse me paraît un peu sommaire. La médecine cherche avant tout à sauver des vies. À empêcher les gens de souffrir et à aider chaque être humain à atteindre son potentiel.

Vin Drake ramena alors son attention sur les autres étudiants et reprit sa marche, pressé de s'éloigner de Rick Hutter qui, visiblement, l'ennuyait.

Rick, les bras croisés, se pencha vers Karen King.

— Ce type est un conquistador des temps modernes. Il espère se faire de l'or en pillant cet écosystème.

Karen le toisa d'un regard méprisant.

— Et toi, qu'est-ce que tu fais avec tes extraits naturels, Rick ? Tu t'échines à faire bouillir tes maudites écorces pour trouver de nouveaux médicaments. Dis-moi où est la différence ?

— La différence vient des sommes astronomiques en jeu. Et tu sais où il y a du fric à se faire dans tout ça ? Dans les brevets ! Nanigen va déposer des milliers de brevets sur les composés qu'ils vont découvrir ici et les géants de l'industrie pharmaceutique vont s'en mettre plein les poches en exploitant ces brevets...

— Tu es tout simplement jaloux parce que tu n'en as jamais déposé un seul, rétorqua-t-elle avant de se détourner de lui.

— Je ne fais pas de la science pour devenir riche ! lui lança-t-il en la fusillant du regard. Ce qui n'est pas ton cas, apparemment...

Il s'aperçut qu'elle faisait celle qui ne l'entendait pas.

Danny Minot se traînait à la queue du groupe. Pour une raison obscure, il était venu à Hawaii avec sa veste en tweed qu'il avait encore sur le dos. La sueur dégoulinait le long de son cou et trempait sa chemise entièrement boutonnée, et il n'arrêtait pas de glisser dans ses mocassins à glands. Il se tamponnait le visage avec sa pochette tout en feignant d'ignorer son inconfort.

— Monsieur Drake, commença-t-il, si par hasard vous connaissez la théorie poststructuraliste... euh... vous n'êtes pas sans savoir... euh... oups ! que vous ne pourrez jamais rien connaître sur cette forêt... Car, voyez-vous, nous voulons que les choses aient un sens, monsieur Drake, alors qu'il n'y a pas de sens dans la nature...

— Si vous voulez mon avis, monsieur Minot, rétorqua Drake, imperturbable, nous n'avons pas besoin de connaître le sens de la nature pour l'utiliser.

— Oui, mais...

Pendant ce temps, Alyson Bender s'était laissé distancer et Peter se retrouva à marcher avec Rick.

— Ce type est incroyable, non ? lâcha ce dernier avec un signe de tête vers Vin Drake. C'est genre Mister Biopirate !

— Je vous entends, monsieur Hutter ! rétorqua Drake en tournant brusquement la tête. Et je tiens à vous dire que vos remarques sont sans fondement. On parle de biopiratage quand il y a appropriation de plantes indigènes sans compensation pour le pays d'origine. Ce concept d'indemnisation, très populaire auprès des gens bien-pensants et mal informés, se révèle tout à fait inapplicable dans la réalité. Prenez l'exemple du curare, une substance médicamenteuse de grande valeur très utilisée en médecine moderne. Il faudrait donc dédommager quelqu'un ? Pourtant il existe des dizaines de façons de le préparer, développées par de nombreuses tribus d'Amérique centrale et d'Amérique du Sud, ce qui couvre une vaste zone. Ces curares diffèrent par leurs ingrédients et par leur temps de cuisson, selon ce qu'ils doivent tuer et selon les préférences locales. Alors, comment voulez-vous indemniser les guérisseurs indigènes ? Le curare des chamans du Brésil a-t-il plus de valeur que celui des chamans de Panama ou de Colombie ? Est-ce important si les arbres utilisés en Colombie ont migré ou ont été transplantés de Panama ? Et la composition actuelle du curare ? L'addition du strychnos est-elle importante ou pas ? Et si on y ajoute un clou rouillé ? A-t-on pris en considération le domaine public ? Nous accordons aux groupes pharmaceutiques vingt ans d'exploitation d'un médicament avant de le passer dans le domaine public. Certains disent que Sir Walter Raleigh a rapporté le curare en Europe en 1596. En tout cas, il était très connu au XVIIIe siècle. Burroughs Welcome a même vendu des comprimés de curare à des fins thérapeutiques dès les années 1880. Donc tout semble indiquer que le curare appartient déjà au domaine public. Sans compter qu'en chirurgie moderne, on n'utilise plus du curare extrait de plantes indigènes, mais du synthétique. Reconnaissez que c'est complexe.

— Je reconnais surtout les atermoiements de l'industrie pharmaceutique ! répondit Rick.

— Monsieur Hutter, vous aimez vous faire l'avocat du diable quoi que je dise. Cela ne me gêne pas. Cela m'aide à affûter mes arguments. Soyons réalistes, l'utilisation de composés naturels en médecine est dans l'ordre naturel des choses. Chaque culture fait des découvertes précieuses et toutes les cultures empruntent les unes aux autres. Parfois, les découvertes sont échangées contre de l'argent, pas toujours. Devons-nous octroyer une licence à l'étrier inventé par les Mongols ? Ou payer les Chinois pour avoir su produire de la soie ? De l'opium ? Faut-il retrouver pour les dédommager les descendants actuels des fermiers néolithiques d'il y a dix mille ans qui ont eu les premiers l'idée de récolter les céréales dans le Croissant fertile ? Et les Britanniques du Moyen Âge qui ont appris à fondre le fer ?

— Si on passait à autre chose ? suggéra Erika Moll. Nous comprenons votre point de vue, même s'il échappe à Rick.

— D'accord, mais je tiens néanmoins à souligner

qu'aucune plainte pour biopiraterie ne peut être déposée à Hawaii parce qu'il n'y existe, strictement parlant, aucune plante indigène. Ce sont des îles volcaniques surgies du milieu du Pacifique sous forme de lave en fusion et tout ce qui pousse actuellement dessus a été apporté d'ailleurs, par les oiseaux, le vent, les courants océaniques ou les canoës des guerriers polynésiens. Rien n'est indigène, bien que certaines espèces soient endémiques. Et cette situation juridique est même une des raisons pour lesquelles nous avons installé notre entreprise à Hawaii.

— Pour échapper à la loi, marmonna Rick.

— Pour respecter la loi, au contraire, corrigea Drake.

Ils entraient dans une zone couverte de plantes aux longues feuilles qui leur arrivaient à la poitrine.

— Nous avons baptisé cet endroit l'allée du Gingembre parce qu'il y pousse du gingembre blanc, du jaune et du kahili qui se distingue par ses longues tiges rouges. Au-dessus de nous, vous avez surtout des santals, reconnaissables à leurs fleurs grenat, mais il y a également des sapindus et des miros aux grosses feuilles vert foncé.

Les étudiants se tournaient dans toutes les directions.

— Cet arbuste aux feuilles pointues et rayées que vous connaissez déjà, sans doute, est un laurier-rose et peut se révéler mortel pour l'homme. Un autochtone est mort d'avoir fait des brochettes sur des baguettes de laurier. Il arrive aussi que des enfants en mangent et en meurent. En outre, le gros arbre sur votre gauche est un vomiquier, un arbre à strychnine, originaire de l'Inde. Toutes ses parties sont mortelles, en particulier ses noix. À côté, ce grand arbuste à la feuille en forme d'étoile est un ricin commun, lui aussi d'une toxicité mortelle. Cependant, en très petites quantités, les composants du ricin peuvent avoir des vertus médicinales. Je suppose que vous le saviez déjà, monsieur Hutter ?

— Bien sûr. Certains de ces extraits peuvent améliorer la mémoire et possèdent également des propriétés antibiotiques.

Arrivé à une fourche, Drake les entraîna sur le chemin de droite.

— Nous voici enfin dans l'allée des Broméliacées. Il existe environ quatre-vingts variétés de cette famille qui, vous le savez, comprend l'ananas. Les broméliacées abritent une grande variété d'insectes. Les arbres autour de nous sont principalement des eucalyptus et des acacias mais, plus loin, nous avons des espèces plus typiques des forêts tropicales humides, l'ohi'a et le koa, comme vous le constaterez aux feuilles en lames de faucille qui jonchent le sol.

— Et pourquoi nous montrez-vous tout cela ? s'enquit Jenny Linn.

— Bonne question ! renchérit Amar Singh. J'ai hâte de découvrir votre technologie, monsieur Drake. Comment faites-vous pour prélever des échantillons de tant d'organismes vivants ? Surtout si l'on considère que la plupart de ces organismes sont infiniment petits. Les bactéries, les vers, les insectes, etc. Oui, combien d'échantillons biologiques collectez-vous et traitez-vous à l'heure ? À la journée ?

— Notre laboratoire envoie chaque jour un camion dans cette forêt récupérer des bacs d'échantillonnages, des sélections de plantes et tout ce que peuvent réclamer nos chercheurs. Vous pourrez donc compter quotidiennement sur du matériel de recherche frais et, en règle générale, obtenir tout ce que vous demanderez.

— Ce camion vient ici tous les jours ? insista Rick.

— À 14 heures précises. Nous venons de le manquer.

Jenny Linn s'accroupit devant une sorte de tente minuscule, de la taille de sa main, qui recouvrait un petit socle en béton.

— Qu'est-ce que c'est ? J'ai vu la même tout à l'heure, un peu plus bas.

96

— Excellent esprit d'observation, mademoiselle Linn ! Plusieurs de ces tentes sont réparties dans cette zone. Ce sont des stations de ravitaillement. Je vous expliquerai tout cela bientôt. En fait, si vous êtes prêts, je crois qu'il est temps de vous révéler ce que fait exactement Nanigen.

Alors qu'ils repartaient vers le parking, ils durent contourner une mare brunâtre surplombée de cocotiers et bordée de petites broméliacées.

— Cette mare s'appelle Pau Hana. Ça veut dire « mission accomplie », expliqua Drake.

— Drôle de nom pour une mare à canards ! remarqua Danny. Parce que c'en est bien une, n'est-ce pas ? j'ai vu des familles de canetons tout à l'heure.

— Et vous avez vu ce qui les attend ? demanda Drake.

Danny secoua la tête.

— Ça va me faire de la peine ?

— Ça dépend. Regardez dans les feuillages à environ un mètre au-dessus de l'eau.

Le groupe s'arrêta et chercha. Karen King le vit la première.

— Un héron cendré, murmura-t-elle en hochant la tête.

C'était un oiseau d'un gris poussiéreux, qui devait mesurer presque un mètre de haut, avec une tête revêche et des yeux ternes. L'air négligé et paresseux, totalement immobile, il se fondait à la perfection dans les ombres des palmes.

— Il peut rester comme ça pendant des heures.

Ils l'observèrent pendant quelques minutes et s'apprêtaient à s'en aller quand une couvée de canetons s'avança au bord de la mare, à moitié cachée sous les herbes. Peine perdue. D'un seul mouvement, le héron plongea de son observatoire, s'abattit au milieu de la nichée et regagna son perchoir avec des petites pattes qui dépassaient de son bec.

— Beurk ! marmonna Danny.

— Pouah ! lâcha Jenny.

Le héron renversa la tête en arrière et, d'une simple secousse, engloutit le caneton. Puis il reprit sa position et se fondit dans l'ombre, immobile. Le tout avait duré à peine quelques secondes. On avait du mal à croire que c'était arrivé.

— C'est dégoûtant ! marmonna Danny.

— C'est la vie ! rétorqua Drake. Vous remarquerez que l'arboretum n'est pas envahi par les canards et en voilà la raison. Ah ! Si je ne me trompe, j'aperçois nos voitures qui attendent de nous ramener à la civilisation.

8.

Parc industriel de Kalikimaki
28 octobre, 18 heures

Pour revenir au quartier général de Nanigen, Karen King prit le volant de la Bentley dans laquelle s'entassèrent les étudiants alors qu'Alyson Bender et Vin Drake redescendaient dans la voiture de sport. À peine avaient-il démarré que Danny Minot, l'étudiant en sciences sociales, s'éclaircit la voix.

— Je pense, déclara-t-il au-dessus du bruit du vent, que les arguments de Drake sur les plantes toxiques prêtent à controverse.

« Prêter à controverse » était l'une de ses expressions favorites.

— Ah bon, s'étonna Amar. Comment ça ?

Amar détestait Minot.

— Eh bien, cette notion de poison manque de précision, vous ne trouvez pas ? Nous donnons le nom de poison à tout composé qui nous fait du mal. Ou que nous croyons nocif. Parce qu'il n'est peut-être pas si nocif que ça en fin de compte. Après tout, la strychnine était un médicament reconnu dans les années 1800. On la considérait comme un reconstituant. On l'administre encore en cas d'intoxication alcoolique aiguë, je crois. Et l'arbre ne se donnerait pas tout ce mal pour produire de la strychnine s'il n'avait pas une raison, l'autodéfense le plus vraisemblablement. Et il y a d'autres plantes, comme la belladone, qui en fabriquent. Il y a forcément une raison.

— Oui, opina Jenny Linn, pour éviter d'être mangées.

— C'est le point de vue de la plante.

— C'est aussi le nôtre puisqu'on ne les mange pas.

Amar se tourna vers Minot.

— Mais pour les humains, prétendrais-tu que la strychnine n'est pas mauvaise ? Que ce n'est pas vraiment un poison ?

— Exactement. C'est un concept fallacieux. En tout cas, imprécis. Le terme poison ne se réfère à rien d'établi ou de spécifique.

Cette déclaration souleva un concert de grognements dans la voiture.

— Pourrait-on changer de sujet ? suggéra Erika.

— Je dis simplement que la notion de poison prête à controverse.

— Danny, avec toi, tout prête à controverse.

— En substance, oui, répondit-il en hochant la tête d'un air solennel. Parce que je n'ai pas adopté la conception scientifique d'un monde constitué de faits déterminés et de vérités immuables.

— Nous non plus, répondit Erika. Mais certains événements se vérifient de façon répétitive et justifient donc qu'on y croie.

— Comme j'aimerais pouvoir y croire ! Mais ce n'est qu'une illusion bien pratique dans laquelle les scientifiques se complaisent. En réalité, tout vient des structures du pouvoir. Et vous le savez. Tous ceux qui ont le pouvoir dans notre société déterminent ce que l'on peut étudier, ce que l'on peut observer, ce que l'on peut penser. Les scientifiques se rangent aux consignes du pouvoir dominant. Ils y sont bien forcés puisque c'est le pouvoir qui paie les factures. Si vous ne coopérez pas avec lui, vous n'obtenez pas d'argent pour vos recherches, vous n'obtenez pas de poste, vous n'êtes pas publié, bref, vous ne comptez pas. Vous êtes hors du coup. Autant être mort.

Seul le silence lui répondit.

— Vous savez que j'ai raison, poursuivit-il. C'est juste que ça ne vous plaît pas.

— En parlant de coopération avec le pouvoir, lança Rick Hutter, regardez là-bas. Je crois qu'on arrive au parc industriel de Kalikimaki et au quartier général de Nanigen.

Jenny Linn prit une petite pochette isolante en Goretex de la taille de la main et l'accrocha à sa ceinture.

— C'est quoi ? Tes échantillons ? demanda Karen King.

Jenny haussa les épaules

— Je me suis dit que s'ils devaient réellement nous proposer du boulot, eh bien... autant leur apporter mes extraits et mes concentrés de composés volatils. Et toi, qu'est-ce que tu as pris ?

— Mes benzos, ma puce. Un vaporisateur de benzoquinones. Ça irrite la peau. Ça brûle les yeux. Ça a beau provenir des scarabées, c'est la substance chimique idéale en autodéfense. Sûre, de courte durée, organique. Ça fera un excellent produit.

— J'aurais dû parier que tu apporterais une découverte commercialisable ! lâcha Rick Hutter.

— Que veux-tu ? Je n'ai pas tes scrupules, Rick ! Et quoi ? Tu vas nous dire que tu es venu les mains vides ?

— Exactement.

— Menteur !

— Bon, d'accord, avoua-t-il en tapotant la poche de sa chemise. J'ai un extrait de latex de mon arbre. Tu t'en badigeonnes la peau et ça tue tous les parasites qui se cachent dessous.

— Ça m'a tout l'air d'une découverte commercialisable aussi, conclut Karen tout en tournant le volant pour négocier un virage en épingle à cheveux, la

Bentley collée au bitume. Peut-être que tu vas te faire des milliards avec ça, Rick.

Elle détacha son regard de la route, le temps de lui décocher un sourire ironique.

— Non, non, je m'intéresse seulement au mécanisme biochimique sous-jacent...

— Va raconter ça aux investisseurs !

Elle jeta un coup d'œil vers Peter qui était assis à l'avant à côté d'elle.

— Et toi ? Tu as bien d'autres soucis. Tu as apporté quelque chose ?

— Oui, en fin de compte.

Peter Jansen tripota le CD dans la poche de sa veste et sentit un frisson d'angoisse le parcourir. À présent qu'il pénétrait dans les locaux de Nanigen, il s'apercevait qu'il n'avait pas élaboré de plan précis. Il fallait qu'il parvienne d'une manière ou d'une autre à provoquer les aveux d'Alyson Bender et de Vin Drake devant tous les étudiants, ce qu'il espérait obtenir en passant l'enregistrement de leur coup de téléphone. Ils étaient sept ; Drake ne pourrait pas tous les maîtriser à la fois.

En gros, c'était ça l'idée.

Perdu dans ses pensées, Peter suivit les autres étudiants qui s'enfonçaient dans le bâtiment, guidés par Alyson Bender.

— Par ici, jeunes gens, s'il vous plaît, dit-elle en les faisant entrer dans l'élégante réception meublée de cuir. Je vais vous demander de laisser là vos portables, vos appareils photo et tous les appareils d'enregistrements en votre possession. Vous les reprendrez à votre départ. Et je vous prie de bien vouloir signer cet accord de non-divulgation dès maintenant.

Elle distribua les contrats ; Peter signa le sien distraitement, sans prendre la peine de le lire.

— Si l'un de vous ne veut pas signer, il peut attendre ici la fin de la visite. Non ? Tout le monde veut venir ? Très bien, alors, suivez-moi.

Elle les conduisit par un couloir jusqu'à une série de laboratoires de biologie où Vin Drake les attendait. Des labos vitrés dernier cri s'étendaient des deux côtés d'un corridor central. Peter remarqua que plusieurs d'entre eux contenaient une quantité étonnante de matériel électronique, presque autant que des labos d'ingénierie. En cette fin de journée, le calme régnait chez Nanigen, tout le monde était parti à part quelques chercheurs qui travailleraient sans doute une bonne partie de la nuit.

Tout en avançant, Vin Drake énumérait les caractéristiques de chaque labo.

— Protéomique et génomique... écologie chimique... phytopathologie, y compris phytovirus... biologie stochastique... signaux électriques chez les plantes... études des ultrasons des insectes... phytoneurologie... là, neurotransmetteurs végétaux... Peter, voilà les venins et les toxines... les composés volatils arachnéens et coléoptériens... physiologie comportementale, là, il s'agit de sécrétion d'exocrine et de régulation sociale, les fourmis principalement...

— À quoi sert tout ce matériel électronique ? demanda l'un des étudiants.

— C'est pour les robots, répondit Drake. Ils ont besoin d'être reprogrammés ou réparés après chaque sortie sur le terrain. Mais je vois beaucoup de visages étonnés, ajouta-t-il en s'arrêtant pour contempler le groupe. Entrez, entrez ! Venez voir de plus près.

Ils pénétrèrent à la queue leu leu dans un laboratoire où flottait une légère odeur de terre, de matière végétale en décomposition, de feuilles séchées. Drake se dirigea vers une table sur laquelle plusieurs bacs de terre étaient posés. Chaque bac était surmonté d'une caméra suspendue au bout d'un bras articulé.

— Voilà des exemples du matériau que nous rapportons de la forêt tropicale, reprit-il. Nous procédons à différentes études sur chacun d'eux, mais, dans tous les cas, ce sont nos robots qui œuvrent.

— Où ça ? s'étonna Erika. Je ne vois rien...

Drake ajusta la lumière et la caméra vidéo. Ils virent apparaître sur les écrans latéraux un minuscule objet blanc, agrandi plusieurs fois.

— Comme vous le constatez, il s'agit d'une machine qui effectue des forages et des prélèvements à une échelle microscopique. Et elle a beaucoup à faire, car un bac de terre comme celui-ci renferme un vaste univers interdépendant encore inconnu de l'homme. Il contient des milliards de micro-organismes, des dizaines de milliers d'espèces de bactéries et de protozoaires, la plupart non répertoriées. Il peut y avoir des kilomètres d'hyphes fongiques d'une infinie finesse dans un échantillon de sol de cette taille. Et un million d'arthropodes microscopiques et d'autres insectes minuscules, trop petits pour être distingués à l'œil nu. Sans compter des dizaines de vers de terre de différentes tailles. En fait, il y a davantage de créatures microscopiques dans ce petit carré de terre qu'il n'y en a de visibles à l'œil nu sur le sol de notre planète. Réfléchissez. Nous les humains, nous vivons à la surface. Nous croyons que c'est là que se concentre la vie. Nous pensons en termes d'êtres humains, d'éléphants, de requins et de forêts. Mais nos perceptions sont fausses. La réalité est bien différente. Le véritable berceau de la vie, là où ça grouille, ça creuse, ça se reproduit, ça s'agite, c'est en dessous, dans le sol. Et c'est là que nous ferons des découvertes !

C'était un discours impressionnant. Drake l'avait déjà prononcé et, à chaque fois, son public en restait médusé. Mais pas ce groupe.

— Et qu'est-ce que ce robot particulier a découvert ? s'enquit immédiatement Rick Hutter.

— Des nématodes. Des vers ronds microscopiques qui, à notre avis, possèdent d'importantes propriétés biologiques. Un échantillon de sol comme celui-ci contient environ quatre milliards de nématodes, mais nous ne collectons que ceux qui n'ont pas encore été découverts.

Drake se tourna vers une suite de fenêtres qui

donnaient sur un laboratoire où une poignée de chercheurs travaillaient devant des rangées d'appareils. Des appareils très compliqués.

— Dans cette pièce, nous procédons à la sélection. Nous examinons des milliers de composants, très rapidement, par fractionnement accéléré et spectrométrie de masse – ce sont les machines que vous voyez. Nous avons déjà découvert des dizaines de candidats à de nouveaux médicaments. Et ils sont naturels. Ce que Dame Nature a de meilleur.

Amar Singh était certes impressionné par ces équipements, mais certaines choses lui échappaient. En particulier les robots. Ils étaient vraiment petits. Trop petits, pensait-il, pour embarquer beaucoup d'informatique.

— Comment ces robots peuvent-ils trier les vers et les sélectionner ?

— Oh, c'est très facile, répondit Drake.

— Mais encore ?

— Ils sont programmés pour le faire.

— Mais comment font-ils ? insista Amar en montrant un bac dans lequel un minuscule robot fouillait fiévreusement la terre. Cette machine mesure tout au plus sept ou huit millimètres de long. C'est la taille de l'ongle de mon petit doigt. On ne peut pas mettre beaucoup de puissance informatique dans si peu de place.

— En fait, si.

— Et comment ?

— Allons dans la salle de conférences.

Quatre immenses écrans plats brillaient derrière Vin Drake. Ils montraient des images dans des tons de bleu et de violet qui évoquaient les vagues de l'océan vues d'avion. Drake faisait les cent pas sur l'estrade, sa voix amplifiée par le micro pincé au revers de sa veste.

— Ce que vous voyez là, ce sont des lignes d'induction dans les champs magnétiques proches de soixante teslas. Les plus grands champs magnétiques générés par l'homme. Pour vous donner une idée, un champ magnétique de soixante teslas est deux millions de fois plus puissant que le champ magnétique de la Terre. Ces champs sont créés par supraconductivité cryogénique en utilisant des matériaux composites à base de niobium.

Il s'arrêta le temps de les laisser assimiler ces informations.

— On sait depuis une cinquantaine d'années que les champs magnétiques affectent les tissus animaux de façons variées. Vous connaissez tous l'IRM ou imagerie par résonance magnétique. Vous savez également que les champs magnétiques accélèrent la réparation osseuse, inhibent les parasites, modifient le comportement des plaquettes et ainsi de suite. Mais il ne s'agissait jusque-là que d'effets secondaires dus à une exposition à des champs de faible intensité. La situation se révèle totalement différente sous ces champs magnétiques de forte intensité que nous ne générons que depuis très peu de temps. Encore récemment, personne ne savait ce qui se passait dans de telles conditions. Nous les appelons des champs tensoriels pour les distinguer des champs magnétiques classiques. Ces champs tensoriels ont un champ magnétique ultra-intense. Et ils peuvent provoquer des changements de dimension de la matière.

Drake leur laissa de nouveau quelques secondes pour assimiler ces données.

— En fait, nous avions un soupçon, ou disons plutôt un indice. Il nous est venu d'une recherche menée dans les années 1960 par une entreprise du nom de Nuclear Medical Data, qui étudiait la santé des employés dans les installations nucléaires. Cette société trouvait les ouvriers généralement en bonne santé, mais elle avait remarqué qu'au bout de dix ans ceux qui étaient exposés à de forts champs magnétiques perdaient cinq ou six millimètres de hauteur. Cette conclusion ayant été considérée comme une simple statistique, elle fut ignorée.

Drake s'arrêta de nouveau et attendit de voir si les étudiants voyaient où il voulait en venir. Personne ne semblait encore se douter de quoi que ce soit.

— De plus, une étude française des années 1970 montra que les travailleurs français exposés à de forts champs magnétiques perdaient environ huit millimètres en taille. Étude qui négligea, elle aussi, cette donnée, la classant comme « non significative ». Pourtant, nous savons désormais qu'il n'en était rien. DARPA, l'agence pour les projets de recherche avancée de défense, s'est soudain intéressée à ces résultats. Elle aurait soumis des petits chiens à d'intenses champs tensoriels, les plus forts que l'on pouvait générer à cette époque, dans un laboratoire secret, à Huntsville, dans l'Alabama. Il n'y a aucun rapport officiel de ces essais, sauf quelques fax à moitié effacés, qui font référence à un pékinois de la taille d'une gomme.

Cette fois, les étudiants réagirent. Ils se tortillèrent sur leur siège en échangeant des regards.

— Il semblerait, reprit Drake, que le chien soit mort quelques heures plus tard en couinant lamentablement, exsangue, après la perte d'une minuscule goutte de sang. Mais les résultats étant en général variables et peu concluants, le projet fut abandonné sur l'ordre du secrétaire à la Défense de l'époque, Melvin Laird.

— Pourquoi ? demanda l'un des étudiants.

— Il craignait de déstabiliser les relations américano-soviétiques.

— Mais pourquoi ?

— Vous allez comprendre. Ce que vous devez savoir, c'est que nous sommes désormais capables de générer des champs magnétiques ultra-intenses, ces fameux champs tensoriels. Et nous savons également que, sous l'influence d'un champ tensoriel, la matière, qu'elle soit organique ou non, subit une transformation qui s'apparente à une transition de phase. En conséquence, sous ce champ, la matière subit une compression rapide qui va d'un facteur de 10^{-1} à 10^{-3}.

L'interaction quantique reste symétrique et invariante, dans l'ensemble, si bien que la matière réduite inter-agit normalement avec la matière normale, du moins en règle générale. La transformation est métastable et réversible en appliquant des champs magnétiques inverses. Vous me suivez toujours ?

Les étudiants l'écoutaient avec attention, mais leurs visages exprimaient un large éventail de réac-tions : le scepticisme, l'incrédulité totale, la fascination et même une certaine confusion. Drake parlait de phy-sique quantique, pas de biologie.

Rick croisa les bras et secoua la tête.

— Mais où voulez-vous en venir ? demanda-t-il d'une voix assez forte.

— Je suis ravi que vous me posiez cette question, répondit Drake, imperturbable. Il est temps que vous jugiez par vous-mêmes.

Les écrans géants derrière lui devinrent noirs, puis celui du centre s'alluma pour projeter une vidéo en haute définition.

Elle montrait un œuf.

L'œuf était posé sur une surface noire et plate. Derrière l'œuf, on voyait un arrière-plan jaune, plissé comme un rideau.

L'œuf bougea, sur le point d'éclore. Un petit bec perfora la coquille de l'intérieur, la fente s'agrandit et le dessus de la coquille se détacha. Un poussin s'en extirpa en pépiant puis se mit laborieusement sur ses pattes et agita ses courtes ailes. La caméra recula.

Alors que le champ s'élargissait, l'environnement du poussin apparut. Le fond jaune n'était autre que l'énorme patte griffue d'une volaille. Une poule. Le poussin se déplaçait à présent d'un pas chancelant autour de cette patte monstrueusement grosse. Alors que la caméra s'éloignait encore, la poule adulte appa-raissait entièrement. Elle semblait gigantesque. Et quand la caméra s'arrêtait enfin, le poussin et les mor-ceaux de coquille n'étaient plus que des grains de poussière aux pieds de la poule.

— N'importe quoi ! lâcha Rick les yeux rivés malgré lui sur l'écran.

— Voilà la technologie de Nanigen ! conclut Drake.

— Cette transformation..., commença Amar.

— ... peut s'appliquer aux organismes vivants. Oui, nous avons réduit cet œuf dans un champ tensoriel. Le fœtus du poussin à l'intérieur de l'œuf n'a pas été affecté par ce changement de dimension. Il a éclos normalement comme vous avez pu le voir. Cela prouve que même les systèmes biologiques hautement complexes peuvent être compressés dans un champ tensoriel sans que soient interrompues les fonctions naturelles vitales.

— Qu'est-ce qu'on voit en bas de l'image ? demanda Karen.

Sur la vidéo, le sol sous la poule géante semblait constellé de petits points. Certains d'entre eux bougeaient, d'autres pas.

— Ce sont les autres poussins. Nous avons réduit toute la couvée. Malheureusement, ils étaient si petits que la mère en a écrasé plusieurs sans le savoir.

Il y eut un silence. Amar fut le premier à le briser.

— Vous avez fait subir cela à d'autres organismes ?

— Bien sûr.

— À... à des êtres humains ?

— Oui.

— Ces petites excavatrices que nous avons vues dans l'arboretum. Vous nous avez dit que vous n'aviez pas besoin de les informatiser.

— C'est inutile.

— Parce qu'elles sont pilotées par des hommes ?

— Oui.

— Des hommes qui ont subi un changement de dimension ?

— Merde ! explosa Danny. Vous vous foutez de nous ou quoi ?

— Non.

Quelqu'un partit d'un grand rire. C'était Rick Hutter.

— C'est de l'arnaque ! Et ce type a trouvé des pigeons pour acheter ses actions bidon !

Karen King n'y croyait pas, elle non plus.

— C'est du matraquage publicitaire ! C'est impossible ! On peut faire n'importe quoi avec une vidéo.

— Cette technologie existe, affirma calmement Drake.

— Vous prétendez donc que vous pouvez provoquer un changement dimensionnel chez un être humain jusqu'à 10^{-3} ?

— Oui.

— Ce qui voudrait dire qu'un homme d'un mètre quatre-vingts ne mesurerait plus qu'un millimètre huit.

— C'est exact.

— Seigneur ! lâcha Rick Hutter.

— Oui, et à 10^{-2}, continua Drake, cet homme mesurerait un peu moins de deux centimètres.

— J'aimerais bien voir ça en vrai, s'exclama Danny Minot.

— Mais vous le verrez, dit Drake.

9.

Peter Jansen profita de ce que Drake parlait aux autres étudiants pour entraîner Alyson Bender à l'écart.

— Plusieurs d'entre nous ont apporté des échantillons et des composés à montrer à M. Drake.

— Bonne idée !

— J'ai un CD avec... euh... le fruit de certaines de mes recherches.

Elle acquiesça d'un hochement de tête.

— C'est un enregistrement. Il concerne mon frère, ajouta-t-il, espérant l'inquiéter, la rendre nerveuse.

Elle hocha de nouveau la tête et quitta la salle de conférences ; n'avait-il pas vu une lueur de frayeur dans son regard ?

Après son départ, tandis que Drake continuait à parler, Peter ouvrit la porte du local technique qui abritait la console audio. Il avait besoin de quelque chose qui amplifie sa voix. Il ne voulait pas que Drake ou qui que ce soit puisse le faire taire ou couvrir ses paroles. Derrière la porte, il aperçut des tiroirs, les ouvrit et trouva rapidement ce qu'il cherchait : un micro-cravate qui transmettrait ses paroles au haut-parleur. L'appareil ressemblait à celui que Drake avait utilisé pendant son diaporama. Il était constitué d'un émetteur relié au micro par un fil. Il glissa l'émetteur dans la poche de son pantalon avec le fil et le micro par-dessus.

Drake finit sa présentation et les lumières se rallumèrent dans la salle de réunion.

— Certains d'entre vous ont des choses à nous montrer et nous sommes vraiment impatients de les voir. Alors si... Oui ? Qu'y a-t-il ?

Alyson Bender était revenue dans la salle. Elle se pencha vers Drake pour lui parler à voix basse. Drake l'écouta, regarda Peter et détourna les yeux. Il hocha deux fois la tête sans rien dire. Puis il s'approcha de Peter.

— Peter, vous avez un enregistrement ?

— Oui, un CD.

— Et qu'y a-t-il sur ce CD ? demanda Drake sans paraître le moins du monde alarmé.

— Quelque chose qui va vous intéresser, répondit-il, le cœur battant la chamade.

— Et qui concerne votre frère ?

— Oui.

Cela ne parut pas perturber Drake.

— Je sais que c'est un sujet douloureux pour vous, poursuivit-il en posant la main sur l'épaule de Peter. Ne serait-ce pas plus facile d'en parler en privé ? ajouta-t-il avec douceur.

Drake voulait l'entraîner à l'écart, là où personne n'entendrait ce qui se dirait.

Peter se raidit.

— Nous pouvons parler ici.

Dans cette salle de réunion, devant tout le monde.

Drake prit un air préoccupé.

— Pourrais-je avoir un mot en privé avec vous, Peter. Eric était mon ami. J'ai perdu un être cher, moi aussi. Passons juste à côté.

Avec un haussement d'épaules, Peter se leva et

112

suivit Vin Drake et Alyson Bender dans une petite pièce contiguë, une sorte d'annexe à la salle de conférences. Drake referma la porte derrière eux et, du même geste, tourna la clé dans la serrure. Puis il pivota et, en une fraction de seconde, son visage se transforma, défiguré par la rage. Il saisit Peter à la gorge d'une main pour le plaquer contre le mur tandis que, de l'autre, il l'immobilisait en lui tordant le bras.

— Je ne sais pas à quoi tu joues, petit salopard...

— Je ne joue pas...

— La police n'a jamais cherché de téléphone sur le bateau...

— Non ?

— Non, pauvre petit con ! Parce qu'ils n'ont pas mis les pieds au chantier naval de la journée.

Peter réfléchit à toute vitesse.

— Ils n'ont pas besoin d'aller sur le bateau puisqu'ils peuvent retrouver le téléphone grâce au traçage GPS...

— Impossible !

Drake lui lâcha le bras pour lui décocher un coup de poing dans le ventre. Peter se plia en deux, le souffle coupé. Drake reprit son bras et le retourna dans son dos pour l'immobiliser d'une nouvelle clé.

— Inutile de me mentir. Ils ne le retrouveront pas parce que j'ai désactivé le GPS avant même de mettre ce téléphone sur le bateau.

— Vin..., intervint nerveusement Alyson.

— Ferme-la !

— Vous avez donc désactivé le GPS. Et avec le téléphone vous avez saboté l'alimentation en essence du bateau de mon frère.

— Non, j'ai juste coupé la pompe à essence, petit con... et j'ai aussi neutralisé la radio...

— Vin... écoute, murmura Alyson.

— Te mêle pas de ça, Alyson !

— Pourquoi avez-vous fait ça ? demanda Peter à moitié étouffé par les doigts de Drake qui lui écrasaient la gorge, essayant en vain de les repousser. Pourquoi ?

— Ton frère est devenu fou. Tu sais ce qu'il voulait ? Il voulait vendre cette technologie. Tout ça pour un problème juridique de droits de propriété et de qui les possédait. Et Eric voulait vendre. Tu imagines ? Vendre une technologie pareille ! Eric a trahi Nanigen. Il m'a trahi, moi personnellement.

— Vin, pour l'amour du ciel...

— Ferme-la !

— Ton micro ! s'écria-t-elle en pointant le petit appareil fixé à son revers. Il est branché.

— Oh, merde ! souffla Vin Drake.

Il frappa Peter au plexus solaire et le laissa s'écrouler à genoux, le souffle coupé. D'un grand geste, il écarta sa veste pour révéler le transmetteur accroché à sa ceinture. Il tapota un voyant. La lumière était éteinte.

— Je ne suis pas stupide.

Plié en deux, Peter toussait et crachait, incapable de respirer. Il s'aperçut que son micro pendait de sa poche par le fil. Drake risquait de l'apercevoir. Il tâtonna pour le renfoncer dans sa poche et sa main heurta l'émetteur. Il entendit un bruit sec jaillir des haut-parleurs dans la salle de conférence.

Drake tourna la tête vers la salle. Il avait entendu, lui aussi. Ses yeux descendirent de la main de Peter jusqu'au micro. Il recula d'un pas et décocha à Peter un coup de botte sur la tempe. Peter s'évanouit. Drake arracha le micro de sa poche, le déconnecta et le jeta. Peter se tordit de douleur sur le sol en gémissant.

— Qu'est-ce qu'on fait maintenant ? demanda Alyson. Ils ont entendu...

— Ferme-la !

Il se mit à arpenter la pièce.

— Putain ! Aucun d'entre eux n'a de téléphone portable, n'est-ce pas ?

— Non, ils les ont laissés à la récep...

— Bien.

— Qu'est-ce que tu vas faire ? s'enquit-elle d'une voix tremblante.

114

— Ne te mêle pas de ça !

Il ouvrit un tableau de sécurité et enfonça le poussoir rouge « alarme ». Une sirène se mit à hurler. Drake saisit Peter sous les aisselles et le remit sur ses pieds. Peter vacilla, abruti par la douleur et sonné par la raclée qu'il venait de recevoir.

— Reprends ton souffle, champion. Il est temps de réparer tes conneries !

Drake déverrouilla la porte et fit irruption dans la salle de conférences en soutenant Peter. Il dut crier pour se faire entendre au-dessus de l'alarme.

— Nous venons d'être agressés. Peter a été blessé. Les robots de sécurité ont été lâchés. Ces robots sont extrêmement dangereux. Suivez-moi tous, dépêchez-vous. Nous devons absolument nous mettre à l'abri dans la salle de sécurité.

Il sortit dans le couloir, traînant toujours Peter qu'Alyson Bender maintenait par l'autre bras.

Dans le hall, les rares chercheurs encore présents se précipitaient vers l'entrée.

— Sortez vite ! cria l'un d'eux en passant devant le groupe en courant.

Drake entraîna néanmoins les étudiants à l'opposé, vers les profondeurs du bâtiment.

— Bon sang ! Où nous emmenez-vous ? demanda Rick Hutter.

— C'est trop tard pour sortir. Nous devons nous réfugier dans le local de sécurité.

Les étudiants étaient perdus. Quel local de sécurité ? Qu'est-ce que cela voulait dire ?

— Qu'est-ce que tu fais ? demanda Alyson à Drake.

Il ne répondit pas.

Ils arrivèrent devant une lourde porte marquée NOYAU DU GÉNÉRATEUR. Drake pianota le clavier et la porte s'ouvrit.

— Par ici, venez...

Les étudiants entrèrent dans un immense espace

dallé d'hexagones. Le revêtement était presque transparent ; ils apercevaient en dessous des appareillages complexes, enfouis profondément dans le sol.

— Écoutez-moi tous, reprit Drake. Je veux que chacun de vous se mette au centre d'un hexagone. Chaque hexagone est un point sécurisé, protégé des robots. Faites vite, c'est ça... Dépêchez-vous, il ne nous reste plus beaucoup de temps.

Drake enfonça une commande et ils entendirent les portes se verrouiller. Ils étaient enfermés.

Erika Moll, paniquée, poussa un cri et courut vers la porte.

— Ne fais pas ça ! cria Danny Minot.

La porte était fermée à clé et Erika ne put sortir.

Depuis la cabine de contrôle vitrée, Drake surveillait les étudiants. Brusquement, il disparut de leur vue. La porte de la cabine s'ouvrit et un homme, un inconnu, fut propulsé vers eux ; c'était un employé de Nanigen.

— Va les aider ! rugit la voix de Drake derrière lui.

L'homme suivit ses ordres. Visiblement sous le choc, il se positionna sur un hexagone au milieu des étudiants.

Les étudiants s'étaient tous mis en place. Erika était revenue. Peter vacilla et tomba à genoux ; Rick l'attrapa et essaya de le relever, mais Peter resta agenouillé. Karen King remarqua alors une rangée de sacs à dos accrochés sur le mur et courut en attraper un qu'elle jeta sur son épaule. Entre-temps, Drake était réapparu derrière la vitre et ils le virent tapoter quelques boutons rapidement, Alyson debout près de lui.

— Vin, pour l'amour du ciel ! le supplia-t-elle.

— On n'a pas le choix ! répondit-il avant d'enfoncer le dernier bouton.

Pour Peter Jansen, toujours sonné par les coups, tout se passa très vite. Le sol hexagonal s'enfonça sous

116

ses pieds et il descendit de trois mètres entre les rangées de mâchoires d'un gigantesque appareil électronique qui l'entourait à le toucher. Les mâchoires étaient en fait des armatures métalliques à rayures blanches et rouges. L'air sentait fortement l'ozone et on entendait un bourdonnement électrique. Il sentit ses poils se hérisser sur ses bras.

Une voix synthétique résonna.

— Ne bougez pas, s'il vous plaît. Inspirez profondément et retenez votre respiration !

Il y eut un *clang !* sonore, angoissant et mécanique, puis le vrombissement électrique revint. Une brève sensation de nausée. Peter eut l'impression qu'il avait changé par rapport à l'appareil.

— Vous pouvez respirer normalement. Ne bougez pas.

Il inspira puis expira lentement.

— Ne bougez plus, s'il vous plaît. Inspirez profondément et retenez votre respiration !

Nouveau *clang !* Nouveau bourdonnement. Nouvelle vague de nausée, plus forte que la précédente.

Peter cligna des yeux.

Cette fois, il était certain d'avoir changé. Auparavant, il avait devant les yeux les rayures centrales des mâchoires. À présent, il voyait celles du bas. Il avait rétréci. Les mâchoires bourdonnèrent et se rapprochèrent de lui. Normal, bien sûr ! pensa-t-il. Le champ magnétique étant fonction de la distance, plus celle-ci était réduite, mieux c'était.

— Inspirez profondément et retenez votre respiration !

Quand il regarda de nouveau vers le haut, il vit qu'il avait considérablement rétréci. Le sommet des mâchoires, à trois mètres au-dessus de lui, lui semblait aussi élevé que le plafond d'une cathédrale. Quelle taille faisait-il ?

— Ne bougez plus, s'il vous plaît. Inspirez profondément et...

— Je sais, je sais..., murmura-t-il d'une voix tremblante.

— Ne parlez pas. Vous risqueriez de graves lésions.
À présent, inspirez profondément et retenez votre respiration !

Un dernier *clang* ! suivi d'un grincement, un
dernier spasme nauséeux. Puis les mâchoires s'écartèrent de lui et sous ses pieds la plate-forme vibra et
remonta. Il vit de la lumière qui l'éclairait du dessus et
sentit une brise fraîche.

Il se retrouva tout à coup au niveau du sol et les
vibrations cessèrent. Il se tenait au milieu d'une
surface noire et lisse qui s'étendait à perte de vue dans
toutes les directions. Au loin, il aperçut Erika et Jenny,
qui regardaient autour d'elles, ébahies. Et plus loin
encore, Amar, Rick et Karen. Mais à quelle distance se
trouvaient-ils, en fait ? Peter ne pouvait en être sûr, lui-
même mesurant à peine douze millimètres. Des
moutons de poussière et des particules de débris cellu-
laires volèrent sur le sol et vinrent s'accumuler contre
ses jambes comme de minuscules boules d'herbes
sèches.

Il les regarda avec stupéfaction. Il se sentait
ralenti, abruti, stupide. Il prenait peu à peu conscience
de sa situation. Il regarda Erika et Jenny. Elles avaient
l'air aussi pétrifiées que lui. À peine douze millimètres
de haut !

Un crissement le fit se retourner : il se retrouva
face à la pointe d'une botte gigantesque, à la semelle
aussi haute que lui. Il leva la tête et vit Vin Drake
accroupi sur un genou, pencher vers lui un visage
énorme et son haleine le balaya d'un vent lourd et
toxique. Puis il entendit un grondement sourd qui
résonna dans toute la pièce comme le tonnerre.

C'était Vin Drake qui riait.

Il avait du mal à entendre tant ces deux êtres
gigantesques produisaient d'échos et de vibrations. Ces

bruits lui faisaient mal aux oreilles. Alyson Bender s'accroupit à côté de Drake et, ensemble, ils dévisagèrent Peter. On aurait dit qu'ils bougeaient et parlaient au ralenti.

— Qu'est-ce-que-tu-fais-Vin ? demanda-t-elle.

Les mots tonnèrent et rebondirent pour se fondre dans un embrouillamini de sons trop graves pour que Peter les comprenne distinctement.

Vin Drake se contenta de rire. Apparemment, il trouvait la situation amusante. Mais son rire projeta des bouffées d'haleine pestilentielle vers Peter qui recula d'horreur devant ces relents d'ail, de vin rouge et de cigare.

Drake regarda sa montre et sourit.

— L'heure-de-la-fermeture-est-passée.-*Pau–hana*,-comme-on-dit-à-Hawaii.-Mission-accomplie !

Alyson Bender le regarda fixement.

Drake inclina la tête d'un côté puis de l'autre, comme s'il avait une oreille bouchée ; un tic, apparemment. Les étudiants l'entendirent alors ajouter d'une voix tonnante :

— Et-après-l'effort,-le-réconfort !

10.

Vin Drake sortit un sac en plastique transparent et, avec une délicatesse surprenante, ramassa Peter Jansen et le laissa tomber à l'intérieur. Peter glissa le long du plastique jusqu'au fond. Il se mit debout et regarda Vin faire le tour de la pièce et cueillir les étudiants à tour de rôle pour les jeter à sa suite. Drake saisit en dernier l'employé de Nanigen qui se mit à hurler :

— Monsieur Drake ! Mais qu'est-ce que vous faites ?

Drake ne parut pas l'entendre ni s'en soucier.

Bien qu'ils soient tombés les uns sur les autres, personne ne fut blessé. Apparemment, ils n'avaient plus une masse suffisante pour se faire mal.

— Nous ne pesons presque plus rien, remarqua Amar. Un gramme tout au plus. Une petite plume.

Il parlait d'une voix calme, posée, dans laquelle Peter décela pourtant un tremblement de peur.

— Eh bien, je n'ai pas honte de le dire, j'ai la trouille ! lâcha Rick.

— Comme nous tous, avoua Karen.

— Je crois que nous sommes choqués, renchérit Jenny Linn. Regardez-nous. Pâleur péribuccale.

120

Un anneau pâle autour de la bouche était un signe classique de peur.

— Il y a eu une erreur ! n'arrêtait pas de répéter l'employé de Nanigen, refusant toujours d'admettre ce que Drake venait de faire.

— Qui êtes-vous ? demanda l'un des étudiants.

— Je m'appelle Jarel Kinsky. Je suis l'ingénieur responsable du générateur tensoriel. Si M. Drake voulait bien me laisser une chance de lui parler...

— Vous en avez trop vu ! le coupa sèchement Rick Hutter. Drake va vous faire subir le même sort qu'à nous.

— Faisons plutôt l'inventaire de ce qu'on a ! les interrompit Karen King. Vite, de quelles armes disposons-nous ?

Une secousse brutale les projeta les uns contre les autres.

— Oh oh ! murmura Amar en essayant de se rasseoir. Qu'est-ce qui se passe encore ?

Alyson Bender avait approché son visage du sac et examinait ses occupants avec une angoisse évidente. Ses cils battirent contre le plastique. Les pores de la peau sur son nez avaient la grosseur et la rougeur alarmantes de marques de vérole.

— Vin,–je–ne–veux–pas–qu'on–leur–fasse–du–mal !

Ces paroles arrachèrent un sourire à Vin Drake.

— Voyons,–ça–ne–me–viendrait–jamais–à–l'esprit !

— Vous vous rendez compte que ce type est un psychopathe ! s'exclama Karen King. Il est capable de tout.

— Je m'en suis aperçu, dit Peter.

— Non, M. Drake n'est pas du tout comme ça, protesta Jarel Kinsky. Il doit y avoir une raison.

Karen l'ignora et se tourna vers Peter.

— Nous ne devons nous faire aucune illusion sur ses intentions. Nous avons été témoins de ses aveux, il a reconnu avoir tué ton frère. Maintenant, il va tous nous éliminer.

— T'es sûre ? demanda Danny Minot d'une voix plaintive. Il ne faut pas tirer de conclusions trop...

— Oui, Danny, je le crois. Et tu seras peut-être le premier.

— C'est tellement difficile à imaginer...

— Demande donc au frère de Peter...

Au même moment, Vin saisit le sac en plastique et partit d'un pas vif vers le couloir. Il se disputait avec Alyson Bender. Malheureusement, leurs paroles étaient incompréhensibles. Les étudiants n'entendaient que des grondements de tonnerre.

Ils longèrent plusieurs laboratoires et, soudain, Drake entra dans l'un d'eux. Même de l'intérieur du sac, ils perçurent aussitôt quelque chose de différent dans cette pièce.

Une odeur forte et âcre.

De copeaux de bois et d'excréments.

D'animaux.

— C'est un laboratoire d'essais sur des animaux, conclut Amar.

En effet, malgré les distorsions du plastique, ils pouvaient distinguer des rats, des hamsters ainsi que des lézards et autres reptiles.

Vin Drake posa le sac sur une cage en verre. Il se mit à parler, à leur intention visiblement, sans qu'ils comprennent un mot. Ils se dévisagèrent d'un air interrogateur.

— Qu'est-ce qu'il baragouine ?

— C'est incompréhensible.

— Il est fou !

— Je ne saisis pas un mot.

Le dos tourné au groupe, Jenny Linn ne lâchait pas Drake des yeux. Elle se tourna vers Peter.

— Tu seras le premier !

— Qu'est-ce que tu veux dire ?

— C'est toi qu'il va tuer en premier. Attends une minute !

— Quoi...

Elle ouvrit la fermeture Éclair de la pochette accrochée à sa ceinture, révélant ainsi une douzaine de tubes en verre fins et fermés par des bouchons de caoutchouc.

— Ce sont mes composés volatils.

On sentait combien elle y tenait. Il ne pouvait en être autrement : ces tubes représentaient des années de travail. Elle en sortit un.

— J'ai bien peur de ne pas avoir mieux à t'offrir.

Peter secoua la tête, sans comprendre. Elle déboucha le tube et, d'un geste large, le renversa sur sa tête et sur son corps. Il s'en dégagea une odeur forte, puis plus rien.

— Qu'est-ce que c'est ? demanda-t-il.

Avant qu'elle ne puisse répondre, Vin Drake plongea la main dans le sac, attrapa Peter par un pied et le souleva la tête en bas. Peter agita les bras en hurlant.

— C'est de l'hexanol ! cria Jenny. De l'hexanol de guêpe. Bonne chance !

— Allons–allons–jeune–Peter, déclara Drake d'une voix tonnante. Vous–m'avez–causé–beaucoup–d'ennuis.

Il brandit Peter devant son visage et loucha sur lui.

— Vous–êtes–inquiet ? Quelle–surprise !

Drake pivota et ce déplacement brutal suffit à étourdir Peter. Il entrebâilla le dessus du terrarium en verre d'un centimètre et y laissa tomber Peter. Puis il referma le couvercle et posa dessus le sac contenant les autres étudiants.

Peter atterrit dans de la sciure.

— Vin, je ne suis pas d'accord, protesta Alyson Bender. Ce n'est pas ce que nous avions décidé...

— La situation a changé, voyons.

— Mais c'est inconcevable !

— Tu me parleras de tes problèmes de conscience plus tard, riposta-t-il avec mépris.

Elle avait accepté de l'aider à éliminer Eric quand

ce dernier avait menacé d'anéantir Nanigen. Elle croyait aimer Vin Drake et, sans doute, l'aimait-elle encore. Il avait été incroyablement bon pour elle, il avait promu sa carrière et lui avait versé des sommes faramineuses, alors qu'Eric avait agi si mal envers lui... Eric l'avait trahi. Mais eux, ce n'étaient que des étudiants... la situation lui échappait. Pourtant, elle restait paralysée. Tout s'était enchaîné si vite. Elle ne savait pas comment arrêter Drake.

— Il n'y a rien de cruel chez un prédateur, continua-t-il, toujours debout devant la cage en verre. Celui-ci se montre même extrêmement humain. Cette créature noire et blanche de l'autre côté du verre est un bongare annelé de Malaisie. Sa morsure, pour un être de la taille de Peter, sera presque instantanément fatale. Il ne sentira pratiquement rien. Problème d'élocution, déglutition difficile, paralysie des yeux et enfin totale paralysie du corps, tout cela en un instant. Il sera peut-être encore vivant quand le serpent l'ingurgitera mais, pff... ça devrait lui être égal...

Drake donna une chiquenaude dans le sac, ce qui envoya valser les étudiants. Il les regarda tomber les uns sur les autres en poussant des cris de terreur et des jurons.

— Ils sont assez vifs. Je pense que le bongare en voudra. Sinon, nous avons aussi le cobra et le serpent corail.

Elle détourna les yeux.

— C'est indispensable, Alyson ! insista-t-il. Leurs corps doivent être ingérés. On ne peut laisser aucune... preuve.

— Mais il n'y pas que ça. Et leur voiture, leurs chambres d'hôtel, leurs tickets d'avion...

— J'ai tout prévu.

— Vraiment ?

— Oui, fais-moi confiance.

Il la dévisagea intensément.

— Alyson, reprit-il au bout d'un long moment, n'aurais-tu pas confiance en moi ?

124

— Si, bien sûr que si ! s'empressa-t-elle de répondre.

— Je l'espère. Parce que, sans confiance, nous ne sommes rien. Nous sommes ensemble dans cette affaire, Alyson.

— Je sais.

Il lui tapota la main.

— Je sais que tu sais. Ah, je vois que le jeune Peter se relève. Et voilà notre bongare qui cherche son déjeuner.

Un glissement de rayures noires et blanches à moitié dissimulées par la sciure. Une langue noire dardée.

— Maintenant, fais bien attention ! continua Drake. Ça va se passer très vite.

Alyson se détourna, incapable de regarder.

Peter s'était relevé et s'époussetait. La chute ne lui avait fait aucun mal, mais il souffrait encore des coups que lui avait infligés Drake. Sa chemise était collée à sa peau par le sang qui séchait. Il était enfoncé jusqu'à la taille dans de la sciure, à l'intérieur d'une cage en verre. La cage contenait une petite branche avec quelques feuilles, sinon elle était vide.

En dehors du serpent...

De là où il était, il ne voyait que quelques rayures gris foncé et blanches. C'était sans doute un bongare annelé, un *Bungarus candidus* de Malaisie ou du Vietnam. En règle générale, les bongares mangeaient les autres serpents, mais il ne pouvait espérer que celui-ci ferait le difficile. Il vit les annelures noires et blanches s'animer et disparaître dans un bruissement. Le serpent avançait.

Peter ne voyait pas sa tête ni grand-chose de son corps. Il était trop petit pour pouvoir s'agripper au haut de la cage, à moins de grimper sur la branche, ce qui ne lui paraissait pas une bonne idée. Il ne lui restait plus qu'à attendre que le serpent fonde sur lui. Désarmé, sans défense. Il tâta ses poches, mais elles étaient vides. Il se mit à trembler d'une façon incontrôlable. Était-ce le contrecoup de la raclée qu'il avait reçue ? Ou la peur ? Sans doute les deux. Il recula dans un angle, encadré par du verre des deux côtés. Il pourrait peut-être créer un reflet qui perturberait le serpent. Ou alors...

Il vit la tête émerger de la sciure et darder fébrilement sa langue. Le bongare s'approcha tant qu'elle le toucha presque. Il ferma les yeux, incapable de soutenir ce spectacle. Il tremblait si fort qu'il crut s'évanouir de terreur.

Il prit une inspiration et retint son souffle pour tenter de calmer ses tremblements, puis il ouvrit un œil, tout doucement, et hasarda un regard.

Le serpent se trouvait juste devant lui, à quelques centimètres de son torse, sa langue toujours dardée vers lui, mais quelque chose clochait. Il avait l'air perdu, ou hésitant. Et soudain, à la totale stupéfaction de Peter, l'animal souleva la tête et recula loin de lui.

Il disparut sous la sciure.

Il était parti.

Peter s'effondra alors sur le sol, grelottant de frayeur et d'épuisement, incapable de contrôler son corps, avec une seule pensée à l'esprit... que diable s'était-il passé ?

— Merde ! s'écria Vin Drake, les yeux baissés vers la cage. C'est quoi, ce bordel ? Qu'est-ce qui lui prend ?

— Peut-être qu'il n'a pas faim.

— Oh, je peux t'assurer que si. Merde ! C'est vraiment pas le moment. J'ai un programme chargé, très chargé.

L'interphone émit un petit déclic.

— Monsieur Drake, un visiteur pour vous. Monsieur Drake, on vous demande à la réception.

Drake leva les mains au ciel.

— Nom de Dieu ! Je n'attends personne aujourd'hui !

Il composa le numéro de la réception.

— De quoi s'agit-il, Mirasol ?

— Je suis désolée, monsieur Drake, alors que j'étais sur le parking, après l'évacuation, quelqu'un de la police d'Honolulu a demandé à vous voir. Je l'ai fait entrer.

— Oh, très bien ! murmura-t-il avant de raccrocher. Génial, la police !

— Je vais aller voir ce qu'ils veulent, proposa Alyson.

— Non, pas question. Je m'en occupe. Tu retournes dans ton bureau et tu restes invisible jusqu'à son départ.

— Très bien, si c'est ce que tu...

— Exactement.

— Très bien, Vin.

Jenny Linn regarda Vin Drake et Alyson Bender quitter le laboratoire. Elle nota que Drake refermait soigneusement la porte à clé derrière lui. Le sac en plastique était resté sur le dessus du terrarium du serpent. Le haut du sac était un peu tortillé, mais pas serré. Jenny se glissa dans les plis et, à force de pousser, réussit à les écarter.

— Venez. On peut déjà sortir de là.

Les autres la suivirent. Ils escaladèrent le sac les uns après les autres et se retrouvèrent tous debout sur le verre qui couvrait le récipient.

Jenny regarda à l'intérieur. Peter se relevait, visiblement ébranlé.

— Tu comprends ce que je dis ? cria-t-elle.

Il secoua la tête. *Pas vraiment.*

— Pourquoi le serpent ne l'a-t-il pas attaqué ? demanda Rick Hutter.

Jenny se mit à quatre pattes et cria les mains en cornet :

— Et là, Peter, tu m'entends ?

Il secoua encore la tête.

— Essaie la conduction osseuse, suggéra Amar.

Jenny s'allongea sur la plaque, la joue sur la vitre.

— Et là, Peter ?

— Je t'entends. Que s'est-il passé ?

— Je t'ai arrosé de phéromones de guêpe, d'hexanol surtout. J'ai pensé que peu de choses pouvaient repousser un serpent venimeux à part peut-être la piqûre de guêpe.

— Sacrément futé ! s'écria Amar. Surtout que les serpents se fient plus à leur odorat qu'à leur vue. Et le bongare étant un animal nocturne...

— Ça a marché. Il m'a pris pour une guêpe.

— Oui, mais cette substance est très volatile, Peter.

— Ce qui veut dire qu'elle va s'évaporer.

— Oui, en ce moment même où nous parlons.

— Génial ! Je ne suis plus une guêpe.

— En tout cas, plus très longtemps.

— Encore combien de temps, dirais-tu ?

— Je ne sais pas. Quelques minutes.

— Qu'est-ce qu'on peut faire ?

— Comment tu te sens ? demanda Karen.

— KO.

Il tendit la main. Elle tremblait.

— À quoi penses-tu, Karen ? demanda Amar.

— Est-ce que tu as de la soie d'araignée sur laquelle nous avons travaillé ?

Depuis environ six mois, Amar et Karen synthétisaient des soies d'araignée possédant diverses propriétés : certaines étaient collantes, d'autres solides, d'autres souples comme un élastique. D'autres encore pouvaient devenir collantes par l'addition d'un agent chimique.

— Oui, j'en ai plusieurs sortes.

— Bon, tu vois ce tube en plastique près de la cage, fermé à un bout ?

— Qui ressemble à un petit embout de distributeur d'eau ?

— Oui, c'est ça. Tu peux l'attraper avec de la soie collante et le hisser jusqu'ici ?

— Je ne sais pas. Il doit peser plusieurs dizaines de grammes. Il faudra que vous m'aidiez...

— De toute façon, il faudra tous nous y mettre pour ouvrir la cage.

— Tu veux l'ouvrir ?

Le dessus de la cage était constitué de deux plaques de verre qui coulissaient l'une sur l'autre.

— Je ne sais pas si on y arrivera, Karen.

— Juste de deux ou trois centimètres. Ce qu'il faudra pour...

— ... passer le tube.

— Exactement.

— Peter, tu as suivi ? demanda Amar.

— Oui, mais ça me paraît impossible.

— Je ne vois pas d'autre solution, répondit Karen. Et il ne faut pas se louper parce qu'on n'a droit qu'à une tentative.

Amar avait ouvert une boîte en plastique qu'il avait dans la poche et détachait déjà la soie collante de son support. Il la fit descendre le long de la cage et réussit à accrocher le tube en plastique. Il était étonnamment léger. Rick et lui le soulevèrent sans mal.

En revanche, quand ils voulurent faire glisser la plaque de verre, ce fut une autre paire de manches.

— Il faut vraiment pousser tous ensemble, insista Karen. À trois, vous êtes prêts ? Un... deux... trois !

La vitre bougea, de quelques millimètres à peine, mais elle bougea.

— Allez, encore ! Dépêchez-vous !

Le bongare recommençait à remuer. Que ce soit parce qu'il voyait ces petites créatures s'agiter audessus de lui ou parce que les composés volatils s'évaporaient, il reprit ses reptations vers Peter, décidé à tenter une seconde approche.

— Descendez-moi ce machin, les supplia Peter d'une voix chevrotante.

— Tout de suite, répondit Amar.

Le fil frotta sur le bord du verre et produisit un étrange son aigu.

— Ça va aller ? s'inquiéta Karen. Il va tenir ?

— C'est solide, la rassura Amar.

— Baissez encore, encore, les pressa Peter. C'est bon, tenez-le comme ça.

Le tube lui arrivait à la poitrine. Il se glissa derrière et le maintint devant lui des deux mains. Mais il avait les paumes moites et glissantes. Sa prise n'était pas assurée et le serpent avançait en sifflant à travers les feuilles et la sciure.

— Et s'il frappe sur le côté ? s'inquiéta Peter.

— Attention, dit Karen. On dirait qu'il va...

— Oui, on dirait...

— Il arrive, putain !

— Merde ! lâcha Peter.

Le serpent frappa à une vitesse aveuglante, inimaginable. Sans réfléchir, Peter pencha le tube vers lui. L'impact de la tête du bongare résonna contre sa poitrine. La soie cassa et Peter tomba en arrière avec le serpent qui se tordait sur lui dans tous les sens, la tête enfoncée dans le tube, le plaquant au sol. Mais sa tête était bien coincée et il n'était pas prêt de sortir du tube.

— Comment as-tu fait ça ? s'exclama Karen, d'un ton admiratif. Le serpent a été si rapide !

— Je ne sais pas. Un... un réflexe !

Tout s'était passé si vite ! Mais déjà Peter se tortillait pour se dégager du serpent qui l'écrasait et dont l'odeur lui donnait la nausée. Enfin, il réussit à se libérer à coups de pied et se releva en titubant.

Le serpent le regarda d'un œil torve. Il secoua violemment le tube et le cogna plusieurs fois contre les parois vitrées sans réussir à le déloger. Ses sifflements furieux résonnaient, amplifiés par le verre.

— C'était génial ! conclut Rick. Mais il serait temps de te sortir de là.

130

Vin Drake grinçait des dents. Mirasol, la réceptionniste, était aussi stupide que ravissante. Le jeune type musclé en uniforme bleu marine qui se tenait devant lui n'était pas un flic mais un enseigne de gardes-côtes. Et il voulait savoir à qui appartenait le Boston Whaler d'Eric, car le chantier naval souhaitait le déplacer. Pour cela, il leur fallait l'autorisation du propriétaire.

— Je croyais que la police n'avait pas fini d'inspecter le bateau, lança Vin d'un ton irrité.

Autant tirer le maximum d'informations de ce bellâtre, puisqu'il était là.

— Je ne suis pas au courant.

Il expliqua qu'il n'avait pas eu affaire à la police mais au propriétaire du chantier.

— Il paraît qu'ils recherchent un téléphone.

— Pas que je sache. D'ailleurs je pense que la police s'apprête à clore son enquête.

Drake ferma les yeux et poussa un long soupir.

— Seigneur !

— Du moins, dès qu'elle aura inspecté son bureau.

Drake rouvrit les yeux d'un coup.

— Le bureau de qui ?

— Le bureau de Jansen. Son bureau se trouve bien ici, dans ces locaux ? Il était vice-président de cette société, n'est-ce pas ? Ils ont perquisitionné son appartement aujourd'hui et ils devraient arriver d'une minute à l'autre. D'ailleurs, je suis même étonné qu'ils ne soient pas encore là, ajouta-t-il après un bref coup d'œil à sa montre.

— Seigneur !

Vin se tourna vers Mirasol.

— La police va venir et il faudrait que quelqu'un leur montre les lieux.

— Voulez-vous que j'appelle Mlle Bender ?

— Non, Mlle Bender doit... doit travailler avec moi. J'ai des travaux de laboratoire à expédier de toute urgence. Cela ne peut pas attendre.

— Qui dois-je appeler ?

— Faites donc venir Don Makele, le chef de la sécurité. Qu'il les escorte. Ils veulent voir le bureau de M. Jansen.

— Ainsi que tous les endroits où il travaillait, ajouta l'enseigne, le regard rivé sur la réceptionniste.

— Ainsi que tous les endroits où il travaillait, répéta Drake.

Des voitures s'arrêtaient dans la rue. Au lieu de détaler comme il en mourait d'envie, Drake serra calmement la main du garde-côte.

— Si vous souhaitez les accompagner, n'hésitez pas. Tenez, Mirasol, allez donc avec eux et vous leur offrirez un café ou ce qu'ils voudront.

— Très bien, monsieur Drake.

— Je vais rester, dit l'enseigne.

— Alors, si vous voulez bien m'excuser.

Sur ces mots, Drake pivota et s'engagea dans le couloir. Dès qu'il fut hors de vue, il se mit à courir.

Assise à son bureau, Alyson se mordillait la lèvre. L'écran devant elle montrait la réception ; elle voyait Drake parler au jeune officier en uniforme et Mirasol minauder en jouant avec la fleur dans ses cheveux.

Comme d'habitude, Drake avait des mouvements impatients, vifs et agressifs. Presque hostiles, en fait. Bien sûr, il était sous pression. Mais ses gestes – juste son langage corporel, sans tenir compte de ses paroles – révélaient une rage folle. Oui, il était hors de lui.

Et il allait tuer tous ces gamins.

Ses intentions étaient trop évidentes. Peter Jansen l'avait coincé et Vin ne pouvait s'en sortir qu'en éliminant tous les témoins. Qu'il s'agisse de sept jeunes étudiants brillants, promis à un bel avenir, ne semblait pas le gêner. Cela ne comptait pas à ses yeux.

Ils n'étaient que de vulgaires obstacles en travers de son chemin.

Cela l'épouvantait. Elle avait beau plaquer ses mains sur son bureau, celles-ci tremblaient. Elle avait peur de lui et elle était terrifiée par la situation dans laquelle elle se trouvait. Et pas question de s'opposer franchement à lui, bien sûr. Il la tuerait.

Elle devait cependant l'empêcher de tuer ces gosses. D'une manière ou d'une autre. Elle savait ce qu'elle avait fait. Elle n'ignorait pas le rôle qu'elle avait joué dans la mort d'Eric Jansen. Oui, elle ne le savait que trop bien. C'était elle qui avait déclenché le téléphone piégé. Mais se retrouver impliquée dans l'élimination de sept autres personnes – non, huit, en comptant l'employé de Nanigen qui avait eu le malheur de se trouver dans la salle de commande au moment où Drake était arrivé –, elle n'était pas sûre de pouvoir l'assumer. Ce serait du meurtre à grande échelle. À moins de devoir s'y résoudre... pour sauver sa peau.

Sur l'écran, tandis que l'enseigne souriait, Drake donnait ses instructions à la réceptionniste. Il allait bientôt revenir.

Alyson se leva d'un bond. Il ne lui restait pas beaucoup de temps. Il pouvait retourner au labo d'une seconde à l'autre.

Dans le labo, les étudiants, debout sur le couvercle de la cage du bongare, regardaient Peter Jansen en dessous d'eux quand Alyson fit irruption dans la pièce. Elle se pencha vers eux, les yeux écarquillés d'effroi.

— Je–ne–veux–pas–vous–faire–de–mal.

Elle tendit la main et prit délicatement Jenny pour la poser sur sa paume et fit signe aux autres de la suivre.

— Dépêchez-vous.–Je–ne–sais–pas–où–il–est.

— Mademoiselle Bender ! cria Jarel Kinsky en agitant les bras. Laissez-moi parler à M. Drake !

Mais elle ne parut ni le comprendre ni même l'entendre.

Ne voyant pas d'autre option, les autres grimpèrent sur sa main. Alyson les souleva. La pièce vacilla et un vent brutal les coucha par terre tandis qu'elle allait rapidement les déposer sur un bureau. Puis elle retourna au terrarium, l'ouvrit, souleva Peter et le ramena près d'eux. Elle les regarda, la respiration forte et saccadée, sans savoir apparemment ce qu'elle allait faire d'eux.

— Il faut lui parler, suggéra Karen.

— Je ne sais pas si ça servira à quelque chose, répondit Jenny.

Alyson s'éloigna. Ils la virent traverser la pièce et ouvrir un placard. Elle regarda à l'intérieur, sortit un petit sac en papier kraft et revint en courant vers eux.

— Cachez-vous–là-dedans, articula-t-elle lentement. Vous–pourrez–respirer.

Elle ouvrit le sac, le coucha sur le bureau, l'ouverture tournée vers eux et leur fit signe de se mettre à l'intérieur. Ils s'y engouffrèrent. Le dernier à y entrer fut l'employé de Nanigen qui se refusait toujours à reconnaître combien leur situation était désespérée. Et il criait :

— Je vous en prie, mademoiselle Bender ! Je vous en supplie !

Alyson replia le haut du sac et se rua hors de la pièce. Elle regagna son bureau et glissa doucement la pochette en papier dans son sac à main, posé par terre près de son siège. Elle le referma d'un coup sec, le poussa sous son bureau du bout du pied et repartit en courant vers le labo où elle arriva au moment où Vin Drake y entrait.

— Qu'est-ce que tu fous là ?

— Je te cherchais.

— Je t'ai dit de ne pas quitter ton bureau !

Drake s'approcha du terrarium et vit le sac vide.

— Merde ! Ils se sont échappés !

Il regarda autour de lui et se précipita vers une paillasse couverte de flacons. D'un revers de la main,

134

il les flanqua par terre dans un fracas de verre et un éclaboussement de liquides.

— Où sont-ils ?

— Vin, je t'en prie, je n'en sais rien...

— Tu parles que t'en sais rien !

Il s'approcha du terrarium. Il vit le serpent la tête coincée dans le tube en plastique, mais aucun signe de Peter.

— Qu'est-ce que... En tout cas, le jeune Jansen est mort. Le serpent l'a eu !

Il se retourna vers Alyson et lui décocha un regard agressif.

— Il faut qu'on retrouve les autres. Et je te jure devant Dieu, Alyson, que si tu essaies de m'avoir, tu vas le regretter.

Elle recula.

— J'ai compris.

— T'as intérêt !

Au même moment, il aperçut dans le couloir, derrière les vitres du labo, Don Makele suivi de deux officiers de police. Tous deux jeunes et en civil, ce qui signifiait qu'il s'agissait d'inspecteurs. *Merde !*

Il se redressa et se ressaisit à une vitesse à faire froid dans le dos.

— Salut, Don ! lança-t-il en sortant dans le couloir, un sourire chaleureux sur le visage. Présentez-moi donc nos visiteurs. Nous n'en avons pas souvent à Nanigen. Vous êtes inspecteurs ? Je suis Vin Drake, le président de cette société. En quoi puis-je vous être utile ?

La pochette en papier était écrasée à l'intérieur du sac à main d'Alyson et il y faisait nuit noire. Les étudiants et l'employé de Nanigen se tenaient assis, serrés les uns contre les autres.

— Je me demande si elle veut vraiment nous aider, soupira Karen King.

— Elle est visiblement terrifiée par Drake, déclara Peter.

— Qui ne le serait pas ? remarqua Amar.

— Je vous avais dit que c'était un salaud fini ! soupira Rick Hutter. Personne ne m'a écouté.

— Mais tu ne peux pas la fermer ! explosa Karen.

— Je vous en prie, intervint Amar d'une voix calme. Ce n'est pas le moment.

— Désolée, s'excusa Karen. Nous n'avons pas affaire à un salaud normal, reprit-elle après une courte pause. Nous avons affaire à un grand, grand malade mental.

Elle tripota son couteau. Une bien pauvre défense ! Il pourrait à peine entamer la peau de Drake.

Il y eut un bruit assourdissant, le sac oscilla et de la lumière apparut brusquement à travers le papier. On avait ouvert le sac à main. Puis, avec un claquement sec, tout replongea dans l'obscurité. Ils attendirent en se demandant ce qui allait se passer.

Les étudiants devaient être remis dans le générateur pour reprendre leur taille normale, et rapidement ! Alyson Bender le savait. Mais ce qu'elle ne savait pas, c'était comment fonctionnait le générateur. La journée de travail était terminée depuis longtemps, tous les employés avaient regagné leur domicile, Nanigen était désert.

Elle retrouva Vin Drake dans le labo. Il avait fini de parler avec les policiers et fouillait la pièce jusque dans le moindre recoin, le moindre placard, la moindre cage.

Il la dévisagea d'un œil dur.

— Tu les as laissés partir ?

— Non, je te le jure, Vin.

— Je ferai nettoyer ce labo de fond en comble demain. Je ferai tuer les animaux, stériliser la pièce au gaz avant de la faire laver à l'eau de Javel.

— C'est... c'est très bien, Vin.

— Nous n'avons pas le choix. Rentre te reposer, ajouta-t-il en lui pressant le bras. Moi, je vais encore rester un peu ici.

Elle lui adressa un regard reconnaissant. Puis elle se précipita dans son bureau, prit son sac et se dirigea vers la sortie. Mirasol était rentrée chez elle, la réception était déserte. Une grosse lune dérivait parmi les étoiles qui constellaient le ciel. Alyson aurait apprécié si elle n'avait éprouvé un tel désarroi. Elle monta dans sa voiture de fonction, une BMW, posa le sac sur le siège passager et partit.

Vin Drake se tenait dans l'ombre, à la réception. Dès qu'il entendit la voiture d'Alyson quitter le parking, il courut vers sa Bentley et démarra à son tour. Au Farrington Highway il hésita. Pas trace des fichus feux arrière d'Alyson. Où aller ? À droite, à gauche ? Il tourna à droite, vers Honolulu, la direction qu'elle avait le plus de chance d'avoir prise. Il se glissa dans la circulation et, dès qu'il accéléra, sentit la puissance du moteur le plaquer contre son siège.

La BMW rouge apparut. Elle roulait vite. Il se rabattit derrière elle, les yeux rivés sur ses feux arrière. Elle prit la bretelle d'entrée sur l'autoroute H-1, suivie par la Bentley bleu marine qui se fondait dans la nuit, et dont les deux phares se perdaient dans la multitude du trafic derrière elle.

Il n'avait pas retrouvé les étudiants. Il n'y avait qu'une explication possible. Alyson les avait emmenés avec elle dans sa voiture. Il ne pouvait pas en être complètement sûr, mais tout son instinct le lui criait.

Il lui faudrait sans doute se débarrasser d'elle. Il ne pouvait plus lui faire confiance, c'était évident. Elle commençait a craquer. Mais ça devenait compliqué tous ces gens qui disparaissaient. Alyson Bender était la directrice financière de Nanigen et si elle s'évanouissait maintenant dans la nature, cela ne manquerait pas de déclencher une enquête approfondie.

Cela, il fallait l'éviter à tout prix. Si les policiers perquisitionnaient Nanigen, ils finiraient tôt ou tard par relever quelque chose contre lui. C'était couru. En prenant le temps, en cherchant bien... ils finiraient par le coincer.

Non, il ne voulait surtout pas d'une enquête !

Il commençait à comprendre qu'il avait commis une terrible erreur. Il ne pouvait pas la tuer. Il ne pouvait pas s'offrir ce luxe, du moins pas tout de suite. Il avait encore besoin d'elle quelque temps.

Comment pouvait-il la mettre de son côté ?

Alyson suivait l'autoroute qui contournait Pearl Harbor en s'efforçant de ne pas regarder son sac sur le siège. Peut-être que Vin avait raison. Peut-être qu'ils n'avaient pas le choix. Elle prit au hasard la sortie vers le centre d'Honolulu et se dirigea vers Waikiki. Elle suivit lentement l'avenue Kalakaua, prise dans les embouteillages. Partout se pressait une foule de touristes et d'autochtones qui profitaient de la soirée. Elle s'engagea ensuite sur la route de Diamond Head et contourna le phare. Elle allait se rendre sur une des plages de la côte au vent d'Oahu ou peut-être sur la côte nord. Elle jetterait le sac quelque part dans les vagues... pas de preuve... pas de survivants...

Drake la suivait, les yeux rivés sur sa voiture. Elle dépassa la pointe de Makapuu, traversa Waimanalo et Kailua. Tout à coup, elle fit demi-tour et reprit l'autoroute en direction d'Honolulu. Où diable sa directrice financière allait-elle ? se demanda-t-il.

Après avoir longé Oahu par l'est et regagné Honolulu, Alyson se retrouva sur la route sinueuse de la vallée de Manoa qui remontait vers les montagnes à travers la forêt tropicale.

Elle arriva devant les grilles métalliques et le tunnel. Le portail était fermé. Elle composa le code et le franchit. À la sortie de la galerie, elle trouva la vallée plongée dans une obscurité veloutée.

L'endroit était désert, les serres luisaient faiblement sous la lune. Alyson ouvrit son sac à main, en sortit la pochette en papier. Elle n'osait pas l'ouvrir. Ils devaient sans doute être morts à présent, écrasés et

138

étouffés. Mais si jamais ils avaient survécu et se mettaient à la supplier ? Ce serait encore pire que de les trouver morts. Elle descendit de voiture.

Des phares. Qui sortaient du tunnel.

Elle avait été suivie.

Elle attendit, le sachet à la main, pétrifiée de peur, prise dans les phares de la Bentley de Nanigen.

11.

— Qu'est-ce que tu fais là, Alyson ? s'écria Drake en bondissant de sa voiture.

Elle cligna des yeux, éblouie par les phares.

— Pourquoi m'as-tu suivie ?

— Je me fais du souci pour toi, Alyson. Beaucoup de souci.

— Je vais bien.

Il s'approcha.

— Nous avons un tas de choses à faire.

Elle recula.

— Quoi ?

— Nous devons nous protéger.

— À quoi penses-tu ? demanda-t-elle, le souffle court.

Il ne voulait pas que la faute retombe sur lui. Sur elle, oui, pas sur lui. Il commençait à avoir une petite idée. Il entrevoyait un moyen d'y parvenir.

— Il peut y avoir une bonne raison pour qu'ils disparaissent, tu sais.

— De quoi parles-tu, Vin ?

— D'une explication plausible à leur disparition. Une raison indépendante de toi et moi.

— Et laquelle ?

140

— L'alcool.

— Quoi ?

Il la prit par la main et l'entraîna vers la serre.

— Ce sont des étudiants près de leurs sous. Fauchés. Qui raclent tout le temps les fonds de tiroir. Ils veulent faire la fête, se saouler, mais ils n'en ont pas les moyens. Et où vont les pauvres étudiants quand ils veulent se bourrer gratis ?

— Où ?

— Au labo, bien sûr !

Il déverrouilla la porte et abaissa l'interrupteur. Les ampoules s'allumèrent au-dessus des paillasses, l'une après l'autre jusqu'au fond de la serre, révélant des étagères couvertes de plantes exotiques, des orchidées en pot sous des brumisateurs et, dans un coin, des rangées et des rangées de bouteilles et de flacons remplis de réactifs. Il sortit un bidon étiqueté ÉTHANOL À 98 %.

— Qu'est-ce que c'est ? demanda-t-elle.

— De l'alcool de laboratoire.

— C'est ça, ton idée ?

— Oui. Quand tu achètes de la vodka ou de la tequila en magasin, elle ne titre que 40, 45° à tout casser. Là, tu en as plus du double. C'est presque de l'alcool pur.

— Et alors ?

Vin prit des gobelets en plastique et les lui tendit.

— L'alcool entraîne des accidents de la route. Surtout chez les jeunes.

— Oh, Vin..., gémit-elle.

Il l'observait soigneusement.

— D'accord, regardons la vérité en face. Tu n'as pas le cran de le faire ?

— Eh bien... non.

— Moi non plus, si tu veux savoir.

Elle cligna des yeux, perplexe.

— Toi non plus ?

— Non, je ne peux pas. C'est au-dessus de mes

forces, Alyson. J'en suis incapable. Je ne veux pas avoir ça sur la conscience.

— Alors... qu'est-ce qu'on va faire ?

Il laissa le doute, l'incertitude se peindre sur son visage et secoua la tête d'un air accablé.

— Je ne sais pas. On n'aurait jamais dû se lancer dans cette histoire, et maintenant, je... je ne sais plus où j'en suis.

Il espérait faire preuve d'une incertitude convaincante. Il savait se montrer persuasif. Il marqua une pause, lui prit la main et la leva vers la lumière : dans cette main, elle tenait le sac en papier, dont le haut était replié.

— Ils sont là-dedans, n'est-ce pas ?

— Que veux-tu que je fasse ?

Sa main tremblait.

— Va m'attendre dehors. J'ai besoin de réfléchir quelques minutes. Il faut qu'on trouve une solution, Alyson. Un mort, ça suffit.

Laissons Alyson les tuer. Même si elle ignore qu'elle va les tuer.

Elle hocha la tête en silence.

— J'ai besoin que tu m'aides, Alyson.

— Je t'aiderai, Vin. Je t'aiderai, je te le promets.

— Merci.

Du fond du cœur.

Elle sortit.

Il revint dans la serre et se dirigea vers un placard où il trouva une boîte de gants en nitrile. Des gants de laboratoire résistants plus solides que des gants en caoutchouc. Il en prit deux et les glissa dans sa poche. Puis il se précipita dans le petit bureau contigu et alluma l'écran de surveillance qui donnait sur le parking. Il était relié à une caméra à vision nocturne qui transmettait des images en vert fluo et noir. Bien sûr, elle enregistrait tout. Il regarda Alyson s'approcher des voitures. Puis regarder dans le sachet et se mettre à faire les cent pas.

142

Il voyait presque l'idée se former dans son esprit.

— Vas-y ! chuchota-t-il.

Les équipes sur le terrain avaient rencontré d'abominables problèmes. Quatre employés étaient morts rien que dans le ravin des Fougères. Et ils étaient lourdement armés... Il y avait aussi les problèmes de microbulles. Ces gamins ne tiendraient pas une heure dans cet enfer biologique. Ensuite, il ne lui resterait plus qu'à mettre Alyson de son côté... temporairement.

Elle s'éloignait des voitures.

Oui !

Elle allait vers la forêt.

Oui !

Elle prenait la direction du ravin des Fougères.

Bien ! Continue !

Il vit sur l'écran sa silhouette disparaître dans l'obscurité. Elle descendait dans les profondeurs de la forêt. Il perdit sa trace.

Puis un point de lumière en forme d'étoile apparut.

Elle avait allumé une lampe de poche. Il suivait à présent la lumière qui zigzaguait, de plus en plus faible, alors qu'Alyson suivait le chemin en lacet.

Plus elle s'enfoncerait dans cet enfer biologique, mieux ce serait.

Soudain, il entendit un hurlement. Des cris affolés qui montaient de la forêt obscure.

Nom de Dieu !

Il abandonna l'écran et se rua dehors.

Bien que la lune soit levée, il faisait si sombre dans les profondeurs de la forêt tropicale qu'il avait du mal à distinguer Alyson. Dans sa précipitation, il n'arrêtait pas de trébucher et de glisser tandis qu'il courait en direction du faisceau.

Quand il arriva près d'elle, il l'entendit bredouiller « Je ne comprends pas, je ne comprends pas ! » tout en balayant le sol de sa torche.

— Alyson... Qu'est-ce que tu ne comprends pas ?

— Je ne comprends pas ce qui s'est passé.

Elle n'était qu'une silhouette sombre qui tenait le sachet devant elle comme si c'était une offrande à un dieu sinistre.

— Je ne sais pas comment ils sont partis. Regarde !

Elle éclaira l'intérieur du sac. Il vit une entaille dans le fond, bien nette.

— Ils avaient un couteau.

— On dirait.

— Et ils ont sauté. Ou ils sont tombés.

— Oui, sans doute.

— Où ça ?

— Juste là. Enfin, c'est là que je m'en suis aperçue. Et je n'ai plus bougé. De peur de leur marcher dessus.

— Je ne m'inquiéterais pas pour ça. Ils doivent déjà être morts.

Il lui prit sa torche et s'accroupit pour inspecter les fougères à la recherche de traces sur leurs feuilles brillantes de rosée. Rien.

Elle se mit à pleurer.

— Ce n'est pas ta faute, Alyson.

— Je sais.

Un sanglot.

— J'allais les libérer.

— Je m'en suis douté.

— Je suis désolée, mais j'allais les relâcher.

Vin lui passa un bras autour des épaules.

— Tu n'y es pour rien, Alyson. C'est ça le plus important !

— Tu ne vois aucun signe d'eux ? Avec la torche ?

Il secoua la tête.

— Non. C'est une longue chute et ils ne pèsent pas très lourd. Ils ont pu être emportés plus loin.

— Alors peut-être qu'ils sont toujours...

— Peut-être, mais j'en doute.

— On devrait les chercher !

144

— Voyons, il fait nuit, Alyson. Et on risque de les écraser sans le vouloir...

— On ne peut pas les abandonner ici !

— Tu sais, cette chute a dû leur être fatale. Et je te crois, Alyson, si tu dis que ce n'est pas toi qui as coupé le sac et qui les as jetés...

— Qu'est-ce que tu racontes ?

— Malheureusement, la police risque de ne pas te croire aussi facilement que moi. Tu pourrais déjà te retrouver impliquée dans la mort d'Eric et, maintenant... jeter ces gamins dans un endroit aussi dangereux pour eux, intentionnellement. C'est un meurtre, Alyson.

— Voyons, tu n'auras qu'à dire la vérité à la police !

— Bien sûr, mais pourquoi me croiraient-ils ? En fait, Alyson, il ne nous reste plus qu'une solution désormais, c'est de revenir à notre plan. Leur disparition doit passer pour un accident. Et si jamais ils réapparaissent miraculeusement plus tard... eh bien, Hawaii est un endroit magique, merveilleux. Où il arrive beaucoup de miracles !

Elle se tenait parfaitement immobile dans le noir.

— Tu veux qu'on les laisse comme ça ?

— On pourra revenir demain, à la lumière du jour.

Il lui pressa l'épaule et la serra contre lui. Puis il éclaira le sol.

— Viens. Suivons le chemin, on verra mieux. On reviendra demain. Pour le moment, nous devons nous occuper de la voiture. D'accord ? Une chose à la fois, Alyson.

Sans cesser de sangloter, elle se laissa ramener jusqu'au parking. Vin Drake consulta sa montre. Il était 23 h 14. Il avait encore le temps de passer à l'étape suivante de son plan.

12.

Arboretum de Waïpaka
28 octobre, 23 heures

Les étudiants étaient projetés les uns contre les autres, chaque mouvement d'Alyson amplifié et accompagné par le bruissement assourdissant de leurs frottements sur le papier. Peter n'aurait jamais imaginé que le kraft pouvait être aussi rugueux : il agressait sa peau presque autant que du papier de verre. Il vit que les autres avaient réussi à se tourner vers l'intérieur pour ne pas se râper le visage contre les parois tandis qu'ils étaient ballottés en tous sens.

On les avait bringuebalés en voiture un bon moment. Où étaient-ils ? Et qu'allait-on leur faire ? Catapultés d'un bord à l'autre, il leur était difficile de communiquer et encore plus d'établir un plan alors qu'ils parlaient tous en même temps. Jarel Kinsky, l'employé de Nanigen, continuait à répéter qu'il s'agissait d'une erreur.

— Si seulement je pouvais parler à M. Drake !

— Change de disque, le rabroua Karen King.

— Mais je n'arrive pas à croire que M. Drake veuille... veuille nous tuer, bafouilla t-il.

— Sans blague ?

Kinsky ne répondit pas.

Leur principal problème, c'était qu'ils ignoraient

ce que Vin ou Alyson leur réservaient. On les avait emmenés en voiture, mais où ? Cela n'avait aucun sens. Ensuite, Vin et Alyson avaient paru se mettre d'accord (ils n'avaient pu suivre que vaguement leur conversation) puis Alyson était ressortie avec le sac. Dans l'obscurité.

— Que se passe-t-il encore ? s'inquiéta Karen, alors qu'elle les emportait.

Ils entendirent un bruit assourdissant. Un reniflement. C'était Alyson.

— J'ai le sentiment qu'elle veut nous sauver, dit Peter.

— Vin ne la laissera jamais faire.

— Je sais.

— On ferait mieux de prendre la situation en main, conclut Karen.

Elle sortit son canif et le déplia.

— Attends ! l'arrêta Danny Minot. C'est une décision que nous devons prendre tous ensemble.

— Je n'en suis pas sûre. Parce que c'est moi qui ai le couteau.

— Cesse de faire l'enfant.

— Cesse de te dégonfler. Ou nous passons à l'action, ou ce seront eux qui le feront et ils nous tueront. Qu'est-ce que tu préfères ?

Sans attendre sa réponse, elle se tourna vers Peter.

— À combien sommes-nous du sol, à ton avis ?

— Je ne sais pas. Un mètre vingt, un mètre trente...

— Mettons un mètre trente. Et combien pesons-nous ?

— Pas grand-chose ! s'esclaffa Peter.

— Ça te fait rire ? s'offusqua Danny. Vous êtes fous, ma parole. Vu notre taille actuelle, une chute de cent trente centimètres équivaut à...

— Cent trente mètres, finit Erika. Soit la hauteur d'un immeuble de quarante-cinq étages. Sauf que pour nous ce ne sera pas l'équivalent d'une chute d'un quarante-cinquième étage.

— Bien sûr que si !

— Hallucinant, vous ne trouvez pas, que des spécialistes des sciences humaines manquent à ce point de notions scientifiques ?

— C'est juste une petite question de résistance de l'air, expliqua Peter.

— Voyons, ça n'entre pas en jeu, insista Danny, les dents serrées, visiblement vexé. Parce que dans un champ gravitationnel, les objets tombent à la même vitesse quelle que soit leur masse. Un centime tombe aussi vite qu'un piano et ils heurtent tous les deux le sol en même temps.

— On ne peut plus rien pour lui ! décréta Karen. Et nous devons prendre la décision tout de suite.

Les ballottements ralentirent : Alyson mijotait quelque chose.

— Je ne crois pas que la hauteur de notre chute importe beaucoup, continua Peter, qui essayait de calculer les propriétés physiques d'un corps si petit.

Tout était question de gravité et d'inertie.

— Ce qu'il faut retenir, dans l'équation de Newton...

— Ça suffit ! le coupa Karen. Moi, je dis qu'il faut sauter !

— Je saute, déclara Jenny.

— Moi aussi, décida Amar.

— Bon sang ! gémit Danny. On ne sait même pas où on est !

— Je saute, dit Erika.

— C'est notre seule chance, insista Rick. Je saute !

— Je saute, opina Peter.

— Bon, reprit Karen. Je vais couper le long de cette soudure au fond du sac. Essayez de rester ensemble. Imaginez que vous êtes des parachutistes. Écartez bien les bras et les jambes afin de former un cerf-volant humain ! C'est parti...

— Une minute ! hurla Danny.

— Trop tard ! Bonne chance !

Peter la sentit passer en courant devant lui, le

148

couteau à la main. Un instant plus tard, le fond du sac se creusa sous ses pieds et il bascula dans l'obscurité.

L'air était d'une fraîcheur et d'une humidité étonnantes. Et la nuit lui parut très claire après l'obscurité du sac ; il voyait les arbres autour de lui et le sol vers lequel il se précipitait. Il tombait à une vitesse surprenante, inquiétante même. Un bref instant, il songea qu'ils avaient fait collectivement une erreur de calcul, mus par leur aversion commune pour Danny.

Bien sûr, ils savaient que la résistance de l'air entrait toujours en compte dans la vitesse de chute d'un corps. Dans la vie de tous les jours, on n'y pensait pas, parce que la plupart des choses offraient une résistance similaire. Un haltère de cinq kilos tombait à la même vitesse qu'un haltère de dix. Idem pour un homme et un éléphant.

Cependant, les étudiants étaient à présent si petits que la résistance de l'air jouait un rôle majeur. Voilà pourquoi ils avaient conclu qu'elle l'emporterait sur l'effet gravitationnel. Et qu'ils ne tomberaient donc pas à la même vitesse que s'ils avaient eu leur taille normale.

Du moins l'avaient-ils espéré.

Et voilà qu'il se retrouvait à foncer vers le sol, aveuglé par les larmes, le vent sifflant à ses oreilles. Il serra les dents et se frotta les yeux. Il regarda autour de lui et n'aperçut personne. Seul un faible gémissement traversa l'obscurité. Ramenant son attention vers le bas, il vit qu'il se rapprochait d'une plante à larges feuilles qui ressemblaient à des oreilles d'éléphant géantes. Il écarta les bras pour dévier sa trajectoire et atterrir au milieu.

Il s'écrasa en plein centre de l'oreille d'éléphant, froide, humide et glissante, et la sentit se tasser sous son poids avant de se détendre brutalement. Il se retrouva catapulté dans les airs, tel un acrobate sur un trampoline. Il laissa échapper un hurlement de surprise avant de retomber, cette fois, sur la lisière du limbe. Tournoyant sur lui-même, il glissa le long du bord mouillé jusqu'à l'extrémité de la feuille.

Et tomba.

Dans le noir, il heurta celle du dessous, mais il n'y voyait rien et dégringola de nouveau vers son extrémité. Il essaya de s'agripper à la surface verte pour interrompre sa descente inéluctable. En vain. Il bascula et percuta une nouvelle feuille, avant de s'immobiliser enfin, sur le dos, dans un lit de mousse où il resta immobile, le souffle court, effrayé, les yeux levés vers l'épaisse canopée qui lui cachait le ciel.

— Tu as l'intention de dormir ici ?

Il tourna la tête et vit Karen King, debout au-dessus de lui.

— Tu es blessé ?

— Non.

— Alors lève-toi.

Il se remit péniblement sur ses pieds, non sans remarquer qu'elle ne l'aidait pas. Il avait du mal à garder son équilibre sur la mousse qui détrempait ses baskets. Il avait les pieds froids et mouillés.

— Viens par ici.

On aurait dit qu'elle parlait à un enfant.

Il alla la rejoindre sur une bande de terre sèche.

— Où sont les autres ?

— Quelque part dans les environs. Va falloir attendre.

Peter hocha la tête en regardant autour de lui. De sa nouvelle perspective, du haut de ses douze petits millimètres, le sol de la jungle lui parut incroyablement accidenté. Des bouts de bois en décomposition couverts de mousse se dressaient tels des gratte-ciel. De simples brindilles formaient l'équivalent d'arcs de cinq à dix mètres au-dessus du sol. Même les feuilles mortes étaient plus grosses que lui et, dès qu'il faisait un pas, elles remuaient autour de lui et sous ses pieds. Il avait l'impression de se déplacer dans un tas de compost géant. Sans compter que tout était imbibé

150

d'eau, évidemment. Et glissant. Souvent gluant. Où avaient-ils échoué exactement ? La voiture avait roulé un long moment. Ils pouvaient se trouver n'importe où sur Oahu. Du moins dans n'importe quelle forêt.

Karen sauta sur une grosse brindille, faillit tomber, se rétablit et finit par s'asseoir dessus, les jambes ballantes. Puis elle mit ses doigts dans sa bouche et émit un sifflement perçant.

— Ça, tout le monde devrait l'entendre !

Alors qu'elle recommençait, une masse volumineuse et sombre sortit de la végétation dans un concert de craquements. Ils ne purent voir ce que c'était jusqu'à ce que le clair de lune révèle un gigantesque scarabée, d'un noir de jais, qui avançait d'un pas gaillard et assuré. Ses yeux à facettes luisaient faiblement. Il était couvert d'une armure articulée noire, les pattes hérissées de poils piquants.

Karen remonta respectueusement ses jambes tandis que le coléoptère passait en dessous d'elle.

— Eh bien, c'est sans doute un *Metromenus*, déclara Erika Moll en écartant des brins d'herbe trempés pour les rejoindre. Un insecte rampant. Il ne vole pas. Ne le dérangez pas, c'est un carnivore, il possède des mâchoires, et je suis sûre qu'il peut aussi nous asperger de substances chimiques toxiques.

N'ayant envie ni de se retrouver arrosés ni de servir de repas au scarabée, ils cessèrent de parler et restèrent immobiles pendant que l'insecte poursuivait son chemin, visiblement en quête d'une proie. Soudain, il chargea à une vitesse étonnante, et saisit entre ses mâchoires une petite créature qui se débattit en se tortillant. Dans l'obscurité, ils ne pouvaient pas voir ce qu'il avait attrapé, mais ils entendirent des craquements tandis qu'il déchiquetait sa victime. Une odeur forte et très déplaisante flotta jusqu'à eux.

— Ce sont les défenses chimiques émises par le scarabée que nous sentons, expliqua Erika. Il y a de l'acide acétique – du vinaigre – et probablement de l'acétate de décyle. Mais, à mon avis, c'est la benzo-quinone qui dégage cette puanteur âcre. Ces substances chimiques sont stockées dans des chambres à la base de son abdomen, mais il arrive qu'elles circulent aussi dans son sang.

Ils regardèrent l'insecte s'enfoncer dans la nuit en traînant sa proie.

— Tout cela témoigne d'une évolution supérieure, ajouta Erika. Bien plus aboutie que la nôtre, tout au moins dans ce milieu.

— Une armure, des mâchoires, un arsenal chimique, et plein de pattes, résuma Peter.

— Ouais, beaucoup plus de pattes que nous.

— En fait, la plupart des animaux qui se déplacent sur la terre en possèdent au moins six.

Ces appendices supplémentaires facilitaient grandement les manœuvres sur terrain accidenté. Tous les insectes possédaient six pattes, et il y avait près d'un million d'espèces d'insectes répertoriées. De nombreux scientifiques pensaient même qu'il y en avait encore une trentaine de millions à attendre qu'on leur donne un nom. Ce qui en faisait la forme de vie la plus variée sur terre, en dehors des organismes microscopiques tels que les virus et les bactéries.

— Les insectes, continua Erika, se sont montrés incroyablement efficaces dans la colonisation des terres de notre planète.

— Nous les trouvons primitifs, ajouta Peter. Nous considérons le nombre réduit de pattes comme un signe d'intelligence. Parce que nous marchons sur deux jambes, nous croyons que cela nous donne davantage d'intelligence et une supériorité sur les êtres qui se déplacent sur quatre ou six pattes.

— Jusqu'à ce qu'on rencontre un truc pareil, finit Karen en montrant le sous-bois. Et là, on voudrait bien en avoir plus !

Ils entendirent un froissement et virent une forme rebondie sortir du dessous d'une feuille en se frottant le nez à deux mains. On aurait dit une taupe... vêtue d'une veste en tweed.

— Ça craint, ici ! pesta ce curieux animal en recrachant de la terre.

— Danny ?

— Je n'ai jamais voulu mesurer douze millimètres de haut. Parce que la taille ça compte. Ça, je le savais déjà. Alors, qu'est-ce qu'on va faire ?

— Pour commencer, tu pourrais arrêter de geindre, répliqua Karen. Nous devons établir un plan. Et faire le bilan.

— Le bilan de quoi ?

— De nos armes.

— Nos armes ? Qu'est-ce qui vous prend à tous les deux ? explosa-t-il. Nous n'avons pas d'arme. Nous n'avons rien.

— Ce n'est pas vrai, répondit calmement Karen, prenant Peter à témoin. J'ai un sac à dos.

Elle sauta de la brindille, ramassa le sac par terre et le souleva.

— Je l'ai attrapé juste avant que Drake ne nous rétrécisse.

— Et Rick ? Il s'en est sorti ? demanda une voix.

— Et comment ! répondit l'intéressé depuis l'obscurité sur leur gauche. J'en ai vu d'autres. Ce n'est pas la jungle de nuit qui va m'effrayer. Quand je faisais des recherches sur le terrain au Costa Rica...

— C'est bien Rick ! confirma Peter. Qui y a-t-il d'autre ?

Un *splash !* retentit au-dessus d'eux aussitôt suivi d'une pluie de gouttelettes. Jenny Linn glissa le long d'une feuille et atterrit à leurs pieds.

— T'as pris ton temps ! lança Karen.

— Je suis restée coincée sur une branche. À trois mètres de haut. Il a fallu que je me dégage.

Jenny s'assit par terre en tailleur et se releva aussitôt d'un bond.

— Waouh ! Tout est trempé !

— C'est une forêt tropicale humide, répondit

153

Rick Hutter qui émergeait des feuillages derrière eux, son jean mouillé jusqu'à la trame, un grand sourire aux lèvres. Tout le monde va bien ? Ça boume, mon petit Danny ?

— Va te faire foutre ! rétorqua ce dernier qui se frottait toujours le nez.

— Oh, allez, il faut te mettre dans l'ambiance ! continua Rick, en montrant le clair de lune qui perçait la canopée. Ça c'est des sciences humaines ! N'est-ce pas un moment parfaitement « conradien » ? Une confrontation existentielle entre l'homme et la nature brute, le véritable cœur de l'obscurité dépouillé des fausses croyances et des futilités littéraires...

— Pitié, faites-le taire !

— Rick, laisse-le tranquille ! intervint Peter.

— Non, non, pas si vite ! C'est important ! Qu'y a-t-il de si terrifiant dans la nature pour l'esprit moderne ? Pourquoi nous semble-t-elle intolérable ? Parce qu'elle est fondamentalement indifférente. Elle est sans pitié, sans émotion. Que l'on vive ou que l'on meure, que l'on réussisse ou que l'on échoue, que l'on éprouve du plaisir ou de la douleur, elle s'en balance ! Et cela nous est insupportable. Alors nous la redéfinissons. Nous l'appelons Mère Nature alors qu'elle n'a rien de maternel dans le véritable sens du terme. Nous mettons des dieux dans les arbres, dans les airs, dans les océans, nous en mettons dans nos maisons pour nous protéger. Nous avons besoin de ces dieux humains pour beaucoup de choses, la chance, la santé, la liberté, mais une raison domine toutes les autres, nous avons besoin d'eux pour nous protéger de la solitude. Et pourquoi la solitude nous est-elle si odieuse ? Nous ne supportons pas d'être seuls... pourquoi ? Parce que les êtres humains sont des enfants, voilà pourquoi !

« Alors nous travestissons la nature. Vous savez combien Danny aime à nous rabâcher que le discours scientifique privilégie l'équilibre du pouvoir. Qu'il n'existe pas de vérité objective, sauf pour celui qui le détient. Le pouvoir nous impose sa vérité et nous l'acceptons, parce que c'est lui qui décide. Mais qui détient l'équilibre du pouvoir à présent, Danny ?

Rick prit une profonde inspiration.

— Le sens-tu ? Respire profondément. Tu le sens ? Non ? Alors je vais te le dire. L'équilibre du pouvoir repose entre les mains de l'entité qui le possède depuis toujours : la nature. Oui, la nature, Danny. Pas nous. Tout ce qu'on peut faire, c'est se laisser porter par le courant en essayant de surnager.

Peter passa son bras autour des épaules de Rick et l'entraîna à l'écart.

— Ça suffit, Rick.

— Je déteste ce con ! répondit-il.

— Nous avons tous peur.

— Pas moi. Je suis détendu. Ça me botte de mesurer douze millimètres. Ça fait tout juste une bouchée pour un oiseau et je ne suis rien de plus. Je ne suis qu'un super hors-d'œuvre pour un piaf et mes chances de survivre plus de six heures sont d'environ une sur quatre, si ce n'est pas sur cinq...

— Nous devons établir un plan, insista Karen d'une voix posée.

Amar apparut alors derrière un tronc sur leur gauche, couvert de boue, la chemise déchirée. Il avait l'air lui aussi incroyablement calme.

— Personne n'est blessé ? demanda Peter.

Ils secouèrent la tête.

— Et le type de Nanigen ! se rappela Peter. Hé, Kinsky, vous êtes là ?

— Depuis un moment, répondit l'ingénieur, qui se tenait assis non loin de là sous une feuille, les jambes remontées contre la poitrine, immobile, sans rien dire, à regarder et écouter les autres.

— Ça va ? lui lança Peter.

— Vous feriez mieux de parler moins fort. Ils entendent beaucoup mieux que nous.

— Qui ça, ils ? s'enquit Jenny.

— Les insectes.

Le silence s'abattit sur le groupe.

— C'est mieux, lâcha Kinsky.

Ils reprirent leur conversation à voix basse.

— Vous avez une idée de l'endroit où nous sommes ? lui demanda Peter.

— Oui. Regardez par là.

Ils se retournèrent. Une lumière brillait au loin, noyée par les arbres. Elle éclairait l'angle d'un bâtiment en bois, à peine visible derrière la végétation, et se réfléchissait sur des vitres.

— C'est la serre. Nous sommes à l'arboretum.

— Oh, mon Dieu ! gémit Jenny. C'est à des kilomètres de Nanigen !

Elle s'assit sur une feuille et sentit quelque chose bouger sous sa semelle. Le mouvement se poursuivit sans cesser de pousser et soulever son pied, et soudain un petit insecte escalada sa jambe. Elle le ramassa et le jeta plus loin. C'était un acarien, une créature inoffensive à huit pattes. Elle s'aperçut alors que la terre grouillait de minuscules organismes tous très actifs.

— Le sol est vivant sous nos pieds, constata-t-elle.

Peter s'accroupit, balaya un petit ver de son genou et se tourna vers Kinsky.

— Qu'est-ce que vous savez sur ce rétrécissement que nous avons subi ?

— Le terme exact est « changement dimensionnel ». Je n'avais encore jamais été dimensionnellement changé. Bien sûr, j'en ai parlé avec nos équipes de terrain.

— À votre place, je ne ferais pas confiance à ce que ce type dira, intervint Rick. Il défend Drake.

— Attends, dit calmement Peter. C'est quoi exactement ces équipes de terrain ?

— Nanigen envoie régulièrement des équipes dans le micromonde, répondit Kinsky à voix basse, craignant visiblement de faire du bruit. Trois hommes par équipe. Le changement dimensionnel les réduit à douze millimètres. Ils conduisent les excavatrices et

156

collectent les échantillons. Et ils vivent dans les stations de ravitaillement.

— Vous voulez parler de ces minuscules tentes que nous avons vues ? demanda Jenny.

— Oui. Les équipes ne restent jamais plus de quarante-huit heures. On tombe malade si on reste dimensionnellement changé plus longtemps.

— Malade ? Comment ça ?

— On concentre des microbulles !

— Des microbulles ?

— C'est une maladie qui se développe chez ceux qui sont dimensionnellement changés. Les premiers symptômes apparaissent au bout de trois ou quatre jours.

— Ça consiste en quoi ?

— Eh bien, nous ne possédons pas encore beaucoup de données sur cette maladie. L'équipe de sécurité a d'abord testé le générateur tensoriel sur des animaux. Ils ont commencé par réduire des souris. Ils les ont conservées dans des fioles de verre pour les observer au microscope. Au bout de quelques jours, elles étaient toutes mortes d'hémorragie. Ensuite, ils ont réduit des lapins et enfin des chiens. Cette fois encore, tous les animaux sont morts des mêmes causes. Leur autopsie, une fois qu'on les a ramenés à leur taille normale, a révélé une hémorragie généralisée. La moindre coupure saignait énormément et ils souffraient également d'hémorragie interne. Ils avaient donc un problème de coagulation. Ils mouraient d'hémophilie, c'est-à-dire de l'incapacité de leur sang à coaguler. Nous pensons que le changement dimensionnel perturbe les voies métaboliques dans le processus de coagulation, mais nous n'en sommes pas certains. Cependant, nous avons également découvert qu'un animal survivait sans problème du moment qu'on lui rendait sa taille normale dans les deux jours. Bref, nous avons commencé à appeler ces troubles « concentration de microbulles » par analogie avec les accidents de décompression, en plongée sous-marine.

Ensuite plusieurs expérimentateurs se sont portés volontaires pour séjourner dans le micromonde, et notamment l'ingénieur qui a conçu le générateur tensoriel. Il s'appelait Rourke, je crois. Ils y ont passé plusieurs jours sans effets secondaires. Puis il y a eu un... accident. Le générateur est tombé en panne et nous avons perdu trois scientifiques. L'ingénieur se trouvait parmi eux. Ils sont restés coincés dans le micromonde sans qu'on puisse les ramener à leur taille normale. Depuis, nous avons rencontré d'autres... euh... problèmes. En cas de stress ou de grave blessure, les microbulles peuvent apparaître brutalement, dans des délais plus courts. Et nous avons ainsi perdu... d'autres... employés. Du coup M. Drake a suspendu les opérations jusqu'à ce qu'on découvre comment empêcher les gens de mourir dans le micromonde. Vous voyez, M. Drake se soucie vraiment de la sécurité...

— Comment se manifeste cette maladie chez l'homme ? le coupa Rick.

— Ça commence par des ecchymoses, sur les bras et les jambes principalement. Si vous vous coupez, ça n'arrête pas de saigner. C'est comme l'hémophilie. Une simple petite coupure peut vous vider de votre sang. Du moins, c'est ce que j'ai entendu dire. Mais ils n'aiment pas en parler. Moi, je ne suis que l'opérateur du générateur.

— Existe-t-il un traitement ? demanda Peter.

— Le seul traitement, c'est la décompression. Ramener le malade le plus vite possible à sa taille normale.

— On est mal..., murmura Danny.

— Il serait temps de faire un inventaire de ce que nous possédons, insista Karen d'un ton décidé.

Elle souleva le sac à dos qu'elle avait pris dans la salle du générateur et le posa sur une feuille morte. Éclairée seulement par la lune, elle l'ouvrit et étala différents objets sur cette table improvisée. Les autres se rassemblèrent autour d'elle afin de tout examiner avec

soin. Le sac contenait une trousse de secours com-
prenant des antibiotiques et des médicaments de base ;
un couteau ; une petite corde ; une sorte de moulinet
fixé sur une ceinture ; un briquet tout-temps ; une couverture de survie ; une petite tente imperméable très
fine ; une lampe frontale de trekking. Il y avait aussi
deux casques auxquels étaient fixés des laryngophones.

— Ce sont des talkies-walkies, expliqua Kinsky. Ils
permettent de communiquer avec le QG.

Il y avait également une échelle de corde extra-
fine, des clés et un démarreur d'une machine quelconque. Karen remit le tout dans le sac, sauf la lampe,
et le referma.

— Rien de très utile, résuma-t-elle avant de se
relever et de s'équiper de la lampe frontale qu'elle
alluma pour balayer les plantes alentour. Il nous faut
absolument des armes.

— Votre lumière, je vous en prie, éteignez-la !
marmonna Kinsky. Ça attire les bêtes...

— De quel genre d'armes avons-nous besoin ?
demanda Amar.

— Dites ? les coupa Danny, comme s'il venait tout
à coup d'avoir une idée. Il y a des serpents venimeux
à Hawaii ?

— Non, répondit Peter, il n'y a pas de serpents
du tout.

— Ni beaucoup de scorpions, en tout cas pas dans
la forêt tropicale, ajouta Karen. C'est trop humide
pour eux. En revanche, il y a un mille-pattes dont la
piqûre toxique pourrait certainement nous tuer, vu
notre taille actuelle. En fait, beaucoup d'animaux
peuvent nous tuer. Les oiseaux, les crapauds, toutes
sortes d'insectes, les guêpes, les frelons...

— Tu nous parlais d'armes, Karen, lui rappela
Peter.

— Nous avons besoin d'armes qui lancent des
projectiles, pour tuer à distance.

— Une sarbacane, suggéra Rick.

— Non, on ne pourra avoir qu'un dard de deux millimètres de long maximum. Ça ne suffira pas.

— Attends, Karen, je pourrais évider un morceau de bambou d'un centimètre et demi.

— Et faire une flèche en bois qui aille dedans, continua Peter.

— Bien sûr, poursuivit Rick. Et on durcirait la pointe...

— ... au feu, enchaîna Amar. Mais pour le poison...

— Du curare, dit Peter qui se leva pour regarder autour de lui. Je pense que beaucoup de plantes ici...

— Là, c'est ma spécialité, le coupa Rick. Si nous arrivons à faire un feu, nous pourrons faire bouillir des écorces et autres végétaux pour extraire le poison. Et si jamais nous trouvons un morceau de fer ou de métal pour fabriquer une pointe...

— Comme la boucle de ma ceinture ? proposa Amar.

— Et après ?

— On fait bouillir l'écorce et on teste.

— Ça va prendre beaucoup de temps.

— C'est le seul moyen.

— Et pourquoi ne pas utiliser de la peau de grenouille ? suggéra Erika.

Dans la nuit, ils en entendaient coasser des centaines.

— Non, répondit Peter, la bonne variété ne se trouve pas par ici. Ce que vous entendez, ce sont des crapauds. Ils sont de la taille de votre poing. Enfin, le poing que vous aviez avant. Ils sont gris, pas du tout colorés. Leur peau produit également des toxines, les bufoténines, mais sans les composés à base de curare que l'on trouve en Amérique centrale chez les...

— Pitié, pour l'amour du ciel ! le coupa Danny.

— Je voulais juste expliquer...

— C'est bon, on a compris !

Erika posa la main sur l'épaule de Peter et montra Danny d'un signe de tête. Il se grattait toujours le nez de ses deux mains recroquevillées telles de petites pattes. Il avait de plus en plus l'allure d'une taupe !

— Tu crois qu'il perd la tête ? chuchota-t-elle d'une voix effrayée.

Peter opina.

— Pour en revenir au poison, insista Amar, qu'est-ce qu'il nous faut ?

— Des écorces de *Strychnos toxifera*, répondit Peter sans quitter Danny des yeux, auquel on ajoutera du laurier, la sève, pas la feuille, et du *Chondrodendron tomentosum*, si on en trouve. Ensuite, il faudra faire bouillir cette mixture au moins vingt-quatre heures.

— Commençons tout de suite.

— Nous aurons beaucoup moins de mal à trouver ces plantes à la lumière du jour, remarqua Jenny. Où est l'urgence ?

Karen mit le sac sur son dos et resserra les sangles.

— L'urgence, c'est ces lampes halogènes près de l'entrée, répondit-elle. À l'instant où nous parlons, Vin Drake se dirige peut-être vers nous pour nous tuer. Alors allons-y !

13.

Sous le clair de lune ils étaient très exposés. Les épais buissons d'hau qui tapissaient la paroi abrupte s'arrêtaient au niveau de la piste de terre et les deux voitures qui suivaient l'étroite corniche volcanique étaient donc bien visibles. Sur la gauche, la pente s'inclinait doucement vers des terres agricoles. Sur la droite, la falaise descendait à pic jusqu'aux vagues qui venaient s'écraser sur la côte nord d'Oahu.

Alyson conduisait la première voiture, le cabriolet Bentley. Chaque fois qu'elle hésitait, Vin Drake l'encourageait de la main depuis la BMW. Ils avaient encore une certaine distance à parcourir avant d'arriver au pont effondré. Enfin, il vit la masse de béton gris qui datait de la fin des années 1920 se détacher sous le clair de lune ; incroyable qu'elle tienne encore !

Alyson s'arrêta et descendit de la voiture.

— Non, non, il faut d'abord que tu la maquilles, protesta-t-il en lui faisant signe de remonter.

— Que je la maquille ?

— Oui. Les étudiants se sont tous entassés dedans, souviens-toi. Pour aller faire la fête.

Il portait un sac rempli de vêtements et d'autres

162

affaires qu'il avait récupérés à la réception et dans la Bentley garée à Nanigen : plusieurs téléphones, des shorts, des tee-shirts, des maillots de bain, une serviette, deux numéros roulés de *Nature and Science*, une tablette numérique... Alyson commença à les jeter au hasard sur les sièges.

— Non, non, je t'en prie, Alyson. Nous devons attribuer une place à chacun.

— Ça me rend nerveuse.

— N'empêche qu'il faut le faire.

— Tout va se mélanger quand tu pousseras la voiture du haut de la falaise.

— Nous devons quand même le faire, Alyson.

— Mais la police... elle ne retrouvera pas les corps. Ils ne seront pas dans la voiture...

— Il y a plein de courants par ici. Et plein de requins. La mer engloutit les morts. C'est la raison pour laquelle nous avons choisi cette solution, Alyson.

— D'accord, d'accord. Qui est à l'arrière ?

— Danny.

Elle sortit un pull et un roman de Conrad tout écorné, *Fortune.*

— Tu es sûr, Vin ? Ça fait vraiment mise en scène.

— Il y a son nom dessus.

— Okay. Qui est à côté de lui ?

— Jenny.

Un délicat foulard imprimé et une ceinture en python blanc furent jetés à l'arrière.

— Quel luxe ! Ce n'est pas interdit ?

— Le python ? Seulement en Californie.

Suivirent les lunettes que Peter Jansen n'arrêtait pas de perdre, le maillot de bain d'Erika Moll et un bermuda de surf.

Ils disposèrent d'autres objets à l'avant de la voiture en partant du principe que Karen King tenait le volant. Puis Vin Drake versa de l'alcool de laboratoire à l'arrière, fendit la bouteille et la jeta à l'avant où elle se coincerait sous le tableau de bord.

— Inutile d'en faire trop.

Il contempla les nuages moutonneux bleu marine puis les vagues coiffées d'écume blanche en contrebas et secoua la tête.

— Quelle belle nuit ! Nous vivons dans un monde magnifique !

Il marcha vers le côté gauche de la voiture.

— Ça descend juste devant. Avance un peu la voiture. Comme ça, on n'aura plus qu'à la pousser.

Alyson leva les mains d'un geste de protestation.

— Non ! Je... je ne veux plus monter dedans, Vin.

— Ne sois pas idiote. Je te demande juste de l'avancer de trois mètres. Pas plus.

— Et si jamais...

— Ça ne risque rien.

— Alors pourquoi tu ne le fais pas toi-même, Vin ?

Un regard dur dans l'obscurité.

— Alyson. Je suis plus grand, il faudra que je recule le siège, ce qui pourrait éveiller les soupçons lors de l'enquête.

— Mais...

— Nous étions d'accord, insista-t-il en lui ouvrant la porte. Allez !

Elle hésita.

— Nous étions d'accord, Alyson.

Elle se glissa derrière le volant en frissonnant malgré la chaleur de la nuit.

— Maintenant, remonte la capote.

— La capote ? Pour quoi faire ?

— Pour retenir les affaires à l'intérieur.

Elle démarra et enfonça un bouton. La capote remonta et recouvrit la Bentley. Debout à quelques pas, Vin fit signe à Alyson d'avancer. La voiture s'inclina soudain en avant, glissa sur quelques centimètres – Alyson poussa un cri – et s'arrêta enfin.

— Parfait, dit Vin, en sortant de sa poche les gants de laboratoire en nitrile. Arrête-toi là. Mets-la sur « parking » et laisse le moteur tourner.

164

Il s'avança. Alyson n'entendit pas le claquement des gants qu'il enfilait. Alors qu'elle ouvrait la porte pour descendre, il la repoussa d'un geste vif, passa les deux mains par la fenêtre, l'attrapa par les cheveux et lui cogna violemment la tête contre le montant métallique du pare-brise, moins rembourré que le reste. Elle se mit à hurler, mais il continua à la frapper. Puis, par précaution, il lui écrasa à plusieurs reprises le front sur le volant. Elle était encore consciente, mais cela n'aurait bientôt plus d'importance. Il glissa le bras derrière son dos pour enclencher la marche avant. Ce n'était pas facile. Il se jeta en arrière et la Bentley passa devant lui, s'engagea sur le pont en ruine et bascula en tournoyant sur elle-même pour aller s'écraser deux cents mètres plus bas, là où la rivière se jetait dans l'océan.

Il se releva d'un bond mais n'eut pas le temps de voir l'impact. Il entendit juste le déchirement du métal sur la pierre. La décapotable avait atterri sur le toit et il resta quelques instants à la regarder, guettant un mouvement. Une roue tournait dans le vide, sinon rien.

— Tout est une question de confiance, Alyson.

Sur ces mots, il tourna les talons et retira ses gants.

Il avait laissé la BMW à une trentaine de mètres, là où le sol rocailleux et sec ne risquait pas de garder l'empreinte des pneus. Il monta dedans et recula lentement sur la piste étroite – ce n'était pas le moment de commettre une erreur ! – jusqu'à ce qu'il atteigne un endroit assez large pour faire demi-tour. Puis il repartit vers le sud en direction d'Honolulu. Plusieurs jours s'écouleraient avant que la police ne retrouve la Bentley, mais il n'y avait pas de temps à perdre. Il appellerait à la première heure pour signaler qu'il était sans nouvelles de ses étudiants et qu'il s'inquiétait. Et qu'ils étaient partis faire la fête avec l'adorable Alyson Bender.

Quant au retentissement de cette affaire à Cambridge et à Boston, cela n'inquiétait pas Vin Drake outre mesure. C'était un des avantages d'Hawaii. Du fait de sa vocation touristique, on répugnait à évoquer les visiteurs qui périssaient d'une vague scélérate, d'une houle trop forte, d'une chute sur les chemins de montagne, ou d'une des autres attractions de ce décor sublime. On parlerait quelques jours des étudiants de Cambridge, surtout que certains d'entre eux étaient particulièrement séduisants, mais leur histoire serait inévitablement remplacée par des nouvelles plus croustillantes : une princesse autrichienne qui se tue à ski après avoir été déposée par hélicoptère sur le mont Rainier ; des plongeurs qui disparaissent en Tasmanie ; un milliardaire texan qui meurt au camp de base du Kumbu ; un accident improbable dans les Cinque Terre ; un touriste dévoré par un dragon de Komodo. Les scoops se succédaient inlassablement. Ce serait vite oublié.

Bien sûr, cela poserait des problèmes au sein de Nanigen. La visite des étudiants visait à augmenter le personnel de l'entreprise, un apport bien nécessaire pour compenser les pertes récentes. Et qui aurait donné un essor considérable à Nanigen. Il allait devoir gérer cette situation avec beaucoup d'adresse.

La voiture de sport raclait et bringuebalait sur le chemin de terre. Les mains crispées sur le volant, il se dirigeait vers Keana Point (« là où les âmes quittent notre planète ») avec les vagues qui rugissaient des deux côtés de la piste. Il devrait penser à rincer la voiture et les roues afin de les débarrasser du sel. Il vaudrait mieux la conduire dans une station de lavage quelconque de Pearl City.

Il consulta sa montre, 3 heures.

Bizarrement, il n'éprouvait aucune impatience, aucune nervosité. Il avait tout le temps de regagner Waikiki et Diamond Head, de l'autre côté de l'île. Tout le temps d'aller chercher à l'hôtel des gamins les échantillons et autres *objets*[1] scientifiques qu'ils avaient apportés avec eux.

Et il aurait ensuite tout le temps de regagner son appartement luxueux de Kahala et de se glisser dans son lit. Il pourrait ainsi se réveiller choqué d'apprendre la conduite absurde de sa directrice financière et des étudiants qu'elle avait détournés du droit chemin.

---

1. En français dans le texte. *(N.d.T.)*

Deuxième partie

UNE HORDE D'HUMAINS

14.

Les sept étudiants et Kinsky avançaient en file indienne, l'œil et l'oreille aux aguets, cernés par l'obscurité et l'ombre épaisse de la forêt, assaillis de bruits inconnus. La lance qu'il s'était fabriquée dans une herbe calée sur l'épaule, Rick Hutter se frayait péniblement un chemin parmi les feuilles et les branches mortes qui lui paraissaient plus grosses que des troncs de séquoias. Karen King, qui portait le sac à dos, tenait son couteau serré dans la main. Peter Jansen ouvrait la route, en scrutant le sol pour essayer de repérer un chemin. De par son calme, il s'était vu tout naturellement désigné comme chef. Comme personne n'utilisait la lampe de peur d'attirer des prédateurs, il ne voyait pas grand-chose devant lui.

— La lune s'est couchée, remarqua-t-il.

— L'aube ne va...

Une horrible clameur noya les paroles de Jenny Linn, jaillie des ténèbres au-dessus de leurs têtes. Elle commença par un gémissement grave avant de se transformer en hurlements gutturaux. C'était un cri sinistre, empreint de violence.

Rick se retourna d'un bond en brandissant sa lance.

— Merde ! Qu'est-ce que c'est que ça ?

— Un oiseau qui chante, je pense, répondit Peter. Nous percevons les sons un ton plus grave.

Il regarda sa montre. 4 h 15. C'était une montre digitale. Elle continuait à fonctionner normalement, même miniaturisée.

— Le jour va se lever.

— Si nous trouvions une station de ravitaillement, nous pourrions essayer d'appeler Nanigen par radio, suggéra Kinsky. S'ils perçoivent notre signal, ils viendront à notre secours.

— Drake viendra pour nous tuer, rectifia Peter.

Kinsky ne discuta pas, mais on voyait clairement qu'il n'était pas d'accord.

— Nous devons nous introduire dans le générateur tensoriel par nos propres moyens afin de retrouver notre taille normale, continua Peter. Pour ce faire, nous devons rentrer à Nanigen d'une façon ou d'une autre. Mais je pense que ce serait une erreur d'appeler Drake à l'aide.

— Et si on appelait le 911 ? suggéra Danny.

— Génial, Danny ! s'esclaffa Rick d'un ton méprisant. Dis-nous juste comment faut faire !

Jarel Kinsky expliqua que les radios des stations de ravitaillement n'avaient qu'une portée de trente mètres.

— Si un employé de Nanigen se trouve dans ce rayon et qu'il est branché sur la bonne fréquence, il peut communiquer avec nous. Sinon, personne ne peut recevoir notre signal. De toute façon, les radios n'émettent sur aucune des fréquences utilisées par la police ou les services d'urgence, précisa-t-il. Elles émettent sur une très haute fréquence de soixante gigahertz. Ça fonctionne très bien pour les équipes de terrain sur de courtes distances, mais c'est inutilisable pour les communications longues distances.

— Quand Drake nous a fait visiter l'arboretum, il a parlé d'un camion qui faisait la navette entre ici et

172

Nanigen, intervint alors Jenny Linn. Nous pourrions essayer d'y monter.

Tout le monde se tut. Jenny venait d'avoir une excellente idée. En effet, ils s'en souvenaient, Vin Drake avait mentionné cette navette. Mais si toutes les équipes avaient été retirées du micromonde, la navette continuait-elle à circuler ?

Peter se tourna vers Jarel Kinsky.

— Le camion fait toujours ses allers-retours ?

— Je l'ignore.

— À quelle heure arrive-t-il d'habitude à l'arboretum ?

— 14 heures.

— Où s'arrête-t-il ?

— Sur le parking. Devant la serre.

Tout le monde soupesa ces informations.

— Jenny a raison, reprit Peter. Il faut qu'on monte à bord de ce camion. Et dès qu'il nous aura ramenés à Nanigen, nous nous introduirons dans le générateur tensoriel...

— Attends ! le coupa Rick Hutter. Comment diable veux-tu qu'avec notre taille réduite on parvienne à grimper dans le camion ? C'est une idée stupide. Et s'il n'y a pas de camion ? Nanigen se trouve à vingt-cinq kilomètres d'ici. Nous sommes cent fois plus petits qu'avant. Réfléchis. Cela signifie que, pour nous, un kilomètre en vaut cent. S'il y en a vingt-cinq d'ici à Nanigen, à notre échelle, ça en fait deux mille cinq cents. Une expédition digne de Lewis et Clark ! Et tout ça en moins de quatre jours si on ne veut pas mourir des microbulles. C'est un plan foireux, les mecs !

— Le plan de Rick, c'est de se lamenter sans rien faire, riposta Karen.

Il se retourna vers elle, furieux.

— Nous devons rester réalistes...

— Tu n'es pas réaliste, tu es défaitiste !

Peter s'interposa aussitôt, au risque de devenir la cible de leur colère.

— Je vous en prie, dit-il en mettant la main sur l'épaule de Rick. Ce n'est pas en se querellant qu'on va trouver une solution. Une chose à la fois.

Le groupe repartit en silence.

Avec leurs douze millimètres de haut, ils avaient bien du mal à distinguer quoi que ce soit, même quand le soleil se leva. Les fougères épaisses et abondantes qui poussaient partout les gênaient particulièrement, car elles leur cachaient l'horizon et faisaient énormément d'ombre. Ils perdirent de vue la serre sans trouver d'autres repères, mais continuèrent néanmoins d'avancer.

Le soleil monta et ses rayons percèrent la canopée. Ils voyaient à présent la terre plus distinctement. Elle fourmillait de petits organismes : nématodes, acariens et autres minuscules créatures grouillantes comme Jenny Linn en avait senti bouger sous ses pieds dans le noir. Des acariens microscopiques, d'espèces arachniformes très variées, couvraient le sol ou se dissimulaient dans la moindre fente. Alors qu'ils étaient pratiquement invisibles à l'œil nu pour un être humain normal, leur taille variait d'un grain de riz à une balle de tennis à l'échelle de ces micro-humains. La plupart possédaient un petit corps ovoïde couvert d'une épaisse armure et hérissé de poils piquants. C'étaient des arachnides ; Karen King, l'arachnologiste, s'arrêtait sans cesse pour les observer. Elle n'en reconnaissait pas un seul et ils étaient d'une variété incroyable. Elle n'en revenait pas de la richesse de la nature, de cette biodiversité sans limites. Il y avait des acariens partout. Ils lui rappelaient des crabes sur une côte rocheuse ; petits, inoffensifs, courant partout, menant leur petite vie cachée. Elle en ramassa un et le posa sur sa paume.

La créature semblait si délicate, si parfaite. Karen sentit son moral remonter. Que lui arrivait-il ? Elle s'aperçut avec étonnement qu'elle se plaisait dans cet étrange nouveau monde.

174

— Je ne sais pas pourquoi, mais j'ai l'impression d'avoir cherché toute ma vie un endroit comme celui-ci, murmura-t-elle. Comme si j'avais enfin trouvé ma place.

— Pas moi, grommela Danny.

L'acarien remonta le long du bras de Karen tout en l'explorant.

— Fais attention, il pourrait te mordre, la mit en garde Jenny.

— Pas ce petit bonhomme. Tu vois ses organes buccaux. Ils sont conçus pour aspirer des détritus... des déchets organiques. Il se nourrit de saletés.

— Comment sais-tu que c'est un mâle ?

Karen montra son abdomen.

— À son pénis.

— Un mâle reste un mâle, aussi petit soit-il ! remarqua Jenny.

— Les acariens sont des créatures incroyables, s'enthousiasma Karen alors qu'ils reprenaient leur chemin. Ils sont hautement spécialisés. Beaucoup sont des parasites et ils sont très pointilleux sur leurs hôtes. Il en existe un type qui ne vit que sur l'œil d'une certaine chauve-souris frugivore, nulle part ailleurs. Il y en a un autre qui ne vit que sur l'anus d'une espèce particulière de paresseux...

— Je t'en prie, Karen ! explosa Danny.

— Remets-toi, Danny. C'est la nature ! La moitié des hommes vivant sur terre ont des acariens dans les cils. Beaucoup d'insectes en ont aussi. En fait, il y a même des acariens qui vivent sur d'autres acariens.

Danny s'assit et en ramassa un sur sa cheville.

— Ce petit monstre a fait un trou dans ma chaussette.

— Ça doit être un mangeur de déchets.

— Tu n'es pas drôle, Jenny !

— Quelqu'un veut essayer ma crème naturelle au latex ? demanda Rick. Peut-être qu'elle repousse les acariens.

Ils s'arrêtèrent et Rick sortit un flacon de laboratoire en plastique et le fit passer. Ils se mirent un peu de crème sur le visage, sur les mains et sur les poignets. Il s'en dégageait une odeur forte. Et efficace, car elle semblait repousser les acariens.

Pour Amar Singh, cette incursion dans le micromonde représentait une agression de tous ses sens. Il avait remarqué que sa taille réduite changeait aussi ses sensations tactiles. Dès le début, il avait été surpris par le souffle de l'air qui balayait son visage et ses mains, tirait sur sa chemise et lui ébouriffait les cheveux. L'atmosphère paraissait plus épaisse, presque sirupeuse, et il percevait la moindre ondulation dans l'air qui s'enroulait et s'écoulait autour de son corps. Quand il agitait le bras, il le sentait passer entre ses doigts. Évoluer dans le micromonde s'apparentait presque à de la natation. Comme ils étaient minuscules, la friction de l'air sur leur corps se faisait plus prononcée. Amar chancela, poussé latéralement par une risée.

— Il vaut mieux avoir le pied marin ici, dit-il aux autres. C'est comme si on apprenait à marcher !

Les autres éprouvaient les mêmes difficultés : ils avançaient en titubant, chahutés par le vent, pas toujours exacts dans l'estimation de leurs enjambées. Quand ils sautaient, ils atterrissaient plus loin qu'ils ne le voulaient. Leur corps se révélait beaucoup plus puissant dans le micromonde, mais ils ne savaient pas encore le contrôler.

C'était comme marcher sur la Lune.

— Nous ne connaissons pas notre force, résuma Jenny.

Elle s'élança pour attraper la lisière d'une feuille où elle resta suspendue d'abord des deux mains, puis d'une seule, sans gros effort. Elle lâcha prise et retomba sur le sol.

C'était le tour de Rick de porter le sac à dos. Bien que celui-ci soit plein à ras bord, Rick s'aperçut que cela ne l'empêchait pas de sauter et qu'il pouvait même atteindre une hauteur impressionnante.

— Notre corps est plus fort et plus léger parce que la gravité compte moins dans ce monde.

— La petitesse a ses avantages, renchérit Peter.

— Je ne vois pas lesquels, marmonna Danny.

Quant à Amar, il éprouvait une angoisse croissante. Qu'est-ce qui vivait parmi ces feuilles ? Des carnivores. Il existait tant d'animaux munis de nombreuses pattes, armés de carapace, avec des façons toutes plus bizarres les unes que les autres de dévorer leur proie ! Amar avait été élevé dans une famille d'hindous pratiquants : ses parents, des immigrants indiens qui s'étaient installés dans le New Jersey, ne mangeaient pas de viande. Son père préférait ouvrir une fenêtre pour chasser une mouche plutôt que de la tuer. Amar avait toujours été végétarien ; il n'avait jamais pu manger de viande pour ses protéines. Il croyait toutes les bêtes capables de souffrir, même les insectes. Au laboratoire, il travaillait sur les plantes, pas sur les animaux. À présent qu'il se retrouvait dans la jungle, il se demandait s'il lui faudrait en tuer et manger leur chair pour survivre. Ou si un animal le dévorerait.

— Nous ne sommes que des protéines, gémit-il. Rien de plus. Juste des protéines !

— Qu'est-ce que tu veux dire par là exactement ? demanda Rick.

— Nous sommes de la viande sur deux pattes.

— Te voilà bien sombre, Amar !

— Juste réaliste.

— En tout cas... c'est intéressant ! remarqua Jenny.

Elle, c'était l'odeur particulière du micromonde qui la fascinait : un arôme terreux complexe, pas déplaisant, presque agréable même, auquel se mélangeaient des milliers d'effluves inconnus, certains sucrés, d'autres musqués, que convoyait l'air humide. Nombre d'entre eux étaient doux, même délicieux, tels d'exquis parfums.

— Ce sont les phéromones que nous sentons, les signaux chimiques qui permettent aux animaux et aux plantes de communiquer, expliqua-t-elle aux autres. Le langage invisible de la nature.

Elle se sentait presque grisée par la découverte de ce spectre infini d'odeurs. Cette révélation l'enthousiasmait et l'effrayait à la fois.

Elle prit une poignée de terre et la renifla. Elle grouillait de minuscules nématodes, de nombreux acariens et de quelques petites créatures dodues appelées oursons d'eau. Cela sentait légèrement les antibiotiques. Jenny savait pourquoi : la terre était remplie de bactéries et notamment de plusieurs sortes de streptomycines.

— C'est un des types de bactéries qui fabriquent des antibiotiques, leur expliqua-t-elle. Les antibiotiques modernes en sont dérivés.

La terre était également parcourue de filaments fongiques connus sous le nom d'hyphes. Jenny en tira un du sol : il était rigide quoique légèrement extensible. Un centimètre cube de terre pouvait contenir plusieurs kilomètres de ces filaments.

Quelque chose passa devant les yeux de Jenny. C'était une petite pépite de la taille d'un grain de poivre, couverte de nœuds, qui flottait dans l'air épais.

— Qu'est-ce que ça peut bien être ? s'écria-t-elle en s'arrêtant net pour la regarder.

La pépite atterrit à ses pieds. Une autre tombait lentement devant elle. Jenny l'attrapa dans sa main et la fit rouler entre son pouce et son index. C'était dur et résistant comme une petite noix.

— C'est du pollen ! s'exclama-t-elle, sidérée.

Elle leva la tête et vit un hibiscus couvert d'une profusion de fleurs blanches, tel un nuage. Pour une raison qu'elle ne put expliquer, cette vision remplit son cœur de joie. Et pendant quelques instants, elle se réjouit d'être si petite.

— Je trouve que c'est assez... merveilleux ici, murmura-t-elle en tournant sur elle-même, le visage levé vers la nuée de fleurs tandis qu'une pluie de pollen continuait à tomber autour d'elle. Je n'imaginais pas du tout ça !

— Jenny, nous devons avancer.

Peter, qui n'avait de cesse de rassembler ses troupes, s'était arrêté pour l'attendre.

En revanche, Erika Moll, l'entomologiste, ne se sentait pas bien du tout. Elle était gagnée par une angoisse croissante. Elle connaissait suffisamment les insectes pour en être terrorisée. *Ils ont une armure et pas nous.* Une armure en chitine. Une armure bioplastique légère et superrobuste. Elle passa ses mains sur son bras, effrayée par la délicatesse de sa peau et la finesse de ses poils. *Nous sommes tendres. Comestibles.* Elle ne dit rien aux autres, mais sa terreur ne cessait de croître sous ses dehors paisibles. Elle craignait de se trahir, de céder à la panique. Et les lèvres pincées, les mains crispées, elle continuait à marcher en muselant sa peur.

Peter Jansen ordonna une halte. Ils s'assirent sur le bord de feuilles pour se reposer. Peter voulait sonder Jarel Kinsky. Il devait savoir beaucoup de choses sur le générateur tensoriel puisque c'était lui qui le faisait fonctionner. S'ils réussissaient d'une manière ou d'une autre à regagner Nanigen, et à pénétrer à l'intérieur du générateur tensoriel, seraient-ils capables de le faire marcher ? Comment pourraient-ils y parvenir alors qu'ils étaient si petits ?

— Nous faudra-t-il l'aide d'une personne de taille normale pour utiliser l'appareil ? lui demanda-t-il.

Kinsky n'en savait rien.

— Je ne suis pas certain, répondit-il en donnant des coups dans la terre avec sa lance en herbe. J'ai entendu dire que l'ingénieur qui avait conçu la machine avait prévu un minipanneau de commande en cas d'urgence afin qu'un micro-humain puisse le faire fonctionner. Je suppose qu'il doit se trouver quelque part dans la salle de commande. Je l'ai cherché, mais je ne l'ai jamais trouvé. Je n'ai rien vu sur les plans non plus. Mais si jamais on arrive à le dénicher, je saurai le faire fonctionner.

— Nous aurons besoin de votre aide, opina Peter.

Kinsky souleva sa lance pour regarder un acarien qui l'escaladait en agitant ses pattes antérieures.

— Tout ce que je demande, c'est rentrer chez moi retrouver ma famille, dit-il doucement avant de secouer sa lance pour se débarrasser de la bestiole.

— Votre patron n'en a rien à faire de votre famille ! lui jeta Rick Hutter.

— Rick n'a aucune famille, chuchota Danny Minot à Jenny Linn. Il n'a même pas de petite am...

Rick plongea vers Danny qui détala.

— La violence n'a jamais résolu le moindre problème, Rick ! lui cria-t-il.

— Elle me permettrait de résoudre le tien, grommela Rick.

Peter le prit par l'épaule et la pressa, comme pour lui dire, « ne t'énerve pas ». Il se tourna de nouveau vers Kinsky.

— Existe-t-il d'autres moyens de regagner Nanigen ? En dehors de la navette, qui a peut-être été supprimée.

Kinsky baissa la tête et réfléchit.

— Eh bien... répondit-il au bout de quelques instants, on pourrait essayer de gagner la base Tantalus.

— C'est quoi, cette base ?

— C'est une unité de bioprospection qui a été installée dans le cratère du Tantalus, sur la crête rocheuse au-dessus de cette vallée, répondit-il avec un geste vers la montagne, réduite à une forme verdâtre à peine visible entre l'enchevêtrement d'arbres. La base se trouve quelque part là-haut.

— Vin Drake a mentionné le Tantalus au cours de notre visite, murmura Jenny Linn.

— Oui, je me souviens, opina Karen.

— La base est toujours opérationnelle ? s'enquit Peter.

— Je ne pense pas. Des gens sont morts là-haut. Il y avait des prédateurs.

— De quelle sorte ? s'inquiéta Karen.

— Des guêpes, paraît-il. Mais... remarqua-t-il d'un ton songeur, il y avait des micro-avions au Tantalus.

— Des micro-avions ?

— De petits avions. À notre échelle.

— On pourrait voler jusqu'à Nanigen ?

— Je ne sais pas quel est leur rayon d'action. Je ne sais même pas si on en a laissé sur la base.

— À quelle altitude se situe le Tantalus ?

— À six cents mètres au-dessus de la vallée de Manoa.

— Six cents mètres d'altitude ! explosa Rick Hutter. C'est... c'est impossible pour des gens de notre taille !

Kinsky haussa les épaules. Les autres restèrent muets.

— Bon, reprit Peter Jansen, voilà ce qu'on devrait faire, à mon avis. D'abord, on essaie de trouver une station de ravitaillement pour y prendre tout ce qu'on peut. Ensuite, on tente d'atteindre le parking et on y attendra la navette. Il faut qu'on rentre le plus vite possible.

— C'est évident qu'on va mourir ! lâcha Danny Minot d'une voix rauque.

— On ne peut pas rester à ne rien faire, Danny, répondit Peter d'un ton qui se voulait calme.

Il sentait Danny prêt à craquer ce qui les mettrait tous en péril.

Les autres approuvèrent son plan, certains avec réticence, mais personne n'avait rien de mieux à proposer. Ils burent à tour de rôle à une goutte de rosée, sur une feuille, et reprirent leur marche, à la recherche d'un sentier, d'une tente ou de n'importe quelle trace de présence humaine. Des petites plantes au ras du sol se recourbaient au-dessus de leur tête et formaient parfois de véritables tunnels. Ils les traversaient les uns après les autres, contournaient des troncs d'arbres gigantesques, mais ne voyaient toujours aucun signe de station de ravitaillement.

— Bon, nous allons donc mourir vidés de notre sang si on ne se casse pas d'ici vite fait, résuma Rick alors qu'ils marchaient. Et on n'est pas foutus de trouver une seule de ces maudites stations ! En plus, un géant psychopathe veut nous tuer. Et pour finir, j'ai une ampoule ! Qu'est-ce qui pourrait encore m'arriver ? ricana-t-il.

— Les fourmis, répondit Kinsky.

— Les fourmis ? répéta Danny d'une voix chevrotante. Quoi, les fourmis ?

— Il paraît que c'est un problème, répondit Kinsky.

Rick Hutter s'arrêta devant un gros fruit jaune tombé par terre et examina les arbres au-dessus de lui.

— Oui ! s'écria-t-il. C'est un lilas de Perse ! *Melia azedarach*. La baie est hautement toxique, surtout pour les insectes et les larves. Elle contient plus d'une vingtaine de composés volatils différents, surtout des composés cinnamoïques. Cette baie est absolument mortelle pour les insectes. Elle pourrait servir d'ingrédient pour mon curare.

Il retira son sac à dos et fourra dedans le fruit ovoïde jaune qui dépassa du dessus tel un melon géant.

Karen fusilla Rick du regard.

— Le poison ne risque pas de suinter ?

— Non, répondit Rick en le tapotant. La peau est épaisse.

— Si tu le dis !

Le groupe repartit.

Danny Minot se laissait constamment distancer. Le visage écarlate, il n'arrêtait pas de s'essuyer le front avec les mains. Il finit par enlever sa veste et la jeta par terre. Ses mocassins à pompons étaient couverts de boue. Il s'assit sur une feuille et commença à se gratter sous sa chemise. Il en sortit un unique grain de pollen qu'il tint entre son pouce et son index.

— Vous savez que je suis gravement allergique ? Il suffirait qu'un de ces machins me rentre dans le nez pour que je tombe en état de choc.

Karen lui décocha un regard méprisant.

— Tu n'es pas allergique à ce point-là. Sinon, tu serais mort depuis longtemps.

D'une chiquenaude, Danny chassa le grain qui tourbillonna dans les airs.

Amar Singh n'en revenait pas de cette profusion de vie, de toutes les petites créatures qui grouillaient dans le moindre recoin.

— Bon sang ! Si seulement nous avions une caméra pour filmer tout ça !

Pour ces jeunes scientifiques, le micromonde recelait un univers fabuleux d'espèces inconnues. Ils devinaient que les créatures qu'ils voyaient n'avaient jamais été rencontrées ni répertoriées.

— Il y aurait de quoi faire une thèse par centimètre carré, continua Amar.

D'ailleurs il commençait à l'envisager sérieusement. Ce voyage pourrait lui fournir un fantastique sujet de mémoire pour son doctorat. Si je survis, ajouta-t-il mentalement.

Des créatures en forme de torpilles, au corps articulé doté de six pattes, couraient sur le sol. Elles étaient assez petites et on en voyait partout aspirer des filaments fongiques comme si c'étaient des spaghettis. Alors qu'ils avançaient, certaines, surprises, sautaient en l'air avec un claquement sec et tournoyaient sur elles-mêmes.

Erika en ramassa une et la regarda se débattre tout en donnant de vigoureux coups de queue.

— Qu'est-ce que c'est ? demanda Rick qui en retira une de ses cheveux.

— Un collembole, répondit-elle. Dans le monde normal, ils sont minuscules. Pas plus gros que le point sur un *i*. Un ressort dans leur abdomen leur permet de se propulser sur de longues distances pour échapper aux prédateurs.

Comme par hasard, la bestiole sauta au même moment de sa main et disparut derrière une fougère.

D'autres collemboles continuèrent à sauter autour d'eux, dérangés par leurs pas. Peter Jansen, qui marchait en tête, s'aperçut soudain qu'il était en nage.

— Il faut absolument penser à boire de l'eau, dit-il aux autres. Sinon on risque de se déshydrater très vite.

Ils s'attroupèrent autour d'une touffe de mousse couverte de gouttes de rosée. La surface des gouttes était collante et ils durent taper dessus pour briser la tension superficielle. Mais le temps que Peter porte l'eau à ses lèvres, elle se remit en boule entre ses paumes.

Alors qu'ils contournaient un nœud de racines tentaculaires d'où surgissait un énorme tronc, une odeur âcre leur parvint. Puis ils entendirent un vrombissement et des tapotements comme de la pluie. Peter, qui marchait en tête, escalada une racine et aperçut deux murets parallèles qui serpentaient sur le sol à perte de vue. Ils étaient faits de particules de terre agglutinées ensemble.

Entre ces murets circulaient des colonnes de fourmis dans les deux sens. Une autoroute à fourmis ! À un endroit, les murets se rejoignaient pour former un tunnel.

Peter s'accroupit et fit signe aux autres de s'arrêter. Ils s'approchèrent en rampant sur le ventre pour observer les colonnes. Les fourmis étaient-elles dangereuses ? Chaque fourmi était aussi longue que son bras. Mais, à son grand soulagement, elles étaient bien moins grosses que ce à quoi il s'attendait. En revanche, il y en avait énormément. Elles circulaient par centaines sur la route et sous le petit tunnel qu'elles avaient construit.

Leur corps hérissé de poils était d'un brun rougeâtre et leur tête d'un noir brillant, aussi foncé que du charbon. À leur odeur aigre qui émanait de l'autoroute tels des gaz d'échappement se mêlait cependant un délicat parfum.

— Cette senteur âcre, c'est de l'acide formique, expliqua Erika Moll qui s'était agenouillée, littéralement fascinée par le spectacle.

— Le parfum sucré est une phéromone, enchaîna Jenny Linn. C'est sans doute l'odeur de la colonie. Celle qui permet aux fourmis de s'identifier entre elles comme membres du même groupe.

— Ce sont toutes des femelles, poursuivit Erika. Et toutes des filles de la reine.

Certaines transportaient des insectes morts ou des morceaux d'insectes démembrés ; elles se dirigeaient toutes vers la gauche.

— Elles rapportent la nourriture à leur nid, ajouta-t-elle, en les montrant du doigt.

— Tu connais cette espèce ? demanda Peter.

— Eh bien... Hawaii ne possède aucune fourmi native. On n'y trouve que des espèces invasives. Apportées par l'homme. Je suis presque sûre qu'il s'agit de *Pheidole megacephala.*

— Elle n'a pas un nom plus commun ? demanda Rick. Je suis nul en ethnobotanique.

— Si, on l'appelle aussi la fourmi à grosse tête. On la trouvait à l'origine sur l'île Maurice, dans l'océan Indien, mais elle s'est répandue dans le monde entier. C'est la fourmi la plus commune à Hawaii. Elle s'est révélée l'un des insectes invasifs les plus destructifs de la planète. Elle a causé de gros dégâts à l'écosystème de ces îles. Elle attaque et tue certains insectes natifs hawaiiens. Et elle va même jusqu'à tuer des oisillons dans leur nid.

— C'est bien notre veine ! murmura Karen, songeant qu'un oisillon était nettement plus gros qu'eux.

— Je ne vois pas ce que leur tête a de si gros, remarqua Danny.

— Celles-ci sont des mineures. Ce sont les majeures qui ont des grosses têtes.

— Les majeures ? répéta-t-il d'une voix inquiète. Et à quoi servent-elles ?

— Ce sont des soldats. Les fourmis à grosse tête se divisent en deux castes, les mineures et les majeures. Les mineures, les ouvrières, sont petites et très nombreuses. Les majeures sont des guerriers, des gardes. Elles sont plus grosses et moins répandues.

— Et à quoi ressemblent-elles ?

Rick haussa les épaules.

— Elles ont de grosses têtes !

Il y avait tant de fourmis et toutes semblaient déborder d'une énergie surhumaine ! Une fourmi par elle-même ne représentait pas un danger, mais des milliers... excitées... affamées. En dépit de cette menace, les jeunes scientifiques se sentaient fascinés malgré eux. Deux fourmis s'arrêtèrent et se touchèrent les antennes. La première remua l'arrière-train et émit un cliquetis tandis que la seconde vomissait docilement une goutte de liquide dans ses parties buccales. Erika expliqua le processus.

— En remuant l'arrière-train et en produisant ces vibrations, elle fait comprendre à sa compagne de couvain qu'elle a faim. Comme un chien qui gémit pour quémander de la nourriture.

— Le plaisir de voir une fourmi dégobiller son déjeuner dans la gueule d'une autre m'échappe totalement, la coupa Danny. Si on continuait ?

L'autoroute n'était pas très large. Ils auraient pu facilement sauter par-dessus, mais ils préférèrent contourner la colonne pour éviter les ennuis.

— Ce serait trop bête que l'un de nous se fasse mordre à la cheville, fit remarquer Peter.

Jarel Kinsky s'était arrêté pour examiner les branches de l'arbre immense qui s'étalait au-dessus d'eux.

— Je connais cet arbre. C'est un albizia géant. Il

186

y a une station de ravitaillement de l'autre côté, j'en suis pratiquement sûr.

Il grimpa sur une racine, la remonta sur une certaine distance et sauta par terre.

— Oui, je crois qu'on est tout près.

Il remplaça Peter à la tête du groupe et entreprit de contourner l'arbre par la gauche en se frayant un chemin dans les feuilles de fougères mortes et la végétation à grands coups de lance.

Peter Jansen laissa passer les autres. Les fourmis l'inquiétaient et il préférait les tenir à l'œil. Rick Hutter arriva le dernier, toujours chargé du sac à dos qui contenait le fruit d'azedarach. Il avançait lentement, sa lance à la main.

— Hé, Rick, tu peux me passer ta lance ? Je vais fermer la marche.

Rick hocha la tête et lui tendit son arme sans s'arrêter.

— Si nous réussissons à regagner Nanigen, lança Kinsky en écartant une feuille, il faudra trouver le panneau de commande, même si M. Drake ne veut pas...

Il s'arrêta net. Dans le lointain, le faîte d'une tente dépassait des racines d'un arbre.

— Une station ! Une station !

Fou de joie, il se mit à courir dans sa direction.

Il ne vit pas l'entrée de la fourmilière. C'était un tunnel artificiel fait de particules de terre agglutinées qui émergeait à la base d'un palmier. Kinsky passa en trombe devant l'entrée. Des dizaines de fourmis soldats à grosse tête montaient la garde autour du tunnel. Elles faisaient le double ou le triple de la taille des ouvrières. Elles avaient le corps d'un rouge terne couvert de quelques poils rares et drus. Leur tête démesurée, d'un noir brillant, tout en muscles et recouverte d'une armure, était équipée en plus de mandibules faites pour le combat. Leurs yeux ressemblaient à des billes de marbre.

Elles repérèrent aussitôt Kinsky et chargèrent.

Dès qu'il vit les fourmis géantes se ruer vers lui, il obliqua. Mais elles se déployèrent pour converger sur lui de tous les côtés à la fois, une stratégie qui ne lui laissait aucune issue. Kinsky s'arrêta, puis recula, sa lance brandie au-dessus de sa tête, tandis que le cercle de soldats se refermait sur lui.

— Nooon !

Kinsky abattit sa lance sur un soldat, mais celui-ci la lui arracha et cassa la pointe entre ses mandibules. Plusieurs soldats lui sautèrent dessus et essayèrent de le renverser sur le sol. L'un d'eux referma ses mandibules autour de son poignet. Kinsky poussa un cri et secoua la main en faisant tourbillonner son agresseur qui continua néanmoins à s'acharner sur son poignet. Soudain, la main de Kinsky se détacha. La fourmi fit un vol plané et détala dès qu'elle toucha le sol, la main entre ses mandibules, pendant que Kinsky hurlait et tombait à genoux en serrant contre lui son poignet mutilé qui pissait le sang. Un soldat bondit sur son dos, referma ses mandibules derrière son oreille et entreprit de le scalper. Kinsky s'effondra sans cesser de se débattre. En quelques instants, les soldats l'écartelèrent et le traînèrent tout en tirant sur ses bras et ses jambes dans des directions opposées pour les arracher. Un soldat referma alors ses mandibules sous son menton. Les hurlements du Kinsky se noyèrent dans un gargouillement tandis que le sang jaillissait de sa gorge et inondait la tête de la fourmi. Des ouvrières se joignirent à l'attaque et Kinsky disparut sous une nuée de fourmis frénétiques.

Peter Jansen eut beau bondir, agiter sa lance et crier pour détourner leur attention, rien n'y fit. Il s'arrêta devant la masse de soldats qui s'agitaient, les doigts crispés sur sa lance, horrifié par ce qu'il voyait. Songeant qu'il devait gagner du temps pour les autres, il avança de nouveau vers les guerriers. Il vit alors Karen surgir à son côté, son couteau à la main.

— Va-t'en !

188

— Non !

Elle s'accroupit face aux fourmis, son couteau brandi devant elle, décidée à les retarder coûte que coûte, tandis que de nouveaux soldats sortaient du nid et se dispersaient à la recherche de l'ennemi. L'un d'eux se précipita dans leur direction, ses mandibules grandes ouvertes.

Peter jeta sa lance sur le premier qui fonçait vers eux. Celui-ci l'évita sans même ralentir.

— Laisse-moi faire, Peter !

Karen recula de quelques pas, puis elle sauta brusquement en l'air, beaucoup plus haut qu'un humain normal n'aurait pu le faire, et atterrit comme un chat, en retrait des fourmis. Simultanément, elle avait sorti de sa ceinture le spray de substances chimiques défensives qu'elle voulait montrer à Vin Drake. Ses benzos. Les fourmis détestaient les benzos, elle en était sûre. Elle en vaporisa la première qui se rua sur elle. Celle-ci s'arrêta net, pivota et... s'enfuit.

— Oui ! hurla-t-elle.

Ça marchait ! Les benzos faisaient détaler les fourmis comme des lapins.

Du coin de l'œil, elle vit les autres étudiants s'éloigner en courant. Parfait. Il fallait encore gagner du temps. Elle continua à asperger les fourmis, mais si le produit les tenait à distance et les empêchait d'attaquer, le flacon n'en contenait qu'une quantité limitée. Or la fourmilière continuait à déverser un flot ininterrompu de guerriers.

Soudain, une fourmi lui sauta sur la poitrine et déchira son chemisier pour atteindre sa gorge.

— Kiaï !

Avec un cri perçant, Karen la saisit d'une main derrière la tête et la brandit devant elle tandis que, de l'autre main, elle lui plongeait son couteau dans le crâne. Un liquide clair en jaillit. C'était de l'hémolymphe, du sang d'insecte. Elle jeta aussitôt la fourmi loin d'elle. Celle-ci atterrit par terre, secouée de convulsions, son cerveau détruit. Mais les fourmis ignoraient la peur et n'avaient aucun instinct de conservation : elles continuaient à affluer en nombre apparemment sans fin. Alors qu'elles fonçaient vers elle, Karen fit un saut périlleux arrière, telle une acrobate de cirque, et atterrit de nouveau sur ses pieds.

Et là, elle déguerpit.

Poussés par l'adrénaline, les autres fuyaient devant elle à une vitesse incroyable, sautaient les feuilles et les fougères et évitaient les obstacles telles des gazelles en fuite. Comment est-ce possible ? se demanda-t-elle. Elle n'avait jamais couru aussi vite de sa vie... À l'évidence, leur corps était plus fort et plus rapide dans le micromonde. Cette sensation de super-puissance la grisa. Elle bondissait au-dessus des obstacles comme un sauteur de haies. Elle les avalait les uns après les autres dans une série de sauts incroyables. À l'échelle du micromonde, elle devait foncer à près de quatre-vingts kilomètres à l'heure. *J'ai tué une fourmi. De mes mains, avec un couteau !*

Très vite, ils sortirent du champ visuel des fourmis. Les ouvrières continuaient à débiter le corps de Kinsky. À coups de mandibules, elles avaient sectionné ses bras et ses jambes et découpé son torse en tronçons. Dans un concert d'horribles craquements, elles cisaillaient à présent ses côtes et sa colonne pour extirper ses viscères. D'autres buvaient le sang répandu avec des bruits de succion. Enfin, abandonnant sur le sol un magma de vêtements déchirés, de sang et d'intestins, elles commencèrent à emporter la viande vers les profondeurs de la fourmilière.

Karen King s'arrêta et se retourna. Elle vit les fourmis descendre la tête de Kinsky dans le trou. Et elle eut l'impression que celle-ci la fixait d'un regard étonné tandis qu'elle s'enfonçait dans le tunnel, tirée par les ouvrières.

15.

Il faisait une belle journée ensoleillée dans le centre d'Oahu et la vue dégagée laissait voir la moitié de l'île. Par les fenêtres de la salle de réunion dc Nanigen, on apercevait au premier plan les champs de canne à sucre qui s'étendaient jusqu'au Farrington Highway, puis Pearl Harbor, où les silhouettes des bâtiments de la Navy se balançaient tels des fantômes gris, et enfin les tours blanches d'Honolulu. Derrière la ville, l'horizon était barré par une ligne de pics qui se fondaient dans des tons brumeux de verts et de bleus. C'étaient les monts Koolau, avec le Pali d'Oahu, au-dessus desquels des nuages commençaient à s'amasser.

— Il va pleuvoir sur le Pali aujourd'hui, comme d'habitude, murmura Vin Drake, sans s'adresser à personne en particulier.

La pluie résoudrait le problème si les fourmis ne l'avaient déjà fait. Bien sûr, s'il y avait des survivants, ils avaient pu trouver refuge dans une station de ravitaillement, un détail qu'il ne fallait pas négliger.

Drake se détourna de la fenêtre et s'assit devant la longue table en bois verni autour de laquelle plusieurs personnes l'attendaient. En face de lui se tenait Don Makele, le vice-président en charge de la sécurité. Il y

191

avait également Linda Wellgroen, la responsable des relations publiques, et son assistante, ainsi que diverses personnes des différents services.

En tête de table, à côté de lui, se tenait un homme mince chaussé de lunettes à monture invisible : le Dr Edward Catel, chargé de relations du consortium Davros, le groupe pharmaceutique qui avait financé le capital de Nanigen en y investissant un milliard de dollars. Edward Catel supervisait les activités de Nanigen pour le compte des investisseurs de Davros.

— ... sept étudiants de troisième cycle, disait Vin Drake. Nous les avions recrutés pour travailler sur le terrain dans le micromonde. Ils ont disparu. Notre directrice financière aussi.

— Peut-être sont-ils allés voir le surf sur la côte nord ?

Drake consulta sa montre.

— Ils auraient dû reprendre contact avec nous depuis le temps.

— Je devrais peut-être déclarer leur disparition, suggéra Don Makele.

— Bonne idée ! opina Drake.

Il se demandait juste quand la police retrouverait la voiture de la société avec le corps d'Alyson et les affaires des étudiants. Elle était tombée dans une crique. Il ne pensait pas que la police comprendrait grand-chose à cet accident. C'étaient des flics locaux et, comme l'ensemble des Hawaiiens, ils se la coulaient douce. Ils sauteraient sur l'explication la plus simple, celle qui leur donnerait le moins de travail. Cependant, il ne tenait pas à ce que la police approfondisse son enquête. Il donna donc des ordres en conséquence à Don Makele et à Linda Wellgroen.

— Nanigen ne peut se permettre d'attirer l'attention des médias en ce moment. Nous en sommes à une phase critique de notre développement. Nous avons besoin qu'on nous laisse tranquilles, le temps d'aplanir nos problèmes de générateur tensoriel et en particulier la question des microbulles.

192

Il se tourna vers Linda Wellgroen, la responsable des relations publiques.

— Votre travail consistera donc à minimiser le plus possible cette affaire aux yeux des journalistes.

Linda Wellgroen hocha la tête.

— Compris.

— S'ils vous posent des questions, montrez-vous chaleureuse, coopérative, mais ne leur donnez pas la moindre information, continua Drake. Soyez ennuyeuse au possible.

— C'est dans mon CV, répondit-elle avec un sourire. « Expérience dans la gestion en temps réel des médias en situation de crise médiatique. » Ce qui veut dire que lorsque ça foire de tous les côtés, je peux me montrer aussi intéressante qu'un pasteur épiscopalien discutant de la façon de griller un toast.

— Ces gamins ne seraient pas entrés dans le générateur tensoriel, dites-moi ? s'inquiéta Don Makele.

— Bien sûr que non, répondit Drake d'une voix ferme.

Linda Wellgroen griffonna quelques mots sur son bloc-notes.

— Vous avez une idée de ce qui a pu arriver à Mlle Bender ?

Drake prit un air inquiet.

— Franchement, Alyson nous préoccupait beaucoup ces derniers temps. Elle était très abattue, au bord de la dépression. Elle avait une liaison avec Eric Jansen. Et depuis sa noyade tragique... eh bien, disons qu'Alyson avait du mal à remonter la pente.

— Vous pensez qu'elle aurait pu attenter à ses jours ?

— Je ne sais pas. Mais vous direz bien à la police dans quel état d'esprit elle se trouvait, insista-t-il à l'intention de Don Makele.

La réunion était terminée. Linda Wellgroen glissa son bloc-notes sous son bras et quitta la pièce comme tout le monde, alors que Vin Drake retenait Don Makele par le coude.

— Une minute.

Le chef de la sécurité attendit que Drake ait fermé la porte. Il n'y avait plus qu'eux deux dans la salle ainsi que le conseiller de Davros, le Dr Edward Catel.

Drake et Catel se connaissaient depuis de nombreuses années. Ils s'étaient fait pas mal d'argent en travaillant ensemble sur différents contrats. Vin Drake pensait que la plus grande force d'Ed Catel résidait dans sa capacité à ne jamais montrer la moindre émotion. Cet homme ne manifestait aucun sentiment d'aucune sorte. C'était un médecin, mais il n'avait pas soigné de patient depuis des années. Seuls l'intéressaient l'argent, les contrats et la croissance. Le Dr Catel était aussi chaud qu'un pain de glace en hiver.

Drake laissa s'écouler quelques secondes avant de prendre la parole.

— La situation est différente de ce que je vous ai dit devant ma chargée de communication. Ces gamins sont bien partis dans le micromonde.

— Que s'est-il passé, monsieur ? demanda Don Makele.

— C'étaient des espions.

— Et qu'est-ce qui vous a fait croire ça, Vin ? demanda Catel, prenant la parole pour la première fois.

Il avait une voix douce et égale.

— J'ai surpris Peter dans le secteur du Projet Omicron. Cette zone est interdite. Il avait une carte mémoire à la main. Et il a pris un air affreusement coupable. J'ai eu juste le temps de l'attraper et de le mettre dehors. Les robots l'auraient tué.

Catel haussa un sourcil ; il semblait être de ces gens capables de contrôler leurs muscles faciaux par le yoga.

— La zone ne me semble pas bien sécurisée si un étudiant peut s'y introduire.

— Elle est très sûre, protesta Drake, contrarié. Mais on ne peut pas laisser les robots activés en permanence. Plus personne ne pourrait y entrer. Et c'est moi qui devrais vous demander des comptes, Ed. Vous avez remis au professeur Ray Hough une jolie somme pour qu'il nous laisse débaucher ses étudiants.

— Je ne lui ai pas donné un sou, Vin. Il a reçu des actions de Nanigen. Sous la table.

— Et alors ? Vous êtes responsable du comportement de ces étudiants, Ed ! C'est vous qui avez fait ce qu'il fallait à Cambridge pour qu'ils viennent ici.

— Vous n'avez pas résolu les problèmes de microbulles, répondit le Dr Catel d'une voix plate. Si je ne me trompe, vous leur avez fait prendre un risque énorme en les envoyant dans le micromonde.

Drake l'ignora et se mit à arpenter la pièce.

— Leur meneur, c'est Peter Jansen, le frère de notre défunt vice-président, Eric Jansen. Il tient, totalement à tort, Nanigen pour responsable de la mort de son frère. Il veut le venger. Il voulait voler nos secrets de fabrication. Et sans doute vendre notre technologie...

— À qui ? le coupa Catel d'un ton cassant.

— Cela a-t-il de l'importance ?

Catel plissa les yeux.

— Tout en a.

Drake ne parut pas l'entendre.

— Un employé de Nanigen est également impliqué dans cet espionnage, continua-t-il. Un opérateur de la salle de contrôle du nom de Jarel Kinsky.

— Qu'est-ce qui vous le fait croire ?

Drake haussa les épaules.

— Il a disparu, lui aussi. Je pense qu'il est dans le micromonde, à l'arboretum de Waipaka. À servir de guide aux étudiants qui ont dû le soudoyer. Ce qu'ils veulent savoir, à mon avis, c'est comment nous travaillons sur le terrain et ce que nous y découvrons.

Le Dr Catel pinça les lèvres mais ne dit rien de plus.

— Vous voulez que je lance des recherches..., commença Don Makele.

— Trop tard ! le coupa Drake. Ils sont tous morts

à l'heure qu'il est. La sécurité de Nanigen a été violée pendant votre service, Don, ajouta-t-il en décochant un regard sévère à son chef de la sécurité. Vous ne vous êtes aperçu de rien. Vous pouvez nous expliquer ce qui s'est passé ?

Don Makele crispa la mâchoire. Malgré son ventre rebondi qui se devinait sous sa chemise hawaïenne, ses bras nus, noueux et massifs n'avaient pas un gramme de graisse et Drake les vit se durcir comme du béton sous l'insulte. Don Makele était un ancien officier des services secrets de la marine. Qu'un groupe d'espions ait pu opérer sous son nez représentait une telle défaillance au niveau de la sécurité, que, pour lui, c'était inexcusable !

— Je vous présente ma démission, monsieur. À effet immédiat.

Drake sourit et se leva pour poser la main sur l'épaule de Don Makele. Il sentit que sa chemise en rayonne était trempée et éprouva une certaine satisfaction de voir comment quelques mots bien choisis pouvaient donner des suées à un ex-marine.

— Démission refusée, rétorqua Drake qui, les yeux plissés, le soupesa du regard : maintenant qu'il l'avait humilié, son chef de la sécurité était prêt à tout pour lui plaire. Allez immédiatement à l'arboretum de Waipaka ramasser les stations de ravitaillement. Toutes sans exception. Rapportez-les ici. Elles ont besoin d'être nettoyées et rénovées.

De cette manière, aucun survivant ne pourrait y trouver refuge.

Le Dr Catel prit son attaché-case et se dirigea vers la porte. Il salua Drake d'un hochement de tête et partit sans ajouter un mot.

Vin Drake comprit exactement ce que ce hochement de tête signifiait : « Faites vite le ménage et le consortium Davros n'entendra parler de rien. »

Il s'approcha de la fenêtre. Comme toujours, les alizés soufflaient sur les montagnes et les balayaient inlassablement de pluies et de brumes. Il ne fallait pas s'inquiéter. Pour des hommes sans armes ni équipement de protection, le temps de survie dans le micromonde se comptait en minutes ou en heures, pas en jours.

— La nature suivra son cours, murmura-t-il pour lui-même.

16.

Station Echo
29 octobre, 10 h 40

Les sept étudiants s'arrêtèrent sur le seuil de la tente. Une pancarte au-dessus de l'entrée indiquait : STATION DE RAVITAILLEMENT ECHO, PROPRIÉTÉ DE NANIGEN MICROTECHNOLOGIES. Ils se trouvaient en état de choc, assommés par l'horreur et la brutalité de la mort de Kinsky. Ils étaient également sidérés par la vitesse à laquelle ils avaient couru. Danny avait perdu ses mocassins. Ils s'étaient envolés au cours d'une pointe de vitesse à faire rougir un sprinter olympique. Il se tenait debout, les pieds dans la boue, à secouer la tête. Et ils avaient vu Karen King combattre les fourmis. Et exécuter des contorsions et des bonds vertigineux.

Il était évident qu'ils pouvaient faire dans le micromonde des choses qu'ils n'auraient jamais crues possibles, même dans leurs rêves les plus fous.

Ils inspectèrent rapidement la station, une colonne de fourmis pouvant surgir à tout instant. La tente, qui contenait diverses caisses, était posée sur une chape de béton. Au centre de cette plate-forme se trouvait une écoutille en acier qui s'ouvrait grâce à un volant comme les portes de sous-marins. Peter Jansen tourna le volant et souleva l'écoutille. Une échelle s'enfonçait dans l'obscurité.

— Je vais voir, dit-il avant de mettre une lampe frontale sur sa tête et de l'allumer.

Il arriva au milieu d'une salle obscure. Le faisceau de sa lampe balaya des couchettes et des tables. Puis il aperçut un tableau électrique. Il abaissa les interrupteurs et les lampes s'allumèrent.

La pièce était un bunker sommairement meublé. Des couchettes superposées s'alignaient le long de deux murs. Il y avait aussi des paillasses de laboratoire équipées du matériel de base. Le coin-repas comprenait une table, des bancs et une cuisinière. Une porte donnait sur la source d'énergie du bunker : une paire de piles R 20 d'une hauteur vertigineuse. Une autre porte donnait sur des toilettes et une douche. Un placard contenait des sachets d'aliments lyophilisés. Ce blockhaus à l'épreuve des prédateurs représentait une sorte d'abri antibombe dans cet environnement biologique dangereux.

— Ce n'est pas Disneyland dehors ! soupira Peter.

Il s'était affalé sur la table du bunker, épuisé, incapable de penser clairement, hanté par les images de la mort de Kinsky qui ne cessaient de traverser son esprit.

Karen s'adossa contre un mur, tout éclaboussée de sang de fourmi, un sang gluant et transparent, légèrement teinté de jaune et qui séchait vite.

Danny était penché sur la table et recommençait à se frotter le nez et le visage du bout des doigts.

Jenny Linn avisa un ordinateur posé sur une paillasse.

— Nous pouvons peut-être y trouver des renseignements, dit-elle en le branchant.

L'ordinateur s'alluma et demanda aussitôt un mot de passe. Évidemment, ils ne le connaissaient pas. Et Jarel Kinsky n'était plus là pour les aider.

— Nous ne sommes pas en sécurité ici, déclara Rick. Drake peut débarquer à tout moment.

Amar l'approuva.

— Je vous propose de prendre le maximum de

199

nourriture et de matériel et de repartir immédiatement.

— Je ne veux pas sortir, répondit Erika d'une voix
chevrotante en s'asseyant sur une couchette.

Pourquoi avait-elle quitté son université de
Munich ? Comme elle regrettait le monde sûr de la
recherche européenne ! Ces Américains jouaient avec
le feu. Bombes à hydrogène, lasers ultrapuissants,
drones tueurs, hommes miniaturisés... c'étaient des
apprentis sorciers ! Ils avaient réveillé des démons
technologiques qu'ils ne pouvaient contrôler et, pourtant, ils semblaient très contents d'eux.

— Nous ne pouvons pas rester ici, insista gen-
timent Karen, voyant combien elle était effrayée. Le
plus dangereux des organismes qui nous menacent
n'est pas un insecte. C'est un homme.

Elle avait raison. Peter suggéra de suivre leur plan
initial : rejoindre le parking, essayer de monter dans la
navette de Nanigen et s'introduire d'une manière ou
d'une autre dans le générateur tensoriel.

— Nous devons retrouver notre taille normale
dès que possible. Nous n'avons pas beaucoup de
temps.

— Nous ne savons pas comment faire fonctionner
le générateur, souligna Jenny Linn.

— On avisera en temps voulu.

— Nous avons tout ce qu'il faut pour monter
dans le camion, à commencer par la corde qui se
trouve dans le sac.

Il avait fouillé les caisses et en avait sorti une autre
paire de talkies-walkies, ce qui leur en faisait quatre.

— Il n'y a qu'une chose à faire, murmura Danny
en brandissant un casque. Appeler à l'aide.

— Si tu appelles Nanigen, répliqua Rick, ce n'est
pas avec une loupe que Vin Drake va fouiller les
environs mais avec la pointe de sa botte !

Peter suggéra qu'ils maintiennent le silence radio,
sauf urgence, au cas où Drake serait à l'écoute.

— Je ne vois pas où est le problème, s'entêta Danny. Il faut bien qu'on appelle au secours.

Jenny ne participait pas à la conversation. Elle ouvrait tous les placards et les inspectait soigneusement, un à un. Elle trouva un carnet qu'elle feuilleta. Des notes griffonnées à la main couvraient les premières pages : surtout des relevés météo et des comptes rendus de prélèvements d'échantillons. Cela ne lui parut pas très utile jusqu'à ce qu'elle tombe sur une carte.

— Regardez ! dit-elle en étalant le carnet sur la table.

Quelqu'un avait dessiné une carte grossière de la vallée de Manoa. La carte montrait l'emplacement des dix stations de ravitaillement éparpillées dans la ravine des Fougères et le long des pentes du Tantalus, à partir des serres et du parking. Elles étaient désignées par les lettres de l'alphabet de l'OTAN, de Alpha, Bravo, Charlie à Kilo. Une flèche indiquait VERS LA BASE TANTALUS – GRAND CAILLOU. Mais le cratère et la base n'étaient signalés nulle part.

Cette carte, toute incomplète et grossière qu'elle fût, contenait néanmoins des informations précieuses. L'emplacement de chaque station était situé par rapport à des repères reconnaissables sur le terrain : des arbres, des rochers, des bouquets de fougères. Il y avait une station près du parking, la station Alpha. D'après les indications de la carte, elle se situait sous un bosquet de gingembre blanc.

— Nous pourrions nous fixer cette station comme objectif, suggéra Peter Jansen. Peut-être pas pour y séjourner, mais au moins pour y chercher du matériel et des informations.

— Pourquoi bouger d'ici ? demanda Danny. Kinsky avait raison. Il faut négocier avec Vin.

— Ne t'avise pas d'essayer ! rétorqua Rick en criant presque.

— Je vous en prie, calmez-vous ! intervint Amar.

Il ne supportait pas les conflits. Il y avait déjà eu

un premier accrochage entre Rick et Karen, et voilà que Rick s'en prenait à présent à Danny.

— Rick, chacun a ses idées, tu dois te montrer plus tolérant envers Danny...

— Laisse tomber, Amar. Ce type finira par nous faire tous tuer avec ses conne...

Peter Jansen sentit que la situation allait bientôt échapper à tout contrôle. Et s'il y avait bien une chose qui pouvait leur être fatale, c'était un conflit qui déchire le groupe. Ils devaient former une équipe soudée, sinon ils mourraient bientôt. Il fallait qu'il se débrouille pour faire comprendre à ces intellectuels prétentieux et querelleurs que leur survie dépendait de leur coopération. Il se leva, alla se mettre à la tête de la table et attendit le silence. Ils finirent par se calmer.

— Vous avez terminé ? Bon, alors je vais vous dire une bonne chose. Nous ne sommes plus à Cambridge. Dans le monde académique, vous progressez en écrasant vos rivaux et en prouvant que vous êtes plus intelligent que les autres. Dans cette forêt, il n'est pas question de montrer sa supériorité, mais de rester en vie. Nous devons coopérer pour survivre. Et tuer tout ce qui nous menace, sinon nous serons tués.

— Oh, c'est donc *tuer ou être tué*, lâcha Danny d'un ton dédaigneux. Une philosophie pseudo-darwinienne dépassée qui date de l'époque victorienne !

— Danny, nous devons faire ce qu'il faut pour survivre, insista Peter. Et pour cela, il ne nous suffira pas de tuer. Réfléchis à ce que nous sommes en tant qu'êtres humains. Il y a un million d'années, nos ancêtres ont survécu dans les plaines d'Afrique en opérant en équipe. Ou plutôt en horde, devrais-je dire. Oui, nous étions des hordes d'humains. Et à cette époque, nous ne figurions pas en haut de la chaîne alimentaire. Toutes sortes d'animaux nous chassaient : les lions, les léopards, les hyènes, les chiens sauvages, les crocodiles. Nous avons depuis toujours l'habitude d'affronter des prédateurs. Nous avons survécu grâce à notre cerveau, à nos armes, et en unissant nos forces. Nous avons été conçus pour ce genre d'aventure. Considérons cette expérience comme une occasion unique de découvrir dans la nature des choses incroyables que personne n'a jamais vues avant nous. Mais quelle que soit la façon dont nous décidons d'agir, nous devrons opérer ensemble sinon nous mourrons. Nous ne sommes pas plus forts que le maillon le plus faible de notre équipe.

Peter s'arrêta en se demandant s'il n'était pas allé trop loin, si les autres n'allaient pas trouver qu'il la ramenait un peu trop.

Il y eut un silence pendant qu'ils digéraient son discours.

Danny fut le premier à prendre la parole.

— Par le maillon le plus faible, je suppose que tu veux parler de moi.

— Je n'ai pas dit ça, Danny...

— Excuse-moi, Peter. Je ne suis pas un hominidé lippu aux sourcils protubérants qui serre un morceau de roc dans sa main aux phalanges poilues pour taper gaiement sur le crâne des léopards. En fait, je suis un être éduqué, habitué à un environnement urbain. Et ce n'est pas Harvard Square, dehors. C'est un enfer vert qui grouille de fourmis de la taille d'un pitbull. Je vais donc rester dans ce bunker en attendant les secours. Lui, il est à l'épreuve des fourmis, ajouta-t-il en tapant le mur.

— Personne ne viendra à ton secours, dit Karen.

— Ça reste à voir.

Sur ces mots, il alla s'asseoir à l'écart.

Amar prit alors la parole.

— Peter a raison. Je suis dans l'équipe, ajouta-t-il en se tournant vers lui.

Il se renversa en arrière et ferma les yeux, comme s'il pensait intensément.

— Moi aussi, dit Karen.

— Oui, il a raison, finit par reconnaître Erika.

— Il nous faut un chef, déclara Jenny Linn. Je propose que Peter prenne notre tête.

— Oui, opina Rick. C'est le seul à bien s'entendre avec tout le monde. Il n'y a que toi qui pourras nous mener, ajouta-t-il en se tournant vers lui.

La proposition fut rapidement validée par un vote auquel Danny refusa de prendre part.

Il ne restait plus qu'à coordonner les actions de l'équipe.

— D'abord, nous avons besoin de manger, dit Rick. Je meurs de faim.

Ils étaient tous affamés après avoir passé la nuit debout sans rien manger. Sans compter leur fuite éperdue pour échapper aux fourmis.

— Nous avons dû brûler beaucoup de calories, acquiesça Peter.

— Je n'ai jamais eu aussi faim de ma vie, murmura Erika Moll.

— Nos corps étant minuscules, nous devons brûler les calories beaucoup plus vite, raisonna Karen. Comme l'oiseau-mouche.

Ils sortirent les sachets de nourriture lyophilisée, les déchirèrent et les dévorèrent, assis à la table ou vautrés autour de la pièce. Il n'y avait pas beaucoup de nourriture et elle disparut rapidement. Ils trouvèrent un énorme bloc de chocolat que Karen découpa en sept avec son couteau. Et qui fut vite englouti, lui aussi.

En fouillant le bunker à la recherche de tout ce qui pourrait leur être utile, ils trouvèrent un certain nombre de flacons en plastique à bouchons à vis qu'ils empilèrent sur la table. Ils pouvaient servir de gourde pour l'eau ou bien à stocker les composés chimiques qu'ils trouveraient.

— Il va nous falloir des armes chimiques, comme les insectes et les plantes, dit Jenny Linn.

— Oui, et il me faut un récipient pour mettre mon curare, ajouta Rick.

— Ah oui, le curare ! s'exclama Karen.

— C'est un truc dangereux, dit Rick.

— Encore faut-il savoir le faire !

— Mais je sais le faire ! rétorqua Rick, vexé.

— Qui te l'a appris, Rick ? Un chasseur ?

— J'ai lu des articles...

— Des articles sur le curare ! ricana Karen, avant de repartir dans ses recherches, laissant Rick fulminer.

Dans une caisse, elle découvrit trois machettes en acier. Chaque machette se trouvait dans un étui équipé d'un aiguisoir à diamant et accroché à une ceinture. Peter Jansen passa le doigt sur le fil.

— Waouh ! C'est supercoupant !

Pour s'en assurer, il tapota le bord de la table. La lame s'y enfonça comme dans du beurre. La machette était plus acérée qu'un scalpel.

— C'est aussi tranchant qu'un microtome. Vous vous souvenez de celui qu'on utilisait au labo pour faire des coupes de tissu ?

Il passa à petits coups le fusil sur le tranchant de la machette. L'aiguisoir avait visiblement pour but de le maintenir dans un état optimum.

— Le tranchant est très fin donc il doit s'émousser rapidement. Mais nous pouvons aiguiser la machette à volonté.

Elle leur serait fort utile pour se frayer un chemin dans la végétation.

Karen en fit tourner une au-dessus de sa tête.

— Elle est bien équilibrée. Ça fera une arme correcte.

Rick recula d'un bond.

— Tu pourrais couper la tête de quelqu'un !

Elle le toisa d'un œil narquois.

— Je sais ce que je fais. Va donc t'occuper de tes baies et de tes sarbacanes !

— Lâche-moi un peu ! explosa-t-il. C'est quoi ton problème ?

Peter Jansen s'avança. Travailler en équipe s'avérait plus facile à dire qu'à faire.

— Je vous en prie, Karen, Rick, nous vous serions

tous reconnaissants si vous arrêtiez de vous disputer. C'est dangereux pour tout le monde.

Jenny tapota l'épaule de Rick.

— Karen ne fait que manifester sa peur.

Cette réflexion déplut à Karen, mais elle ne répondit pas. Jenny avait raison. Karen savait parfaitement que les machettes seraient impuissantes contre certains prédateurs comme les oiseaux, par exemple. Et si elle avait asticoté Rick, c'était bien parce qu'elle avait peur. Elle s'était trahie devant les autres et cela l'embarrassait. Elle escalada l'échelle, souleva la trappe et sortit pour se calmer. Elle se mit alors à fouiller dans les caisses stockées sous la tente. Elle trouva des paquets de nourriture dans une malle et beaucoup de fioles et d'échantillons scientifiques dans une autre, sans doute laissés par une équipe. Elle découvrit aussi une barre en acier plus grande qu'elle, cachée sous une toile cirée, pointue à une extrémité, l'autre étant élargie et aplatie. L'espace d'un instant, elle ne comprit pas à quoi cette énorme chose pouvait servir. C'est en la ramenant à son échelle qu'elle comprit ce que c'était. Elle redescendit informer les autres de sa découverte.

— J'ai trouvé une épingle !

Rien n'expliquait sa présence dans la tente. Peut-être s'en était-on servi pour piquer quelque chose sur le sol. Quoi qu'il en soit, elle était en acier. Et on pouvait en faire une arme.

— Grâce à l'aiguisoir, on pourrait la rendre très, très pointue. Et si on découpe dans la pointe une barbelure, elle restera fichée dans le gibier et l'empêchera de s'échapper. Comme un harpon.

Ils durent exécuter ce travail sous la tente, car l'aiguille était trop longue pour qu'ils la descendent par l'échelle. Armés des aiguisoirs, ils entreprirent d'effiler et de découper l'acier. Ils sectionnèrent la partie aplatie de l'aiguille, ce qui la raccourcit et lui donna un meilleur équilibre. Cela la rendit aussi plus facile à porter et à lancer. Ils se relayèrent ensuite pour creuser l'entaille. Une fois qu'ils eurent terminé, Peter souleva ce harpon et le soupesa. C'était une barre en acier, massive, étincelante, équilibrée et pourtant elle lui semblait légère. Dans le micromonde, une pièce de métal de cette taille avait juste le poids qu'il fallait pour faire du mal à un insecte si on la lançait suffisamment fort et si elle était assez pointue.

Danny, qui avait refusé de participer à ces préparatifs, boudait, assis sur une couchette dans le bunker, les genoux remontés contre sa poitrine, les bras croisés. Peter Jansen finit par avoir pitié de lui et descendit le chercher.

— Je t'en prie, viens avec nous. Tu n'es pas en sécurité ici.

— Tu as dit que j'étais le plus faible.

— Nous avons besoin de toi, Danny.

— Pour vous aider à vous suicider ! ricana-t-il avec amertume, refusant toujours de bouger.

Rick décida de se lancer dans la confection de sarbacanes. Armé d'une machette pour se défendre contre d'éventuelles fourmis, il s'aventura de quelques pas hors de la tente pour aller couper des tiges d'herbes. De retour dans le bunker, il fendit une tige dans le sens de la longueur. On aurait dit du bambou. Il tailla des baguettes dans les parties les plus dures et les épointa : il obtint ainsi une douzaine de flèches. À présent, il fallait les durcir. Il se dirigea vers la cuisinière, fit chauffer une plaque électrique et frotta les pointes dessus. Quand il eut terminé, il éventra un matelas pour y prendre de la ouate.

Il devait fixer une « houppette » au bout de chaque flèche, afin que le souffle d'une personne puisse la propulser dans le tube. Mais pour la fixer, il lui fallait du fil.

— Amar ? Il te reste de la soie d'araignée ?

Amar secoua la tête.

— Tout a été utilisé pour sauver Peter du serpent.

— Tant pis.

Rick se mit à fouiller et trouva un rouleau de corde. Il en coupa un morceau et l'effilocha. Il obtint ainsi des brins de fil très résistants qui lui servirent à ficeler une boule de ouate sur le haut de la flèche. Il se retrouvait à présent en possession d'un dard bien taillé avec sa pointe durcie et sa queue en pompon. Il ne restait plus qu'à l'armer de poison.

Mais ce dard était-il opérationnel ? Aucun scientifique n'aurait osé l'assurer. Il fallait le tester. L'une des tiges restées intactes fournit à Rick de quoi faire une sarbacane. Il glissa le dard à l'intérieur, visa le cadre en bois d'une couchette et souffla. La flèche traversa la pièce, percuta le bois et... rebondit.

— Merde !

Si la flèche ne pouvait pas percer le bois, elle pourrait encore moins traverser l'exosquelette d'un insecte.

— Raté ! constata Karen.

— Il me faut une pointe en métal.

Mais où trouver du métal ?

Les couverts ! Les couverts en inox. Rick alla chercher une fourchette dans la cuisine, tordit l'une des dents et la coupa avec l'aiguisoir. Puis il l'effila à l'extrême. Il fixa ensuite cette pointe au bout d'un dard en herbe et visa de nouveau la couchette. Cette fois, la fléchette se ficha avec un *tchonk !* rassurant dans le bois et y resta.

— Ah, là ça peut transpercer un scarabée !

Il coupa une par une toutes les dents des fourchettes de l'abri et se confectionna ainsi un stock de deux bonnes douzaines de dards et de plusieurs sarbacanes. Afin de les conserver au sec et les protéger, il mit ensuite ces fléchettes dans une boîte en plastique qu'il avait trouvée dans le labo.

Il lui restait à fabriquer du curare mais, pour ce faire, il devait récolter d'autres ingrédients. Comme toute bonne sauce, le curare se composait de différents éléments cuits ensemble, une véritable mixture de l'horreur. Il ne disposait pour le moment que du fruit du lilas de Perse qu'il avait laissé en haut, sous la tente. Personne n'avait voulu qu'il le descende de peur qu'il ne dégage des émanations toxiques. Ce qui excluait également la possibilité de le faire bouillir sur la cuisinière : les vapeurs risquaient de les tuer.

Il devrait donc le préparer à l'extérieur.

Ils découvrirent une paire de jumelles et deux autres lampes frontales qu'ils mirent dans des gros sacs.

— Et nous ne pouvons pas survivre dans la super-jungle sans papier collant, plaisanta Amar en brandissant un rouleau d'adhésif renforcé.

— J'ai trouvé un trésor ! cria Rick Hutter en sortant d'un tiroir un tablier de protection, des gants en caoutchouc et des lunettes de sécurité. C'est exactement ce qu'il me faut pour préparer le curare. Génial !

Il les mit dans un sac. Il lui fallait aussi un récipient. Il finit par dénicher par terre, au fond d'un placard de la minuscule kitchenette, une grosse marmite en aluminium. Il la suspendit à l'extérieur de son sac à dos qu'il souleva sur son épaule pour tester son poids. À sa grande surprise, malgré son volume énorme, le sac lui parut léger.

— Je suis fort comme une fourmi ! jubila-t-il.

Jenny Linn découvrit au fond d'une malle une vieille boussole militaire comme en portaient les soldats américains depuis la guerre de Corée. Au moins elle leur permettrait d'avancer en ligne droite. Malheureusement, ils ne trouvèrent aucun GPS dans la station.

— C'est parce qu'un GPS ne pourrait pas nous indiquer où nous sommes, expliqua Peter. Un GPS ne donne la position qu'à dix mètres près. À notre échelle, cela équivaut à une précision d'un kilomètre. La boussole nous sera bien plus utile.

Soudain, après ce repas et ces efforts, une irrépressible envie de dormir s'abattit sur eux. Il était presque midi à la montre de Peter.

— On finira nos bagages plus tard, suggéra Karen King.

Certes, ils n'avaient pas dormi la nuit précédente, mais ils avaient l'habitude de passer des nuits blanches au labo. Pourtant Karen, qui se vantait souvent de son énergie, n'arrivait plus à garder les yeux ouverts. *Pourquoi suis-je si fatiguée tout à coup ?* se demanda-t-elle. Sans doute cela avait-il un rapport avec leur petitesse, toutes les calories qu'ils brûlaient... mais elle n'arrivait plus à réfléchir. Elle ne put résister à l'envie de s'allonger sur une couchette où elle s'assoupit aussitôt. Tous s'endormirent.

17.

Vallée de Manoa
29 octobre, 13 heures

Un pick-up noir flambant neuf s'arrêta sur le parking de l'arboretum de Waipaka, devant les serres. Don Makele, le directeur de la sécurité de Nanigen, en descendit. Il prit un sac à dos et accrocha à sa ceinture une gaine avec un poignard. Il s'agenouilla à côté d'un buisson de gingembre qui poussait sur le bord du parking et sortit son couteau. C'était un KA-Bar, un poignard de combat à la lame noire. Délicatement, du plat de la lame, il écarta les tiges de la plante jusqu'à ce qu'il trouve la station de ravitaillement Alpha, cachée dans l'ombre des feuilles du gingembre. Il se pencha et, de la pointe de son arme, souleva le minuscule rabat.

— Y a quelqu'un ? demanda-t-il.

Même si des humains microscopiques lui répondaient, il n'entendrait rien et, de toute façon, il n'en vit aucun. La station Alpha avait été nettoyée et condamnée un mois auparavant, après le départ de la dernière équipe qui y avait habité.

Il plongea son couteau dans la terre et découpa un cercle autour du bunker avec des mouvements de va-et-vient. Puis il l'arracha du sol dans une pluie de terre tandis que la tente se trouvait ballottée en tous sens. Il se redressa, tapa l'abri contre sa semelle pour le débarrasser de sa motte et le mit dans son sac à dos.

Don Makele sortit ensuite une carte et l'examina. Prochain arrêt, station Bravo. Il s'engagea d'un pas vif sur le chemin qui menait à la ravine des Fougères. Au bout d'une quinzaine de mètres, il quitta la piste pour s'enfoncer en pleine forêt, sans ralentir l'allure, très à l'aise dans cet environnement sauvage tropical. D'après la carte, la station Bravo se situait au sud d'un koa repérable à une marque sur le tronc. Quelques minutes de marche lui suffirent pour l'atteindre : une étiquette orange fluo avait été clouée sur le tronc. Makele s'agenouilla, trouva la tente, et glissa un œil à l'intérieur. Personne. Et dans le bunker ?

Il se redressa et poussa un Ohé ! avant de piétiner le sol autour de la tente. Voilà qui devrait les faire détaler s'ils se trouvaient dans l'abri, mais il ne vit rien, aucun mouvement, aucune petite silhouette qui décampait. Il découpa le sol autour du bunker, le retira et le fourra dans son sac avec la station Alpha. Il consulta de nouveau sa carte, leva les yeux vers la montagne, suivit la pente puis la falaise avant de s'arrêter sur les hauteurs du Tantalus. Il trouvait que c'était une perte de temps de rapporter toutes les stations à Nanigen. Le micromonde avait englouti les étudiants sans laisser de traces. Mais il devait obéir aux ordres de Drake. Cela ne le dérangeait pas de retirer le seul espoir de survie des étudiants puisque, sans aucun doute, ceux-ci étaient déjà morts. Il ne faisait rien de mal, il nettoyait simplement le terrain.

Tout en suivant le flanc de la montagne, il déterra les stations Foxtrot, Golf et Hotel. Il avançait vite, toujours aussi à l'aise. Un peu plus haut, il repéra la station India et la récupéra, également. Plus haut encore, il vit Juliet qu'il secoua avant de l'ajouter aux autres. En revanche, la station Kilo avait disparu. Elle aurait dû se trouver à la base d'une falaise, parmi un fouillis de lianes, près d'une petite cascade. Il n'y avait plus rien. Aucune trace. Don Makele en déduisit finalement qu'elle avait été emportée par un orage. Cela leur arrivait de temps en temps. Les stations supportaient mal les intempéries, elles étaient si petites !

Il fit demi-tour pour s'enfoncer dans les profondeurs de la ravine des Fougères, en direction de la station Echo, cachée sous un bosquet d'albizzias.

— Hé !

Le cri qui résonna entre les murs du bunker réveilla les étudiants en sursaut. Une secousse ébranla la pièce dans un bruit de tonnerre et ils se retrouvèrent jetés à bas des couchettes et balayés à travers l'abri comme pris dans un gigantesque tremblement de terre. Les lumières s'éteignirent. Le bruit des caisses, des malles et du matériel de laboratoire qui s'écrasait emplit l'obscurité autour d'eux et la pièce vacilla.

Peter comprit aussitôt ce qui se passait.

— Il y a quelqu'un dehors ! hurla-t-il. Sortez ! Vite, vite !

Il chercha sa lampe frontale à tâtons près de sa couchette et l'alluma.

Les lampes se rallumèrent. Les piles avaient dû vaciller sur leurs contacts.

Rick attrapa ses fléchettes et commença à escalader l'échelle, Karen sur ses talons. Les autres saisissaient à la hâte les sacs, les machettes, tout ce qu'ils pouvaient emporter.

Rick atteignit le haut de l'échelle et posait les mains sur le volant quand, tout à coup, il eut l'impression que la pièce était jetée en l'air. Il tomba de l'échelle pendant que les autres s'étalaient autour de lui. La pièce bascula sur le côté et un bruit assourdissant, un martèlement, fit trembler l'abri.

— Ah–saleté–de–machin !

Les mots secouèrent le bunker comme un tir d'artillerie.

Don Makele avait découpé un cercle autour de la station Echo, et l'avait extirpée du sol pour examiner l'intérieur de la tente. Il y avait du matériel éparpillé partout. Ce n'était pas normal. Il décida donc d'ouvrir le sas pour regarder à l'intérieur du bunker. Mais quand il pinça le volant entre son pouce et son index, celui-ci lui resta entre les doigts. Plus question de l'ouvrir !

— Merde !

Il posa la station par terre, sur le flanc et s'agenouilla pour taper sur la trappe avec la pointe de son couteau. Sans résultat. Alors il leva le couteau au-dessus de sa tête, décidé à fendre l'abri en deux.

La lame du KA-Bar, aussi haute pour les micro-humains qu'un immeuble de dix étages, s'enfonça dans le bunker avec un rugissement et le traversa de part en part en projetant des blocs de béton à travers la pièce. Puis elle se mit à cisailler sauvagement l'abri.

Rick, accroché au volant, essayait désespérément de le tourner. Il réussit enfin à ouvrir la trappe et jeta son gros sac dehors. Au même moment, l'abri s'éleva dans les airs et Rick aperçut le sol en dessous. Puis le bunker pivota sur le côté et Rick se retrouva couché sur l'échelle. Les autres se bousculaient derrière lui. Il attrapa Amar, le poussa à travers le sas et le vit tomber dans le vide. L'abri s'élevait de plus en plus tout en s'inclinant.

Peter arriva près de Rick.

— Aide-moi à sortir les autres !

Ils réussirent à faire passer Danny qui bascula dans le vide en poussant un hurlement. Erika sauta derrière lui.

À l'intérieur de l'abri, Jenny Linn s'était retrouvée le bras coincé entre la lame géante et le béton. Karen essayait de la dégager tandis que la lame avançait latéralement, menaçant de les écraser toutes les deux.

— Mon bras, gémit Jenny. Je ne peux plus le bouger.

214

Une table vint se plaquer contre elle, puis un morceau de béton fracassa la table et bascula sur Karen. Karen le repoussa d'un coup de pied, surprise par sa force, et tenta de nouveau de dégager Jenny.

L'abri redescendit, heurta de nouveau le sol et, cette fois, le couteau le fendit en deux. Karen et Jenny se retrouvèrent brusquement en plein air. Et, sur le ciel, se découpait la silhouette d'un homme. Un homme qu'elles ne connaissaient pas. Il ouvrit la bouche et un tonnerre de sons en jaillit tandis qu'il brandissait de nouveau son couteau au-dessus de sa tête.

Karen remit brutalement Jenny sur ses pieds sans quitter la lame des yeux. Le bras de Jenny pendait d'une façon bizarre.

— Cours ! hurla Karen au moment où l'énorme couteau s'abattait sur elles.

18.

La ravine des Fougères
29 octobre, 14 heures

Le couteau s'abattit entre Karen et Jenny et les sépara brutalement, avant de s'enfoncer très profondément dans le sol. Puis il en fut arraché dans un grondement effroyable, tandis que le monde tremblait autour d'elles.

Karen se précipita vers Jenny qui, tombée à genoux, gémissait en serrant son bras contre elle. Elle la chargea sur son dos avant de détaler à toute vitesse. Le couteau s'abattit de nouveau, mais, cette fois, Karen eut le temps de plonger sous un bouquet de fougères, Jenny toujours accrochée à elle.

Le sol trembla et gronda, puis les martèlements sourds s'estompèrent. L'homme s'éloignait en emportant la station coupée en deux. Elles le virent jeter les morceaux dans un sac à dos, puis il disparut.

Le silence revint. Jenny pleurait.

— Mon bras... J'ai mal, affreusement mal !

Elle avait le bras cassé et très abîmé.

— Ne t'inquiète pas, on va te soigner, assura Karen d'une voix qui se voulait optimiste.

Il s'agissait apparemment d'une fracture ouverte de l'humérus. Le bras était horrible à voir. Karen trouva un sac par terre et l'ouvrit. Elle en sortit un talkie-walkie et l'alluma.

— Ça va, les gars ? Quelqu'un me reçoit ? Je suis avec Jenny. Elle a le bras cassé. Vous m'entendez ?

— Ça va, répondit Peter. On est tous sains et saufs.

Ils se rassemblèrent sous la fougère et allongèrent Jenny sur une feuille en guise de lit. Aucun d'eux n'avait la moindre expérience médicale. Karen ouvrit la trousse de secours et trouva une seringue de morphine. Elle la mit devant les yeux de Jenny.

— Tu en veux ?

Jenny secoua la tête.

— Non, ça va m'abrutir.

Elle voulait garder l'esprit clair malgré la douleur. Mais elle accepta deux comprimés de Tylenol pendant que Karen déchirait un morceau de tissu pour lui confectionner une attelle. Ils l'aidèrent à s'asseoir. Jenny vacilla, le visage cendreux, les lèvres pâles.

— Ça ira, assura-t-elle.

Mais ça n'allait pas. Son bras enflait démesurément et sa peau s'assombrissait.

Hémorragie interne.

Karen croisa le regard de Peter et comprit qu'il pensait la même chose. Il se souvenait de ce que Jarel Kinsky avait dit sur les microbulles. Une simple petite coupure pouvait vous vider de votre sang. Et c'était bien plus grave qu'une simple égratignure...

Peter regarda sa montre. Deux heures de l'après-midi. Ils avaient dormi deux heures.

Le sol était jonché de débris. Un vrai naufrage. Les gros sacs et les sacs à dos étaient éparpillés. Une nuée d'objets étaient tombés de l'abri quand le couteau l'avait éventré. Ils retrouvèrent les machettes et le harpon. La baie de lilas gisait un peu plus loin. Elle avait roulé hors de la tente. Certes, il leur restait du matériel de survie et des vivres, mais ils ne savaient plus où aller. Si l'inconnu avait retiré la station Echo, qu'avait-il fait des autres ? Les avait-il vus ? Travaillait-il pour Vin Drake ?

Ils devaient s'attendre au pire.

On les avait découverts. Les stations avaient été enlevées. Où se cacher ? Où aller ? Comment regagner Nanigen à présent ?

Alors qu'ils réfléchissaient à toutes ces questions, le ciel s'obscurcissait. Une rafale de vent agita les feuilles d'un haiwale, révélant leur dessous duveteux. Peter leva la tête et regarda les branches que le vent remuait, secouait, ballottait...

Ils entendirent alors un bruit étrange, un *ploc* très grave, suivi d'un autre, et d'un autre encore. Ils virent alors, hébétés, une boule d'eau d'une taille énorme s'écraser sur le sol à côté d'eux et exploser en une centaine de petites gouttelettes qui s'éparpillèrent de tous côtés. La pluie de l'après-midi arrivait.

— Mettez-vous sur une hauteur ! cria Peter. Par ici !

Ils ramassèrent tout ce qu'ils purent et remontèrent la pente en courant. Karen emporta Jenny sur son dos tandis que les gouttes explosaient autour d'elles comme des bombes.

À Nanigen, Vin Drake se détourna de l'écran de son ordinateur. Il venait de consulter le rapport météo concernant le Koolau Pali. Ces alizés étaient vraiment fiables. Dès qu'ils atteignaient la côte au vent d'Oahu, ils se déchargeaient de leur humidité sur les montagnes. Les sommets du Koolau Pali étaient un des endroits les plus arrosés au monde.

Don Makele frappa à la porte. Le chef de la sécurité entra et posa les morceaux de la station Echo sur le bureau de Drake.

— Les lits sont froissés, on s'est servi des toilettes et j'en ai vu deux détaler. Je leur ai crié de s'arrêter. J'ai essayé de les stopper avec mon couteau, mais ils ont fui comme des cafards.

218

— C'est ennuyeux ! Très ennuyeux, Don. Je vous avais dit de résoudre ce problème.

— Que voulez-vous que je fasse, monsieur ?

Vin Drake se renversa dans son fauteuil et tapota ses dents avec son porte-mine en or. Un portrait de lui était accroché au mur derrière son fauteuil, peint par un jeune artiste prometteur de Brooklyn. Le visage explosait de couleurs crues. Ce tableau exprimait la puissance et Drake l'adorait.

— Vous allez fermer la barrière de sécurité à l'entrée de la vallée de Manoa. Suspendez la navette. La vallée doit être bouclée. Et amenez-moi vos deux meilleurs hommes.

— Je vais prendre Telius et Johnstone. Je les ai entraînés à Kaboul.

— Ils connaissent bien le micromonde ?

— À la perfection. Que voulez-vous qu'ils fassent ?

— Qu'ils sauvent les étudiants.

— Mais vous faites boucler la vallée...

— Faites juste ce que je vous dis, Don.

— Oui, bien sûr.

— Je retrouverai vos hommes dehors. Parking B. Dans vingt minutes.

Les gouttes de pluie pilonnaient le sol et explosaient en projetant des gouttelettes chargées de terre. Peter disparut dans une gerbe d'eau, frappé par une goutte qui l'écrasa sur le sol et le noya à moitié. Les autres glissaient et dérapaient sous la pluie battante. Éclata alors un bruit qui ressemblait au grondement d'un train de marchandises.

Un torrent de boue dévalait la ravine des Fougères ! Un mur d'eau brunâtre jaillit de derrière un rocher, passa au pied d'une fougère arborescente et frappa de plein fouet les étudiants qui se mirent à nager avec l'énergie du désespoir. Karen portait toujours Jenny quand la masse liquide les percuta et Jenny poussa un hurlement en se trouvant brutalement arrachée de son dos.

Emportée par le courant, Karen perdit tout de suite Jenny de vue. Elle réussit à s'accrocher à une feuille qui tourbillonnait dans le courant. Rick était agenouillé dessus. Il saisit Karen par le poignet et la hissa à côté de lui, à moitié suffoquée, toussant et crachant.

— J'ai perdu Jenny ! s'écria-t-elle en la cherchant frénétiquement des yeux tandis que la feuille continuait à tournoyer dans les remous.

Plus bas, Danny avait réussi à se jucher sur un rocher qui dépassait des eaux rugissantes.

Un ver de terre noyé passa devant eux, roulé par les remous. Ils virent alors Jenny Linn qui essayait désespérément de nager, entravée par son attelle et son bras cassé qui ballottait d'une façon inquiétante. Sa tête disparut sous l'eau. Puis remonta.

Rick s'allongea à plat ventre sur la feuille et tendit la main vers elle.

— Jenny ! Jenny, attrape ma main !

— Attends, Rick !

Karen le saisit par les chevilles pour l'empêcher de glisser de la feuille.

Jenny roula sur le côté et tendit sa main valide, mais, emportée par le courant, elle ne réussit qu'à effleurer le bout des doigts de Rick qui émit un cri de frustration.

L'eau la poussait à présent vers le rocher sur lequel Danny s'était réfugié.

— Danny, au secours ! hurla-t-elle en lui tendant son bras valide, à moitié submergée par les remous qui menaçaient de l'entraîner par le fond.

Danny se pencha et elle referma les doigts sur les siens. Il réussit à passer son autre main sous l'attelle, mais quand il voulut hisser Jenny à côté de lui, il se sentit glisser sur le rocher.

Jenny poussa un cri de douleur tandis qu'il tordait son bras cassé.

— Ne me lâche pas, je t'en supplie ! cria-t-elle en attrapant sa chemise de sa main valide.

Les noyés entraînaient parfois leur sauveteur dans la mort, Danny le savait. C'étaient des gens dangereux !

Il jeta un coup d'œil circulaire. Personne ne le voyait ? Il planta son regard dans celui de Jenny.

— Désolé !

Il desserra ses doigts et la laissa partir dans le courant. À coup sûr, sinon, il aurait été entraîné et se serait noyé avec elle...

Il se détourna, incapable de supporter son regard. Il avait fait ce qu'il pouvait pour la sauver. S'il ne l'avait pas lâchée, ils seraient morts tous les deux, c'était certain... Jenny était condamnée, de toute façon... *Je suis quelqu'un de bien...*

Il se tassa sur le rocher au milieu des eaux rugissantes. Personne ne l'avait vu. À part Jenny. Cette expression dans ses yeux...

— Non, Jenny, non ! hurla Karen en voyant que Danny n'avait pas réussi à la retenir.

Ils aperçurent un bref instant la tête de Jenny qui remontait une dernière fois à la surface, puis elle s'enfonça et ils ne la virent pas réapparaître.

19.

Siège de Nanigen
29 octobre, 14 h 30

Vin Drake traversa le parking et se dirigea vers Telius et Johnstone qui l'attendaient entre deux voitures sur le bord du parking. Mieux valait parler dehors. Tout ce qu'on disait pouvait être entendu, enregistré, sauvegardé. Il devait se méfier des détails. Les détails, c'étaient des preuves. Des preuves qui pouvaient vous échapper. Et s'étaler au grand jour, sans que vous puissiez faire quoi que ce soit.

— On s'est introduit par effraction dans nos locaux, annonça-t-il aux deux hommes.

Telius l'écoutait, sa tête rasée courbée, attentif. Ce petit homme nerveux au regard perçant ne cessait de scruter le sol comme s'il avait perdu quelque chose. Johnstone, nettement plus grand que lui, portait des lunettes et se tenait très à l'aise, les mains dans le dos. Un tatouage brillait sur son crâne, sous ses cheveux coupés en dégradé.

— Nous avons affaire à des espions industriels, poursuivit Drake. Capables de ruiner Nanigen. Nous pensons qu'ils travaillent pour un gouvernement étranger. Vous l'ignorez peut-être, mais nous avons à Nanigen certaines activités classées secrètes que des puissances ennemies aimeraient bien connaître.

— En effet, nous n'étions pas au courant, répondit Telius.

— C'est bien ce que je pensais.

Une voiture arriva. Drake attendit qu'elle se gare, puis il s'éloigna dans la direction opposée, suivi par les deux hommes, et marcha sur le bord du parking le temps que le conducteur du véhicule entre dans le bâtiment. Les alizés faisaient tinter les gousses de graines des acacias qui poussaient sur le terrain vague à côté.

Drake se retourna pour contempler le bâtiment métallique.

— Ces installations ne paient pas de mine. Mais dans un proche avenir, les activités qu'elles abritent vaudront au moins cent milliards de dollars. Cent milliards de dollars.

Il marqua une pause le temps de les laisser assimiler ces chiffres.

— Ce sera la richesse assurée pour les heureux élus qui posséderont des parts de la société.

Il cligna des yeux sous le soleil, puis regarda les deux hommes en biais.

— Vous savez ce que sont des parts de société, n'est-ce pas ? Ceux qui en possèdent peuvent les vendre pour un profit spectaculaire le jour où la compagnie est introduite en Bourse.

Voyaient-ils où il voulait en venir ? Leurs visages ne révélaient absolument rien. Pas de pensée, pas d'émotion, rien que l'on puisse lire ou interpréter.

Des visages de professionnels, songea-t-il.

— Je veux que vous partiez en mission de sauvetage dans le micromonde afin de retrouver ces espions. Je vous donnerai un robot tout-terrain, un hexapode, ainsi que toutes les armes nécessaires. Les espions ont été largués... enfin, on pense qu'ils se sont perdus dans un rayon de vingt mètres autour de la station Echo. Je veux donc que vous commenciez vos recherches par là. Ils suivent sans doute les microchemins à la recherche des stations de ravitaillement pour s'y réfugier. Toutes les stations ont été retirées sauf une, la station Kilo, que nous n'avons pas retrouvée. Vous devez donc chercher ces espions le long des chemins qui relient une station à l'autre. Et... euh... (Comment dire cela clairement, afin qu'il n'y ait pas d'erreur ?) eh bien, quoi qu'il arrive, ce sauvetage doit échouer. Vous me comprenez ? Malgré tous vos efforts, vous ne réussirez pas à mettre la main sur ces espions. Je ne veux pas savoir comment vous vous y prendrez. Ils doivent s'évaporer, mais je ne veux pas entendre la moindre rumeur sur ce qui leur est arrivé, non plus. S'ils disparaissent sans laisser de traces, il y aura une... récompense. L'échec est la seule option envisageable, ajouta-t-il d'une voix calme, le visage caressé par le vent.

Il se retourna vers les deux hommes. Leur visage n'affichait aucune expression. Un oiseau passa près d'eux et se posa dans le bosquet d'acacias.

— Si les secours échouent, vous aurez comme récompense une part de société de Nanigen. Quand Nanigen entrera en Bourse, une simple part vaudra au moins un million de dollars. Vous me suivez ?

Les deux hommes lui retournèrent un regard aussi plat que le parking.

Mais ils avaient compris. Il en était certain.

— Vous voilà désormais des capital-risqueurs.

Sur cette conclusion, il tapa sur l'épaule de Telius et les quitta.

La pluie cessa aussi vite qu'elle avait commencé. Une vapeur dorée emplit la forêt tandis que les nuages se dissipaient. Et l'eau baissa rapidement tandis que les rigoles se vidaient dans le ruisseau qui drainait la vallée de Manoa. Les étudiants avaient perdu une grande partie de leur équipement, emporté par le courant. Et Jenny avait disparu. Ils se regroupèrent et, après avoir vérifié que tout le monde était là, se séparèrent pour partir à la recherche de leurs affaires et surtout de Jenny. Équipés des deux paires de talkies-walkies pour communiquer, ils suivirent le ruissellement de l'eau le long de la pente.

— Jenny ! Jenny, où es-tu ? Jenny !

Mais ils avaient beau crier, aucune réponse ne leur parvenait et ils ne voyaient aucune trace d'elle.

— J'ai retrouvé le harpon ! cria Rick.

Il n'était pas allé loin. Rick avait mis la boîte en plastique qui contenait ses dards dans son sac à dos qui, lui, s'était échoué contre un rocher. Ils retrouvèrent même la baie de lilas de Perse, repérable à sa peau jaune vif qui dépassait d'une feuille.

Karen King avançait, accablée par une sensation de catastrophe imminente, hantée par l'expression du visage de Jenny juste avant que l'eau ne l'engloutisse.

Les hommes sont capables des pires horreurs. Qu'avait-vu Jenny ?

Elle aperçut alors quelque chose de pâle qui dépassait d'une branche. Une main. Elle avait retrouvé Jenny. Son corps couvert de boue était coincé sous la branche, et bizarrement tordu, avec le bras cassé torsadé comme une serpillière. Jenny avait les yeux ouverts, le regard vide. Elle était couverte de fils semblables à des spaghettis qui s'entrecroisaient et la drapaient d'un voile. C'étaient des filaments fongiques qui commençaient déjà à pousser.

Karen s'agenouilla, retira un filament du visage de Jenny, lui ferma les yeux et fondit en larmes.

Les autres s'assemblèrent autour d'elle. Rick s'aperçut qu'il pleurait et, très gêné, essaya en vain de retenir ses larmes. Peter lui passa un bras autour des épaules, mais Rick le repoussa.

— J'aurais tant voulu la sauver, sanglota Danny. J'ai fait tout ce que j'ai pu.

— Tu es un chic type, Danny, le rassura Erika en le prenant dans ses bras. Je m'en aperçois seulement maintenant.

Il y eut un craquement. Le voile de filaments qui recouvrait Jenny parut tressaillir.

— Qu'est-ce qui se passe ? s'écria Erika.

Elle écarquilla les yeux d'horreur en voyant un filament se courber comme un doigt et se poser sur la peau de Jenny dans laquelle il s'enfonça avec un crissement, trouant son corps à la recherche de nutriments.

Erika eut un mouvement de recul et se redressa.

— Il faut l'enterrer vite... très vite, dit Peter.

À l'aide du harpon et des machettes, ils creusèrent une fosse. La terre molle et riche grouillait de vie : partout de minuscules créatures s'agitaient et se tortillaient. Le sol se révélait presque un organisme vivant à part entière. Apparemment, Jenny était la seule chose inanimée. Ils la descendirent dans la tombe qu'ils avaient creusée et croisèrent ses bras sur sa poitrine, après avoir rajusté celui qui était cassé. Ils essayèrent de retirer les filaments qui l'enveloppaient, mais ils avaient resserré leur prise et s'accrochaient au corps qu'ils perçaient de toutes parts.

Erika Moll ne contrôlait plus ses larmes. Peter coupa un pétale d'une fleur tombée d'un hibiscus et le posa sur Jenny comme un linceul blanc, dissimulant ainsi l'activité des filaments.

Erika suggéra de dire une prière. Elle n'était pas croyante, du moins elle pensait ne pas l'être, mais elle avait été élevée dans la foi catholique et avait fait ses études d'infirmière dans une école de sœurs, en Suisse. Celles-ci lui avaient appris le vingt-troisième psaume en allemand.

— *Der Herr ist mein Hirte...*, commença-t-elle d'une voix hachée.

Peter le reprit en anglais.

— Le Seigneur est mon berger. Rien ne saurait me manquer. Sur des prés d'herbe fraîche, il me fait reposer...

— Des incantations magiques ! marmonna Danny. Des mots sans rapport avec la pseudo-réalité, bien qu'ils nous aident peut-être sur le plan psychologique ! Je soupçonne les prières de stimuler des parties primitives du cerveau. En fait, même moi, ça me fait du bien.

Ils recouvrirent ensuite le corps de Jenny de terre. Il ne résisterait pas longtemps et serait bientôt dévoré par les filaments et les nématodes, digéré par les bactéries, englouti par les acariens qui grouillaient partout. Très vite, il ne resterait plus aucune trace de Jenny Linn dans le sol, ses restes avalés et recyclés, son corps retourné au corps d'autres créatures. Dans le monde microscopique, à peine une existence se terminait-elle qu'elle se transformait de nouveau en vie.

Ensuite Peter rassembla ses compagnons et tenta de leur redonner courage.

— Jenny n'aurait pas voulu qu'on abandonne. Elle s'est battue bravement. Nous devons lui faire honneur en faisant tout pour survivre.

Ils réunirent le sac à dos et les deux gros sacs. Ils ne pouvaient pas s'attarder sur la tombe de Jenny, ils devaient poursuivre leur marche vers le parking.

Le carnet de notes du labo où figurait la carte n'était pas perdu. Karen l'avait mis dans le sac à dos. Ils le sortirent ; il tombait en charpie, détrempé, mais la carte était encore lisible. Elle indiquait un chemin ou un sentier qui allait de la station Echo à la station Delta et de là à la station Alpha, près du parking. Une longue marche les attendait.

— Nous ne savons pas s'il reste d'autres stations. Mais nous pouvons toujours suivre le chemin.

— Si on le trouve, soupira Karen.

Ils ne virent rien qui ressemblait à une piste quelconque. La pluie avait transformé le paysage en le constellant de débris et en creusant de nouveaux sillons dans le sol. Peter sortit la boussole et, après avoir étudié la carte, partit droit vers le parking en ouvrant la route à coups de machette. Karen lui emboîta le pas, le harpon sur l'épaule. Rick Hutter fermait la marche, silencieux et inquiet, sa machette à la main, sur le qui-vive.

Danny s'arrêtait sans cesse.

— Tu as mal aux pieds ? finit par lui demander Peter.

— À ton avis ?

— On pourrait te fabriquer des chaussures.

— C'est impossible.

— On peut toujours essayer, insista Erika.

— Comme moi j'ai essayé de sauver Jenny.

Peter coupa des bandes d'herbes sèches et Erika en enveloppa les pieds de Danny. Amar se souvint alors du ruban adhésif qu'il avait trouvé à la station Echo. Il en enveloppa les chaussures de fortune de Danny pour qu'elles lui tiennent aux pieds. Danny se leva et fit quelques pas. Ses nouveaux mocassins en herbe étaient étonnamment solides et incroyablement confortables.

Un bruit sourd résonna au-dessus de leurs têtes. Il ressemblait étrangement au bourdonnement d'un hélicoptère. Un moustique surgit des arbres et vola autour d'eux. Malgré sa taille énorme, il se maintenait en suspension sans mal en battant légèrement des ailes. Il semblait les étudier. Il avait le corps et les pattes striés de noir et blanc. Sa tête était munie d'un long proboscis noir. Ils aperçurent au bout de cette trompe deux lames coupantes comme des rasoirs et maculées de sang. Les outils suceurs de sang du moustique suffisamment aiguisés pour perforer sans mal le corps d'un micro-humain.

Danny paniqua.

— Va-t'en ! cria-t-il en agitant les bras avant de détaler à toute allure dans ses mocassins qui dérapaient.

Attiré peut-être par les mouvements de Danny, ou par son odeur, le moustique le prit en chasse, volant juste au-dessus de sa nuque. Sans prévenir, il plongea pour planter son proboscis entre ses omoplates, mais Danny se jeta par terre et roula sur le dos en battant des jambes.

— Lâche-moi !

Le moustique bourdonna autour de lui et plongea

de nouveau... Karen se coucha sur Danny et l'immobilisa tout en agitant sa machette pour chasser le moustique.

Ce qui ne parut pas effrayer l'insecte outre mesure.

— Regroupez-vous ! cria Peter. Formez un cercle défensif.

Ils encerclèrent Danny, toujours étendu par terre, tétanisé. Dos à dos, tournés vers l'extérieur, leur machette prête à frapper, ils ne quittaient pas des yeux le moustique qui continuait à tourner autour d'eux. À l'évidence, celui-ci avait flairé leur sang, et sans doute aussi l'oxyde de carbone qu'ils dégageaient en respirant. Il tentait des incursions, de-ci de-là, ses yeux globuleux rivés sur eux, son proboscis en avant.

— Oh, oh ! murmura Erika Moll.

— Quoi ?

— C'est un *Aedes albopictus* femelle.

— Ce qui veut dire ? gémit Danny en se mettant à genoux.

— Un moustique-tigre d'Asie. Les femelles sont très agressives et porteuses de maladies.

— Donne-moi ce harpon ! gronda Rick en le lui arrachant des mains.

— Hé ! protesta-t-elle mais il se ruait déjà sur le moustique, le harpon brandi au-dessus de sa tête.

— Ne te précipite pas, Rick, murmura Peter. Attends une ouverture.

Le moustique plongea sur Rick. Sans hésiter, celui-ci leva le harpon comme un bâton et l'abattit sur sa tête.

— Va donc t'en prendre à quelqu'un de plus grand que toi ! hurla-t-il.

Le moustique s'éloigna d'un vol vacillant.

Karen éclata de rire.

— Qu'y a-t-il de si drôle ? cracha Rick.

— Quand on pense que c'est justement à cause des moustiques, au Costa Rica, que tu n'osais pas sortir de ton hôtel, tu as fait de sacrés progrès, Rick !

— Ce n'est pas drôle.

— Rends-moi ça !

Elle saisit le harpon et, comme il le retenait, tira d'un coup sec et le lui arracha des mains.

Rick l'insulta.

Karen ne put le supporter. Elle perdit la tête. Elle se rua sur lui, le harpon pointé sur son visage.

— Je t'interdis de me parler comme ça !

Rick recula en levant les mains.

— Holà, doucement !

Karen jeta le harpon à ses pieds.

— Tu peux le garder !

Peter s'interposa entre eux.

— Nous formons une équipe, non ? Alors arrêtez de vous battre, tous les deux.

— Je ne me suis pas battue avec lui, sinon il serait en train de se tenir les valseuses et de cracher ses poumons !

Peter Jansen ouvrait inlassablement la route à grands coups de machette, ne s'arrêtant que pour effiler la lame avec l'aiguisoir à diamant. La lame coupait n'importe quoi du moment que son tranchant était entretenu. Et Peter essayait tant bien que mal de maintenir le moral de ses troupes.

— Vous savez ce que Robert Louis Stevenson disait des voyages ? lança-t-il par-dessus son épaule. Il disait : « Mieux vaut voyager plein d'espoir que de parvenir au but. »

— Rien à foutre de l'espoir, je préférerais être arrivé, marmonna Danny.

Rick Hutter, qui fermait toujours la marche, observait les autres. Son regard s'arrêta sur Karen King. Il ne pouvait vraiment pas la souffrir. Elle était imbue d'elle-même, arrogante, agressive, elle se prenait pour une grande experte en araignées et en combat au corps à corps. Elle était bien foutue, mais il n'y avait pas que la beauté dans la vie. Cela dit, Rick se sentait rassuré par sa présence. C'était une battante, il fallait quand même le reconnaître. Et là, elle semblait glaciale, froide, en alerte, tendue, calculant chacun de ses mouvements, comme si sa vie en dépendait... ce qui était d'ailleurs le cas. Il la méprisait et, pourtant, il était content qu'elle soit là.

Ensuite son attention se reporta sur Erika Moll. Elle avançait, pâle, effrayée, on la sentait au bout du rouleau. Les filaments qui dévoraient le corps de Jenny... c'était ça qui l'avait fichue par terre. Si elle ne se reprenait pas, elle était condamnée. Mais qui pouvait dire lequel d'entre eux aurait assez de force et de débrouillardise pour s'en sortir dans ce monde d'horreur en miniature ?

Amar Singh, lui, paraissait résigné à son sort, comme s'il avait déjà décidé qu'il allait mourir.

Danny Minot traînait les pieds dans ses chaussons de fortune. Ce type est plus dur qu'il n'en a l'air, songea Rick. Il pourrait bien avoir l'étoffe d'un survivant.

Rick contempla Peter Jansen. Comment faisait-il ? Cela lui échappait. Il semblait si calme, presque apaisant, en paix avec lui-même, vraiment. Peter était devenu un véritable meneur et ça lui allait bien. C'était comme si le micromonde l'avait révélé.

Et il y avait lui, Rick Hutter.

Il n'était pas du genre introspectif. Il s'attardait rarement sur lui-même. Mais là, il se posait des questions. Il lui arrivait une chose étrange qu'il avait du mal à analyser. Il se sentait « bien ». Mais pourquoi ? *Je devrais être accablé. Jenny est morte. Kinsky s'est fait dépecer par les fourmis. Qui sera le suivant ?* Mais c'était l'expédition dont il avait toujours rêvé tout en la croyant impossible. Un voyage au plus secret de la nature, dans un monde de merveilles jamais vues.

Selon toute vraisemblance, cette aventure lui serait fatale. La nature n'était ni douce ni bonne. Elle ne connaissait pas la pitié. On n'y était pas récompensé de ses efforts. On survivait ou pas. Peut-être qu'aucun d'entre eux ne s'en tirerait. Il se demanda s'il allait disparaître ici, dans cette petite vallée des environs d'Honolulu, englouti dans un enchevêtrement de dangers qui dépassaient l'imagination.

Mais il faut continuer, songea-t-il. Être vif. Intelligent. Savoir se faufiler par le trou de l'aiguille.

Après avoir marché pendant des kilomètres, Rick remarqua une étrange odeur douce-amère qui flottait dans l'air. Qu'est-ce que c'était ? Il leva les yeux et vit au-dessus de sa tête de minuscules fleurs blanches dispersées comme des petites étoiles dans un arbre aux branches noueuses et couvert d'une écorce lisse gris argent. Leur parfum ressemblait à celui du sperme auquel se mêlait une senteur délétère qui trahissait sa dangerosité.

Oui !

Nux vomica.

— Arrêtez-vous, les gars, s'écria-t-il. J'ai trouvé quelque chose.

Il s'agenouilla près d'une racine noueuse qui émergeait du sol.

— C'est un arbre à strychnine, expliqua-t-il.

Il se mit à tailler la racine avec sa machette jusqu'à ce qu'il révèle une bande d'écorce interne. Il entreprit alors de la découper avec précaution.

— Cette écorce contient de la brucine, une drogue qui entraîne la paralysie. J'aurais préféré les graines parce qu'elles sont incroyablement toxiques, mais l'écorce fera l'affaire.

Il la manipulait avec précaution, veillant à ne pas se mettre de sève sur les mains. Puis il attacha sa trouvaille avec une corde de façon à la traîner derrière lui.

— On ne peut pas la mettre dans mon sac. Ça empoisonnerait tout.

— Voyons, c'est trop dangereux ! protesta Karen.

— Attends, Karen. Grâce à elle, nous allons pouvoir manger. Et j'ai faim.

Erika, qui se tenait à l'écart, ne cessait de humer l'atmosphère, à l'affût de l'odeur reconnaissable des fourmis. L'air qui entrait et sortait de ses poumons lui semblait un peu lourd. Partout où son regard se posait, dans chaque fissure du sol, sur chaque brin d'herbe, sur chaque petite plante au ras de la terre grouillaient de minuscules créatures vivantes – insectes, acariens, nématodes. Elle pouvait même observer des amas de bactéries par grappes de petits pois minuscules. Tout était vivant, les uns se nourrissant des autres. Ce qui lui rappela... qu'elle commençait à avoir un sérieux creux.

Ils mouraient tous de faim, mais n'ayant rien à manger, ils burent de l'eau au creux d'une racine et repartirent. Rick traînait son morceau d'écorce derrière lui.

— Nous avons de la strychnine et nous avons la baie de lilas de Perse. Mais ça ne suffit pas. Il nous faut encore au moins un ingrédient.

Il n'arrêtait pas de scruter la végétation autour de lui à la recherche de plantes qu'il connaissait, de n'importe quoi de toxique. Et il finit par trouver ce qu'il cherchait grâce à son odorat. Il reconnut une senteur âcre qui venait d'un taillis.

— Du laurier-rose, annonça-t-il en s'approchant d'un arbuste aux longues feuilles vertes pointues. C'est sa sève qui est redoutable.

Écrasant les feuilles mortes sous ses pieds, il parvint au tronc. Il sortit sa machette, l'aiguisa et la planta dans le tronc. Une sève laiteuse et translucide en jaillit. Il recula d'un bond.

— Au moindre contact avec la peau ce liquide vous tuerait instantanément. Il contient un mélange mortel de cardénolides. *Paf!* Ça vous arrête le cœur d'un coup ! Il ne faut pas non plus s'amuser à respirer ses vapeurs. Elles peuvent déclencher une crise cardiaque.

Pendant que la sève coulait le long de l'écorce, Rick enfila le tablier de protection, les gants en caoutchouc et les lunettes de sécurité qu'il avait trouvés à la station Echo.

— Tu as tout d'un savant fou ! gloussa Amar.

— J'ai enfin trouvé mon style !

Il ouvrit un pot en plastique, le posa contre le tronc et, retenant son souffle, le remplit de sève dont quelques gouttes tombèrent sur ses gants. Il vissa le bouchon et rinça l'extérieur dans une goutte de rosée. Il remplit un second récipient de la même manière et, quand il eut terminé, brandit les deux pots avec un sourire triomphal.

— Maintenant il ne nous reste plus qu'à tout faire cuire ensemble. Pour ça, il nous faut du feu.

Mais la forêt dégoulinait d'eau. Rien ne pourrait brûler.

— Pas de problème, déclara Rick. Il nous faut juste un *Aleurites moluccana*.

— Qu'est-ce que c'est encore ? demanda Karen King.

— Un noyer des molluques. Les Hawaiiens l'appellent le kukui, le noyer-chandelle. Et il en pousse partout dans cette forêt.

Il s'arrêta, leva la tête et tourna sur lui-même.

— Tiens ! En voilà justement un ! s'écria-t-il en montrant un arbre aux grandes feuilles argentées qui formait un gros nuage pâle à dix mètres de là.

Il y pendait des grappes de fruits verts.

Ils se précipitèrent vers le noyer. À son pied, le sol était jonché de fruits pulpeux.

— Passez-moi une machette, ordonna Rick. Regardez !

À grands coups de coupe-coupe, il entailla la pulpe et atteignit rapidement un noyau dur.

— La noix du kukui est gorgée d'huile. Autrefois, les Hawaiiens en remplissaient leurs lampes de pierre. C'est une excellente source de lumière. Ils en plantaient aussi au bout d'un bâton pour faire des torches. Elle brûle toute seule.

Seul problème, elle était enveloppée d'une coque lisse et brillante difficile à briser. Ils la frappèrent à tour de rôle avec la machette. Le tranchant de l'arme, extrêmement acéré, l'entailla lentement. Enfin, au

234

bout de quelques minutes, la chair de la noix apparut. Ils en arrachèrent quelques morceaux et les empilèrent sur le sol. Ils y ajoutèrent des brins d'herbe sèches que Peter trouva en décortiquant des tiges mortes dont l'intérieur n'avait pas été atteint par la pluie. Rick posa sa marmite sur le tas et enfila son équipement de chimiste. Il ajusta ses lunettes et remplit la casserole de lanières de racine de strychnos et de morceaux de baie de lilas de Perse auxquels il ajouta les deux pots de sève de laurier-rose et de l'eau récupérée sur une feuille.

Il alluma le feu avec le briquet tout-temps.

La paille commença à brûler et les morceaux de kukui s'enflammèrent en dégageant une vive lueur jaune. C'était un petit feu à l'échelle humaine, pas plus gros que la flamme d'une bougie, et pourtant, à leurs yeux, c'était un vrai feu de joie. La chaleur les fit battre des paupières et reculer. Et elle amena le mélange à ébullition en quelques secondes. Deux minutes de cuisson suffirent à le transformer en une pâte goudronneuse.

— Voilà du curare tout frais ! annonça Rick. Du moins, je l'espère.

À l'aide d'une écharde de bois, bien protégé par ses gants et retenant son souffle, Rick versa le curare dans un flacon en plastique. Il tremperait ses fléchettes dans cette mixture pour les empoisonner. Mais il lui fallait attendre de s'en servir pour être certain de sa toxicité. Il vissa soigneusement le bouchon, et remonta ses lunettes de protection sur son front.

— Tu penses vraiment que ça peut tuer du gros gibier ? s'informa Peter en regardant la pâte brune à l'intérieur du flacon. Quelque chose d'aussi gros qu'une sauterelle ?

— Ce n'est pas encore terminé, répondit Rick avec un sourire ironique.

— Comment ça ?

— Il nous faut encore un ingrédient ?

— Qui est...

— Le cyanure.

— Quoi ? s'exclama Peter alors que tous les autres s'assemblaient autour d'eux en tendant l'oreille.

— Tu m'as bien entendu : du cyanure. Et je sais où en trouver.

— Où ça ?

En guise de réponse, Rick tourna lentement la tête.

— Je le sens. Du cyanure d'hydrogène. Connu aussi sous le nom d'acide prussique. Ce parfum d'amande amère... vous le percevez ? Le cyanure, un poison universel qui tue pratiquement tout et très vite. Particulièrement prisé des espions de la guerre froide. Et tenez-vous bien, il y a un animal près d'ici qui en fabrique. Il doit se cacher sous une feuille. Et dormir, si je ne m'abuse.

Les autres le regardèrent s'avancer dans la jungle en suivant son flair et s'arrêter çà et là pour humer l'air. Il se mit à retourner des feuilles en les tirant à deux mains. L'odeur s'accrut. Elle leur chatouillait le nez à présent que Rick la leur avait fait remarquer. Il passa la tête sous une feuille.

— Je le tiens ! chuchota-t-il.

Une carapace brunâtre et huileuse pourvue de pattes crochues brillait dans l'ombre.

— C'est un mille-pattes. Je suis nul en botanique, mais je sais que ces machins font du cyanure.

— Arrête ! gémit Erika. C'est un gros animal. Il est dangereux !

Rick éclata de rire.

— Dangereux ? Un mille-pattes ? Hé, Karen ! Dis-nous comment il se comporte quand il est menacé ?

Karen King sourit.

— C'est un poltron.

— Attendez ! Vous êtes sûrs que ce n'est pas une scolopendre ? demanda Danny d'une voix tremblante, se souvenant que Peter avait dit que sa piqûre était mauvaise.

— Non, ce bébé est inoffensif, répondit Karen qui

s'était agenouillée pour soulever la feuille. Les scolos sont des prédatrices. Un mille-pattes ne mange pas de viande, que des feuilles mortes. C'est un animal pacifique. Il n'a même pas de dard.

— Qu'est-ce que je vous disais ! gloussa Rick en retirant la feuille.

Le mille-pattes, roulé sur lui-même, semblait dormir. C'était un animal cylindrique recouvert d'une armure segmentée et doté d'une bonne centaine de pattes. Proportionnellement aux humains microscopiques, il semblait mesurer cinq mètres de long, de la taille d'un gros boa constrictor. Il respirait doucement, en émettant des sifflements par les orifices de sa carapace : sa façon à lui de ronfler.

— Réveille-toi ! cria Rick en le frappant du plat de la machette.

L'animal se détendit d'un coup. Les étudiants reculèrent, l'odeur augmenta. Le mille-pattes se roula en spirale, en position de défense. Rick se pinça le nez et le frappa de nouveau. Il ne voulait pas le blesser, juste l'effrayer. Sa ruse réussit. Une forte odeur d'amandes mêlée à une puanteur âcre et toxique emplit l'air tandis qu'un liquide huileux suintait des pores de sa carapace. Rick ouvrit un flacon en plastique et enfila en vitesse son tablier, ses gants et ses lunettes.

Le mille-pattes ne chercha pas à fuir. Il resta roulé sur lui-même, apparemment terrorisé.

Rick s'avança, vêtu de son accoutrement, et recueillit le liquide dans le pot qu'il remplit à moitié.

— Cette huile est un concentré de cyanure, leur expliqua-t-il.

Il la versa ensuite dans le pot qui contenait sa pâte de curare et mélangea le tout avec un bâton.

— La pauvre bête, je lui ai fait tellement peur qu'elle en a transpiré du cyanure ! plaisanta-t-il en soulevant le flacon rempli du mélange mortel. Maintenant, il est temps de partir à la chasse !

20.

Vin Drake se tenait devant la fenêtre qui donnait sur le noyau du générateur. Cette vitre à l'épreuve des balles conférait à la salle l'aspect d'un aquarium. À l'intérieur, les hexagones des tubes de transfert de taille encastrés dans le sol plastique rougeoyaient. Deux hommes entrèrent : Telius et Johnstone.

Ils se préparèrent. Ils enfilèrent des protections en Kevlar ultralégères : gilets, manchettes et jambières. Cette armure était assez solide pour résister aux mâchoires d'une fourmi soldat. Chacun était équipé d'une carabine .600 Express, alimentée par une cartouche à air comprimé. Elle tirait une lourde aiguille d'acier dont la pointe était enduite d'une supertoxine à large spectre, d'une grande portée et totalement incapacitante. Cette supertoxine était efficace aussi bien contre les insectes que contre les oiseaux ou les mammifères. L'arme avait été conçue spécialement pour la protection des hommes dans le micromonde.

— Attendez l'hexapode, dit Drake.

Telius, toujours aussi peu bavard, hocha la tête et scruta le sol comme s'il avait perdu quelque chose.

Drake se dirigea vers une porte à laquelle était

fixé un panneau ACCÈS RÉGLEMENTÉ avec, en dessous, un symbole, qui ressemblait vaguement à celui du danger biologique, et la mention Danger Micro Technologique.

Cette porte conduisait directement du noyau du générateur tensoriel au Projet Omicron. Bien entendu, rien ne l'indiquait.

Drake saisit une télécommande. On aurait dit une manette de jeu vidéo. Il composa un code, ce qui désarma les robots de la zone Omicron, et entra dans un ensemble de petits labos aveugles donnant accès directement au noyau tensoriel. Personne n'était autorisé à pénétrer dans Omicron en dehors d'une poignée d'ingénieurs de Nanigen triés sur le volet. En fait, peu d'employés étaient censés connaître l'existence d'Omicron. À l'intérieur de ces pièces se trouvaient des paillasses, sur lesquelles étaient posés des objets, dissimulés aux regards par des housses noires. Même les personnes autorisées à entrer dans la zone Omicron n'avaient pas le droit de les voir.

Drake retira une housse. Dessous il y avait un robot à six pattes qui ressemblait vaguement au marcheur envoyé sur Mars, ou à un insecte métallique. Il n'était pas très gros, à peine trente centimètres d'envergure.

Drake le ramena dans la salle du générateur et le tendit à Johnstone.

— Voici votre véhicule. Il est complètement chargé. Quatre micropiles au lithium.

— Nous sommes prêts, marmonna Johnstone.

— Merde ! Qu'est-ce que vous avez dans la bouche ? aboya Drake en voyant qu'il mâchonnait.

— Une barre énergétique, monsieur. Ça donne tellement faim...

— Vous connaissez le règlement. Il est interdit de manger dans le noyau. Vous risquez de contaminer le générateur.

— Désolé, monsieur.

— C'est bon. Avalez-le.

Drake modéra sa réprimande d'une tape amicale dans le dos. Ça payait toujours de montrer un peu de tolérance envers les gens qui travaillaient pour vous.

Telius posa le véhicule à six pattes sur l'hexagone 3. Les deux hommes se placèrent sur les hexagones 1 et 2. Drake pénétra dans la salle de contrôle. Il actionnerait le générateur lui-même. Il avait fait évacuer tous les employés. Personne ne le verrait réduire ces hommes et cet équipement. Cela aurait été trop risqué. Il programma l'hexagone 3 afin que le véhicule soit moins réduit que les deux hommes. Juste au moment où il initialisait la séquence, Don Makele entra derrière lui.

Le générateur se mit à bourdonner. Drake et Don Makele regardèrent ensemble les mâchoires magnétiques monter pendant que les hexagones descendaient. Une fois les hommes rétrécis, Drake les plaça dans une boîte de transport et mit l'hexapode dans une autre caisse. Il tendit les deux à Don Makele.

— Espérons que vous réussirez votre mission.

— Espérons, répondit Don Makele.

C'était déjà dangereux que Peter et ses amis sachent qu'il avait assassiné Eric. Mais Drake craignait aussi qu'Eric n'ait parlé à son frère de certaines activités de Nanigen qu'il ne fallait surtout pas ébruiter. Et que Peter en ait parlé aux autres étudiants. Si ces activités venaient à être connues, elles pourraient causer la perte de Nanigen.

L'intérêt de l'entreprise avant tout. Rien de personnel, juste une question de logique. Une décision indispensable pour que les affaires continuent. Don Makele se doutait-il de quelque chose ? Drake ne pouvait savoir avec certitude ce que son chef de la sécurité savait ou pensait. Il lui jeta un long regard en biais.

— Combien de parts de la société possédez-vous ?

— Deux, monsieur.

240

— Je vous en donne deux de plus.

Don Makele resta impassible.

— Merci, monsieur.

Don Makele venait de se faire deux millions de dollars en quelques mots. Il tiendrait sa langue.

21.

La ravine des Fougères
29 octobre, 16 heures

— Taisez-vous et ne bougez plus. Ils ont une vue perçante et l'oreille très fine.

C'était Erika Moll qui parlait. Elle regardait les branches d'un plant de mamaki qui étendait au-dessus de leurs têtes ses larges feuilles lobées. Accrochée à une de ces feuilles se trouvait une énorme créature, un insecte ailé d'un vert brillant au corps enveloppé d'une paire d'ailes vertes vaporeuses qui ressemblaient à des feuilles. Il possédait de longues antennes, des yeux globuleux, des pattes articulées et un abdomen ballonné, visiblement gonflé de graisse. Ils entendaient un faible sifflement tandis que l'air entrait et sortait par une rangée de trous sur ses flancs.

C'était une sauterelle.

Rick sortit une des sarbacanes qu'il avait fabriquées et glissa une fléchette dans le tube. La pointe en acier dégageait une forte odeur d'amande amère et de produit toxique : le curare de Rick. Une boule de ouate était fixée à l'arrière du dard.

Rick s'agenouilla et porta le tube à ses lèvres en faisant très attention à ne pas se mettre du curare dans la bouche. Le cyanure lui fit monter les larmes aux yeux et sa gorge se noua.

— Où se trouve son cœur ? chuchota-t-il à Erika Moll qui était accroupie à côté de lui.

Il avait besoin d'elle pour diriger son tir, car elle connaissait mieux que lui l'anatomie de l'insecte.

— Le cœur ? Il est situé sur la face postéro-dorsale du métathorax.

— Hein ? demanda Rick avec une grimace.

Erika sourit.

— Juste au bout du thorax, sur le dessus.

Rick secoua la tête.

— Je n'arriverai pas à l'avoir. Il est caché par les ailes.

Il orienta le tube de diverses façons et décida finalement de viser le ventre. Il prit une longue inspiration et souffla.

La fléchette s'enfonça profondément dans l'abdomen de la sauterelle qui, le souffle coupé, frissonna des ailes. Un bref instant, ils crurent qu'elle allait s'envoler. Elle poussa alors un cri perçant, assourdissant. Était-ce un cri d'alerte, de douleur ? Sa respiration s'accéléra. Brusquement, la sauterelle s'effondra, glissa le long de la feuille et resta suspendue au bord.

Amar tressaillit. Il n'aurait jamais imaginé que la souffrance d'un insecte l'affecte à ce point. En tout cas, le curare de Rick était très puissant.

Ils attendirent. La sauterelle pendait à présent la tête en bas. Sa respiration ralentit, ses sifflements se firent rauques. Puis ils s'arrêtèrent. Peu après, la sauterelle tomba par terre.

— Bien joué, Rick.

— Quel chasseur !

Mais personne ne parut trouver cette sauterelle morte très appétissante à part Erika Moll.

— J'ai mangé des termites, une fois, en Tanzanie. C'était délicieux. Savez-vous que les Africains considèrent les insectes comme des mets raffinés ?

Danny Minot s'était assis sur une brindille. La simple vue de la sauterelle lui donnait des haut-le-cœur.

— Et si on cherchait un snack dans le coin ? essaya-t-il de plaisanter.

— La chair des insectes est meilleure que ce qu'on met dans les hamburgers, dit Amar Singh. La simple idée de manger du muscle de bovin haché et sanguinolent me répugne. Je serais incapable de manger du bœuf. En revanche, une sauterelle... eh bien... pourquoi pas ?

Alors qu'ils contemplaient l'animal mort, leur faim se fit plus aiguë et plus insistante. Leurs corps minuscules consommaient beaucoup d'énergie. Ils avaient tout simplement besoin de manger. Un besoin impératif. Leur appétit eut raison de leurs réticences.

Ils découpèrent la sauterelle à la machette, guidés par les connaissances anatomiques d'Erika. Tandis qu'ils dégageaient la chair et les organes, Erika leur fit passer à l'eau tout ce qui était mangeable. Le sang de l'insecte, l'hémolymphe, un liquide transparent jaune verdâtre, s'était mis à couler dès qu'ils avaient ouvert la carapace et risquait de contenir des toxines de la fléchette. Ils retirèrent les pattes et coupèrent l'épaisse enveloppe bioplastique pour atteindre l'intérieur. Les pattes arrière, une fois tranchées, révélèrent des masses de muscle blanc. Ils découpèrent des steaks dans les parties les plus épaisses. Dès qu'ils eurent rincé cette viande dans des gouttes de rosée, elle sentit délicieusement bon. Ils la mangèrent crue. Elle avait un goût douceâtre, un peu sucré.

— Ce n'est pas mauvais, déclara Rick. Ça ressemble aux sushis.

— C'est vraiment très frais, commenta Karen.

Même Danny se mit à manger. Avec méfiance au début, puis avec un appétit croissant.

— Ça manque de sel, remarqua-t-il, la bouche pleine.

— Cette graisse devrait nous faire du bien, reprit Erika en montrant la graisse douce et jaunâtre qui suintait de l'abdomen de l'insecte.

Voyant que personne ne souhaitait y goûter, elle en ramassa au creux de sa main et la mangea telle quelle.

— C'est sucré. Avec un petit goût de noisette.

Leur corps réclamait de la graisse. Bientôt ils se retrouvèrent tous à l'extraire à pleines mains de l'abdomen de la sauterelle et à l'engloutir en se léchant les doigts.

— On dirait des lions autour de leur proie, plaisanta Peter.

La sauterelle représentait beaucoup plus de viande qu'ils ne pouvaient en manger. Ne voulant rien perdre, ils enveloppèrent tout ce qu'ils pouvaient emporter dans de la mousse et rangèrent l'ensemble dans les gros sacs pour le conserver au frais. Ils auraient ainsi de quoi tenir un certain temps.

Rassérénés, ils consultèrent la carte.

— Nous devons être ici, dit Peter, désignant le dessin d'un bosquet de fougères arborescentes qui ressemblait à leur environnement. Nous ne sommes pas loin de la station Bravo. – Il regarda le ciel et nota que la lumière baissait. L'après-midi tirait à sa fin. – On devrait y arriver avant la nuit. Espérons qu'elle sera intacte.

Il prit à la boussole le relèvement d'un palmier qui se détachait au loin dans la bonne direction. Ils repartirent chargés des deux gros sacs. Ils s'arrêtaient régulièrement pour humer l'air et tendre l'oreille, à l'affût des fourmis. Chaque fois qu'ils en croisaient une, ils savaient qu'il y en avait d'autres, pas loin. Mais tant qu'ils s'en éloignaient rapidement, elles n'avaient pas le temps de s'intéresser à eux. Le gros danger, c'étaient les entrées de fourmilières. Alors que le soleil descendait, les ombres s'épaississaient sur le sol de la forêt. Et Peter craignait plus que jamais les mauvaises rencontres. Enfin, jusque-là, tout allait bien.

— Stop !

Peter fixait un ilihia qui se dressait sur le sol tel

un arbre miniature : la tige portait trois marques en forme de V avec, au-dessus, un X à la peinture orange.

C'était une balise.

Ils avaient trouvé un chemin.

Peter avança de quelques pas et aperçut un nouveau X peint à la bombe sur un rocher. La piste continuait ainsi ; rien ne l'indiquait sur le sol en dehors des marques qui la jalonnaient.

Quelques minutes plus tard, il s'arrêta au bord d'un gros trou. La terre avait été creusée et retournée. Et, tout autour, des empreintes géantes creusaient de véritables piscines dans la boue. Peter consulta sa carte.

— Nous sommes à la station Bravo. Sauf qu'il n'y a plus de station.

Les empreintes ne laissaient aucun doute. Quelqu'un était venu déterrer le bunker et l'avait emporté.

Karen King retira son sac à dos et s'assit près du trou.

— Nous devons envisager le pire, dit-elle en s'essuyant le front. C'est l'œuvre de Vin Drake. Ce qui veut dire qu'il nous sait ou nous croit toujours vivants. Et qu'il a décidé de nous retirer tous les moyens de survie.

— Et qu'il s'est peut-être aussi lancé à notre poursuite, ajouta Peter.

— Mais comment pourrait-il nous retrouver ? demanda Rick.

C'était une bonne question. Leurs corps de douze millimètres n'étaient guère repérables par une personne de taille normale.

— En tout cas, le silence radio est impératif désormais, décréta Peter.

La station ayant disparu, ils n'avaient aucun endroit pour se cacher pendant les heures d'obscurité. Le soleil se couchait et, sous les tropiques, la nuit descend vite.

— Je vous rappelle que la majorité des insectes sortent la nuit, pas le jour, remarqua Erika, de plus en plus inquiète. Et que la plupart d'entre eux sont des prédateurs.

246

— Il va falloir bivouaquer, conclut Peter. Nous allons construire un fort.

Non loin de là, l'hexapode avançait rapidement sur le sol de la forêt. Accompagné par le geignement plaintif de ses moteurs, ses six pattes animées d'une énergie sans limite, il escaladait les cailloux et écartait les feuilles sur son passage, inlassablement.

C'était Johnstone qui le conduisait, une main enfoncée dans une manette de contrôle en forme de gant, les yeux rivés sur les informations qui s'affichaient. Elles lui indiquaient les niveaux de puissance que les servomoteurs délivraient aux six pattes du véhicule. Telius, assis à côté de lui dans le cockpit ouvert, scrutait la jungle de droite à gauche et de haut en bas. Les deux hommes portaient une armure intégrale.

L'hexapode, motorisé par une micropile au lithium nanolaminé, disposait d'une grande autonomie et de beaucoup de puissance. Les véhicules classiques étaient mal adaptés au micromonde : ils se retrouvaient vite bloqués, avec les roues tournant dans le vide. Et ils ne pouvaient pas escalader les obstacles non plus. Les ingénieurs de Nanigen avaient donc préféré copier les insectes. Cette conformation était parfaite.

L'engin arriva devant un trou.

— Stop ! dit Telius.

Johnstone immobilisa le véhicule et inspecta la cavité.

— C'est Echo.

— C'était, corrigea Telius.

Les deux hommes sautèrent de l'hexapode dans un cliquètement d'armure et atterrirent avec agilité sur leurs pieds. Ils avaient l'habitude de se déplacer dans le micromonde et savaient comment utiliser leur force. Ils entreprirent de faire le tour de la fosse, en examinant la mousse et les mottes de terre. La pluie avait oblitéré la plupart des traces du passage des étudiants, mais il devait rester des indices, Johnstone en avait la certitude. Il était capable de pister n'importe qui n'importe où. De la mousse qui poussait sur un rocher attira son attention. Il s'approcha pour l'examiner. Elle lui arrivait à la taille. Il toucha une tige qui dépassait. Elle était pliée à angle droit, cassée, et les spores s'étaient répandues sur la mousse. Sur le duvet humide qui recouvrait l'une des spores, Telius trouva l'empreinte d'une main humaine. Quelqu'un avait brisé la tige et répandu le pollen en mettant sa main dans la spore. Plus loin, à l'abri de la pluie, sous une feuille, Telius constata que le sol avait été piétiné.

Johnstone s'agenouilla pour examiner les empreintes.

— Ils sont cinq... non, six. Ils se dirigent vers le sud-est.

— Qu'y a-t-il dans cette direction ?

— Le parking.

Johnstone plissa les yeux et sourit.

Telius le dévisagea sans comprendre.

Johnstone retira un acarien de son épaule et l'écrasa avant de le jeter au loin.

— Saleté ! Maintenant on connaît leur plan.

— Quel plan ?

— Ils cherchent un moyen de regagner Nanigen.

Il avait raison, évidemment. Telius hocha la tête et repartit. Johnstone remonta dans l'hexapode pour le suivre. Telius avançait rapidement, sautant pardessus des obstacles, à une vitesse qui se situait entre le trot d'un chien et la course de fond. Parfois, il s'arrêtait pour examiner des traces sur le sol. Leurs proies n'avaient fait aucun effort pour cacher leur passage. Elles ne pensaient pas être suivies.

Mais la nuit tombait. Telius et Johnstone connaissaient suffisamment le micromonde pour savoir qu'il était temps de s'arrêter. On ne se déplaçait jamais de nuit. Quoi qu'il arrive.

Ils immobilisèrent l'hexapode. Johnstone tendit

un câble électrifié autour du véhicule à hauteur de poitrine pendant que Telius creusait un terrier en dessous. Ils branchèrent le câble sur le condensateur. Tout animal qui le toucherait recevrait une forte décharge. Puis ils se tapirent dans leur tanière, assis dos à dos, leur carabine Express chargée à côté d'eux, sur le qui-vive.

Telius se renversa en arrière et mit une pincée de tabac à priser sous sa lèvre. Johnstone avait emporté le localisateur radio avec lui afin de capter d'éventuelles transmissions pendant la nuit. Il n'était pas inquiet. C'était sa dixième expédition dans le micromonde et il savait ce qu'il faisait. Il mit le localisateur en marche et regarda l'écran, à la recherche de signaux sur la bande des soixante-dix mégahertz, la fréquence utilisée par les talkies-walkies. Aucun signe d'activité.

— Ils n'ont peut-être même pas de radio, dit-il à Telius.

Telius lui répondit par un grognement et cracha un jet de tabac.

Ils mangèrent des repas conditionnés, puis allèrent uriner séparément, en se couvrant à tour de rôle, au cas où une bestiole les attaquerait malgré le fil électrifié. Ces saloperies avaient le don de vous repérer dès que vous alliez pisser.

Ensuite, ils se répartirent les tours de garde, l'un veillant pendant que l'autre dormait.

Les yeux au ras du sol, Johnstone n'en revenait pas de tout ce qui grouillait la nuit dans cet univers ! À travers ses lunettes infrarouges, il voyait ces petites créatures vaquer inlassablement à leurs maudites occupations ; des bestioles, un million de bestioles, qui couraient partout. Il ne savait pas ce que c'était. Elles se ressemblaient toutes. Tant que ce n'étaient pas des prédateurs ! Il chercha la forme chaude d'un rongeur. Il avait envie de tirer du gros gibier ce soir. Descendre une souris avec une .600 Express, c'était aussi bon que d'abattre un buffle, comme il avait eu l'occasion de le faire à plusieurs reprises en Afrique.

— J'aimerais bien dégommer une souris, dit-il. Ça serait marrant !

Telius grogna.

— Tout ce que je demande, c'est de ne pas croiser une de ces saloperies de scolos ! ajouta John-stone.

22.

Non loin de la station Bravo
29 octobre, 18 heures

Les six étudiants survivants choisirent une butte
de terre à la base d'un petit arbre, un ohia en pleine
floraison qui brillait de toutes ses fleurs rouges dans la
lumière déclinante. Ainsi, ils seraient à l'abri des inon-
dations s'il pleuvait pendant la nuit.

— On devrait construire une palissade, suggéra
Peter.

Ils rassemblèrent des brindilles et des tiges
d'herbe sèches et les débitèrent en poteaux qu'ils plantèrent côte à côte dans le sol. Ils formèrent ainsi une
clôture de pieux acérés qu'ils inclinèrent vers l'extérieur et dans laquelle ils aménagèrent une ouverture
en zigzag difficile à franchir et ne laissant passer
qu'une personne à la fois. Ils continuèrent à renforcer
leur abri tant que la lumière le leur permit. Puis ils
tirèrent à l'intérieur des feuilles mortes qui feraient
office de toit. Elles les protégeraient de la pluie tout
en les dissimulant aux yeux des prédateurs volants.

Ils étalèrent également des feuilles sur le sol pour
s'isoler de la terre qui grouillait de petits vers. Ils
découpèrent la tente et étendirent cette bâche improvisée sur ce matelas afin d'être au sec et de rendre leur
couche un peu plus confortable.

Ils avaient bâti un fort.

Karen sortit son vaporisateur de benzoquinone. Il était presque vide, elle en avait utilisé une grande partie lors de leur combat contre les fourmis.

— Si on est attaqués, on aura quand même de quoi faire une ou deux vaporisations.

— Me voilà rassuré, ironisa Danny.

Rick prit le harpon et en trempa la pointe dans le pot de curare. Puis il l'appuya contre la palissade, prêt à servir.

— Il faut organiser un tour de garde, décida Peter. Nous changerons toutes les deux heures.

Ils hésitèrent à faire un feu. Quand on se retrouve perdu en pleine nature de nuit, dans le monde normal, le feu vous tient chaud et vous protège des bêtes féroces. Mais pas dans le micromonde, ainsi que le souligna Erika Moll :

— Les insectes aiment la lumière. Le feu risque d'attirer les prédateurs à des centaines de mètres à la ronde. Et je vous conseille de ne pas utiliser les lampes frontales pour la même raison.

Ce qui signifiait qu'ils passeraient la nuit dans l'obscurité la plus totale.

Alors que le crépuscule cédait la place aux ténèbres et que les couleurs se fondaient en un camaïeu de gris et de noir, ils entendirent un crépitement sourd qui se rapprochait, comme si une foule de pieds martelaient le sol.

— Qu'est-ce que c'est ? demanda Danny d'une voix chevrotante.

Un troupeau d'animaux délicats et fantomatiques passa devant leur camp. C'étaient des créatures à huit pattes d'une longueur incroyable. À l'échelle des étudiants, elles faisaient des enjambées de cinq mètres. Sur ces échasses était perché un corps ovale en forme de pépite qui arborait deux yeux vifs. Les insectes se déplaçaient en tapotant le sol à la recherche de nourriture.

— Des araignées géantes ! souffla Danny entre ses dents.

— Ce ne sont pas des araignées, ce sont des opilions, corrigea Karen.

— C'est-à-dire ?

— Ce sont des faucheux, des cousins des araignées. Ils sont inoffensifs.

— Les faucheux sont venimeux ! affirma-t-il.

— Jamais de la vie ! Ils ne possèdent aucun venin. La plupart se nourrissent de champignons, de moisissures et de détritus. Je les trouve magnifiques. Pour moi, ce sont les girafes du micromonde.

— Il n'y a qu'une arachnologue pour aller imaginer un truc pareil ! railla Rick.

Le troupeau d'opilions poursuivit sa route et leur piétinement s'estompa. L'obscurité s'épaissit et envahit la forêt comme une marée montante. Les bruits changèrent. Toute une nouvelle série de créatures s'éveillait.

La voix de Karen sortit de l'ombre. Ils ne se distinguaient plus que faiblement.

— C'est la relève de la garde. Et la nouvelle équipe doit être affamée.

Tandis que la nuit avançait, les bruits gagnèrent en ampleur et en insistance jusqu'à devenir assourdissants. De toutes parts, de près comme de loin, leur parvenaient des crissements, des détonations, des gémissements, des tapotements, des sifflements, des plaintes, des grondements et des pulsations. Ils sentaient également des vibrations parcourir le sol, car les insectes communiquaient entre eux en martelant la terre ou d'autres surfaces. Et les étudiants ne comprenaient pas un mot de leur langage.

Ils se blottirent les uns contre les autres tandis qu'Amar prenait la première veille. Le harpon à la main, il monta sur le toit de feuilles du fort sur lequel il s'assit bien droit, aux aguets. Il huma l'air chargé de phéromones.

— Je ne sais pas ce que je sens, avoua-t-il. Tout cela m'est inconnu.

Il se demanda alors comment ils avaient pu conserver leur odorat intact alors que leur corps avait été réduit au centième de sa taille. On pouvait en déduire que leurs atomes étaient cent fois plus petits, eux aussi. Dans ce cas, comment ces minuscules atomes pouvaient-ils dialoguer avec les atomes géants de l'environnement ? Ses camarades et lui auraient dû être incapables de sentir quoi que ce soit. Et même de percevoir un goût quelconque. En fait, comment pouvaient-ils respirer ? Comment les micromolécules d'hémoglobine de leurs globules rouges pouvaient-elles capturer les molécules géantes d'oxygène qui se trouvaient dans l'air qu'ils respiraient ?

— C'est invraisemblable ! lança-t-il aux autres. Comment nos minuscules atomes peuvent-ils interagir avec les atomes de taille normale de notre environnement ? Comment pouvons-nous encore sentir ? Percevoir les goûts ? Comment notre sang réussit-il à retenir l'oxygène ? Nous devrions être morts.

Personne ne trouva d'explication.

— Kinsky connaissait peut-être la réponse, dit Rick.

— Pas sûr, murmura Peter. J'ai comme dans l'idée que Nanigen ne maîtrise pas très bien sa propre technologie.

Rick pensait beaucoup aux microbulles. Il inspectait secrètement ses bras et ses mains à la recherche d'hématomes. Il n'avait toujours rien remarqué.

— Les microbulles sont peut-être provoquées par les discordances dans la taille des atomes, suggéra-t-il. Peut-être qu'il y a un conflit entre nos petits atomes et les gros atomes qui nous entourent.

— Et les bactéries que nous avons dans le ventre ? continua Amar en enlevant délicatement un acarien qui escaladait sa chemise. Nous en possédons des centaines de millions de millions. Elles ont été réduites, elles aussi ?

Ils n'en avaient aucune idée.

— Et que se passera-t-il si nos bactéries superminuscules se répandent dans cet écosystème ?

— Peut-être qu'elles mourront des microbulles, elles aussi, répondit Rick.

Une lueur argentée éclaira faiblement la forêt tandis que la lune s'élevait dans le ciel. Alors retentit une longue plainte sinistre qui se répercuta sous les arbres.

Pou... iii... hoo... hoo...

— Mon Dieu, qu'est-ce que c'est ? demanda une voix.

— Je crois que c'est une chouette. Seulement nous l'entendons à une fréquence plus basse.

Le hululement résonna de nouveau au sommet d'un arbre, telle une menace de mort. Ils sentaient planer la présence létale du rapace au-dessus d'eux.

— Je commence à comprendre ce que ressentent les souris, murmura Erika.

Le hululement cessa et une paire d'ailes sinistres traversa la canopée sans un son. La chouette avait des proies plus grosses à attraper. Elle ne s'intéressait pas à du menu fretin comme les micro-humains.

Soudain, une secousse suivie d'un grondement et d'un bruissement les ébranla tandis que le sol se soulevait.

Danny se leva d'un bond.

— Il y a quelque chose sous nos pieds !

Le sol s'ouvrit juste en dessous de lui et il vacilla d'avant en arrière comme s'il se trouvait sur le pont d'un navire ballotté par les vagues. Ses compagnons s'égaillèrent dans toutes les directions en sortant leurs machettes ; ils se précipitèrent en désordre vers la palissade sans savoir s'ils devaient s'enfuir ou attendre de voir la menace se matérialiser. Amar saisit le harpon et le brandit au-dessus de sa tête, le cœur cognant dans sa poitrine. Il était prêt à tuer. Il le savait.

Surgit alors des entrailles de la terre un cylindre

brun rosâtre d'une taille stupéfiante. Danny hurla. Amar s'apprêtait à transpercer l'animal de son harpon quand il baissa brusquement son arme.

— C'est juste un ver de terre, les gars !

Jamais il ne ferait du mal à ce paisible animal s'il pouvait l'éviter. Ce ver se contentait de fouiller la terre à la recherche de sa nourriture et ne représentait aucun danger pour eux.

Mais leur vue déplut au lombric. Il se rétracta et replongea dans le sol tel un bulldozer, en faisant trembler la palissade.

La lune continuait à monter et les chauves-souris sortirent. Les étudiants entendirent alors des sifflements stridents, des bruits saccadés et des vrombissements s'entrecroiser au-dessus de leurs têtes. Ils furent surpris de percevoir les bruits étranges qu'elles émettaient pour traquer leur proie. Ces ultrasons trop aigus pour l'oreille humaine normale résonnaient dans le micromonde comme le sonar d'un sous-marin sondant les profondeurs.

Ils entendirent ainsi une chauve-souris fondre sur un papillon de nuit et le tuer. L'attaque commença par une lente succession de *ping*. Peu à peu, ceux-ci se rapprochèrent et augmentèrent d'intensité.

Erika expliqua ce qui se passait.

— La chauve-souris balaie sa proie avec son sonar. Elle bombarde le papillon d'ultrasons et analyse les échos qui lui reviennent. Ils lui indiquent sa situation, sa taille, sa forme et sa direction. Les *ping* se succèdent plus rapidement au fur et à mesure que la chauve-souris se rapproche du papillon. Mais souvent celui-ci se défend en émettant un tambourinement sourd. Les papillons ont une ouïe excellente.

Le papillon avait effectivement entendu le sonar, car il commença à produire des sons défensifs : des roulements de tambour montèrent des timbales situées sur son abdomen. Ces sons pouvaient perturber le sonar de la chauve-souris ou la chauve-souris elle-même et l'empêcher ainsi de le repérer.

— Et quand ce martèlement cesse brusquement, c'est que la chauve-souris a mangé le papillon, conclut Erika.

Ils suivirent, presque hypnotisés, les *ping* qui résonnaient au-dessus de leurs têtes. Puis une chauve-souris passa au ras de leur fort dans un bruissement de velours et son sonar fit tinter leurs oreilles.

— Ce monde me fiche une trouille pas possible et pourtant je suis contente d'être là ! remarqua Karen King. Je dois être cinglée.

— En tout cas, on ne s'ennuie pas, lâcha Rick.

— Qu'est-ce j'aimerais une bonne flambée ! murmura Erika.

— Impossible ! lui rappela Peter. Elle signalerait notre présence à tous les prédateurs.

Bien qu'elle l'ait elle-même déconseillé, Erika aspirait de toute son âme à un petit feu pétillant et réconfortant, symbole, depuis la nuit des temps, de sécurité, de nourriture et de foyer pour l'espèce humaine. Mais seuls l'entouraient l'obscurité, le froid et des sons effrayants. Elle remarqua alors le bruit sourd des pulsations sur sa gorge et aussi la sécheresse de sa bouche. Elle n'avait jamais été aussi terrifiée de sa vie. Tout son instinct lui criait de fuir, alors même que sa raison lui disait que courir aveuglément dans cette jungle géante en pleine nuit la conduirait à une mort certaine. Il valait mieux ne pas bouger et se taire, mais elle avait de plus en plus de mal à contrôler sa terreur viscérale de l'obscurité.

Tous avaient l'impression que les ténèbres les engloutissaient et les observaient.

— Qu'est-ce que je ne donnerais pas pour avoir de la lumière ! chuchota-t-elle. Juste une toute petite lumière. Ça me ferait tellement de bien !

Peter posa sa main sur la sienne.

— N'aie pas peur, Erika.

Elle se mit à pleurer en silence, agrippée à cette main secourable.

Amar s'assit, le harpon sur les genoux. Il remit à tâtons une couche de curare sur la pointe, en espérant qu'il n'allait pas se couper. Peter affûta sa machette avec l'aiguisoir. Des *swip, cling* ponctuaient ses mouvements. Les autres dormaient ou, du moins, essayaient.

Les sons changeaient. Puis une chape de silence les enveloppa, un calme qui réveilla les dormeurs. Ils tendirent l'oreille. Cette tranquillité leur paraissait pire que n'importe quel bruit.

— Que se passe-t-il ? demanda Rick.

— Prenez vos armes, les pressa Peter à voix basse.

Un cliquetis. Les machettes furent saisies et brandies, prêtes à frapper.

Soudain leur parvint un étrange chuintement qui semblait provenir de plusieurs endroits à la fois. Et il se rapprochait.

— Qu'est-ce que c'est ?

— On dirait une respiration.

— C'est peut-être une souris.

— Non, c'est pas une souris.

— En tout cas, ça a des poumons.

— Ouais, beaucoup trop de poumons.

— Préparez vos lampes, ordonna Peter. Vous les allumerez à mon signal.

— C'est quoi cette odeur ?

Une senteur âcre de moisi emplit l'air et devint si épaisse qu'elle leur donna l'impression de recouvrir leur peau comme de l'huile.

— C'est du venin, répondit Peter.

— Quel genre ? demanda vivement Karen.

Peter essaya de se remémorer les odeurs des différents venins qu'il connaissait.

— Aucune id...

Une masse imposante et lourde surgit brusquement dans des craquements assourdissants.

— Lumières ! beugla Peter.

Plusieurs lampes frontales s'allumèrent et leurs faisceaux convergèrent sur un énorme mille-pattes qui fondait sur eux. Il arborait une tête rouge sang sertie de quatre yeux avec, en dessous, une paire de crochets béants écarlates à pointes noires qui entourait une bouche complexe. Il se déplaçait sur quarante pattes qui ondulaient par vagues et tout son corps était couvert d'une armure segmentée acajou. C'était une scolopendre géante d'Hawaii, l'un des plus gros mille-pattes vivants sur terre !

23.

La ravine des Fougères
30 octobre, 2 heures

Ils détalèrent en hurlant alors que la scolopendre pulvérisait la palissade dans une pluie de petit bois. Elle possédait un puissant odorat et c'était l'odeur des humains qui l'avait mise sur leur piste. Heureusement, elle prit le lit de feuilles pour sa proie et planta ses crochets dedans. Avec une vitesse stupéfiante, elle s'enroula dessus tandis que des litres de venin jaillissaient de ses crochets dans un jet d'éclaboussures et emplissaient l'air d'une odeur fétide. Chacune de ses pattes se terminait par des griffes chargées de venin et capables de piquer. Et la scolopendre se mit à marteler le sol de ces quarante pattes dégoulinantes de poison.

Amar se tenait sur le toit de feuilles lorsqu'elle avait chargé. Quand celui-ci s'effondra, il tomba entre ses anneaux.

Il se jeta à plat ventre sur le sol en essayant de se protéger de son mieux.

— Méfie-toi des pattes ! hurla Karen qui connaissait l'anatomie du monstre. Elles possèdent des barbillons empoisonnés.

Amar roula sur lui-même et se mit à ramper entre les griffes qui piétinaient fiévreusement le sol.

— Amar !

Persuadé que son ami allait se faire piquer, Peter se précipita sur la scolopendre et la frappa à coups de machette pour l'écarter, mais la lame rebondit sur l'armure sans l'entailler. Dans un concert de cris et un entrecroisement de lampes frontales, les autres attaquèrent à leur tour pour détourner l'attention du monstre et permettre à Amar de s'enfuir. Karen la vaporisa de benzos sans que cela paraisse la déranger.

Soudain, la scolopendre lâcha le lit de feuilles et hocha la tête en claquant ses pinces buccales à la recherche d'une proie. Elle avait une mauvaise vue, mais détectait les odeurs grâce à ses deux antennes qu'elle agitait en tous sens. L'une frappa Karen et la projeta contre la palissade.

La scolopendre pivota brusquement vers cette nouvelle proie.

Amar en profita pour s'éloigner en roulant sur lui-même. Il se releva péniblement, toujours armé de son harpon, et revint à la charge.

— Héééé !

Comme le mille-pattes ignorait ses hurlements, Amar sauta sur son dos et, debout en équilibre sur sa carapace, leva le harpon.

— Vise le cœur ! cria Karen voyant qu'il cherchait où frapper.

Mais dans lequel de ces nombreux segments se trouvait son cœur, Amar n'en avait aucune idée.

— Où est-il ?

— Quatrième segment !

Amar compta quatre segments à partir de la tête mais hésita brièvement au moment de frapper. Il y avait quelque chose de magnifique dans cette créature. Ce court instant permit à la scolopendre d'arquer le dos. Déséquilibré, Amar eut juste le temps d'y planter son harpon avant de rouler sur le sol à côté de la scolopendre qui se tordait sur elle-même en claquant des mandibules. C'est alors que la pointe d'un de ses crochets déchira la chemise d'Amar et l'aspergea de venin.

Il se recroquevilla en gémissant de douleur, la poitrine comme dévorée par des flammes. La scolopendre se tortillait de plus belle, le harpon toujours planté dans son dos. Rick et Karen se précipitèrent pour tirer Amar à l'écart alors qu'elle se roulait et se déroulait en sifflant.

— Grimpez ! hurla Karen. Les scolos ne montent pas aux arbres.

Leur campement se trouvait au pied d'un arbre couvert de mousse. Ils s'y agrippèrent des pieds et des mains et, la gravité étant moins forte dans le micro-monde, se hissèrent sans aucun mal. Amar voulut les imiter, mais la douleur le privait de ses forces. Peter le prit sous les aisselles et le souleva en veillant à ne pas toucher sa blessure. À une soixantaine de centimètres du sol, les étudiants découvrirent une sorte de grotte creusée dans la mousse et s'y réfugièrent. Ils regardèrent ensuite ce qui se passait en bas.

La scolopendre quittait les ruines du fort avec le harpon qui oscillait sur son dos. Ils l'entendaient siffler. Elle n'alla pas loin. Elle s'arrêta dans un dernier râle. Amar lui avait porté un coup fatal. Le curare de Rick venait de prouver son efficacité.

Tapis dans cette grotte de mousse, hors d'atteinte des scolopendres, ils éteignirent leurs lampes frontales. Amar se débattait, fou de douleur, entre Peter et Karen qui le maintenaient tout en essayant de le calmer. En état de choc, Amar transpirait à grosses gouttes, alors que sa température chutait rapidement et que sa peau moite devenait glaciale.

Ils l'enveloppèrent dans la couverture de survie et l'examinèrent à la lueur d'une lampe. Le crochet du mille-pattes lui avait ouvert le torse jusqu'à l'os. Il avait perdu beaucoup de sang et du venin avait inondé sa blessure. Il n'y avait aucun moyen de savoir quelle quantité il en avait absorbé ni quel effet cela aurait sur lui.

262

La respiration courte et saccadée, Amar se débattait et les repoussait dans son délire.

— Ça brûle...

— Amar, écoute-moi, dit Peter. Tu as été envenimé.

— Il faut s'en aller d'ici !

— Tu dois rester tranquille.

— Non, protesta Amar en se débattant de plus belle. Il est là ! Il arrive !

— De quoi parles-tu ?

— Nous allons mourir ! hurla Amar avant d'essayer encore de leur échapper.

Ils le retinrent tout en essayant de le raisonner.

Le venin des scolopendres n'avait guère été étudié par les scientifiques. Il n'existait ni antivenin ni antidote, Peter le savait. Et il craignait qu'Amar ne fasse un arrêt respiratoire. Certains symptômes de l'envenimement par les scolopendres ressemblaient à ceux de la rage. Amar subissait des accès d'hyperesthésie pendant lesquels il ressentait tout avec beaucoup trop d'intensité. Le moindre bruit lui était insupportable ; le moindre effleurement sur sa peau le hérissait et il repoussait sans cesse la couverture de survie.

— Ça brûle, ça brûle ! répétait-il inlassablement.

Peter ralluma la lampe pour l'examiner de nouveau.

— Éteins ! s'écria-t-il aussitôt en agitant les bras.

Agressés par la lumière, ses yeux se remplirent de larmes qui ruisselèrent sur son visage sans qu'il pleure. Mais le plus impressionnant, c'était le sentiment de mort imminente qui s'était emparé de lui. Il croyait dur comme fer que quelque chose de terrible allait arriver.

— Il faut partir d'ici ! hurlait-il. Il arrive. Il est là !

Cependant, il était incapable de dire de quoi il s'agissait.

— Fuyez ! brailla-t-il brusquement avant de ramper vers l'entrée de la grotte pour s'échapper.

Peter et les autres durent le retenir par les bras et les jambes pour l'empêcher de sauter dans les ténèbres.

Amar continua longtemps à délirer et à se débattre mais, au petit jour, il finit par se calmer et parut se stabiliser. Ou peut-être était-il tout simplement épuisé. Peter prit cela comme un bon présage. Il espérait qu'il avait passé le cap.

— Je vais mourir, chuchota alors Amar.

— Pas du tout. Accroche-toi !

— J'ai perdu la foi. Quand j'étais petit, je croyais à la réincarnation. À présent, je sais qu'il n'y a rien après la mort.

— C'est le venin qui te fait dire ça, Amar.

— J'ai fait du mal à tant de monde dans ma vie ! Et je ne peux plus le réparer.

— Arrête, Amar. Tu n'as jamais fait de mal à personne, protesta Peter d'une voix qu'il espérait convaincante.

Tout cela se déroulait dans l'obscurité, car ils n'osaient pas allumer leurs lampes. Erika avait toujours eu très peur du noir quand elle était petite et sa phobie la reprit en entendant Amar délirer. Touchée plus que les autres par sa souffrance, elle se mit à pleurer sans pouvoir s'arrêter.

— Quelqu'un pourrait la faire taire, s'il vous plaît ? gémit Danny. C'est déjà assez pénible qu'Amar pète les plombs sans qu'elle nous fasse en plus une crise de nerfs !

Il s'était remis à se frotter le nez et à passer les doigts sur son visage. Peter voyait bien qu'il n'allait pas très fort, lui non plus, mais il devait s'occuper d'Erika. Il la serra dans ses bras et lui caressa les cheveux. Même s'ils avaient été amants, il ne s'agissait pas d'un geste d'amour mais de survie. Un geste pour l'empêcher de craquer et de mourir.

— Tout va s'arranger, affirma-t-il en lui pressant la main.

Erika commença à réciter le Notre Père.

— *Vater unser im Himmel...*

— Elle appelle Dieu au secours quand la science la laisse tomber, lâcha Danny.

— Qu'est-ce que t'y connais à Dieu ? l'interpella Rick.

— Au moins autant que toi, Rick.

Les autres essayaient de se reposer. La mousse était chaude et douce et le combat les avait épuisés. Aucun d'entre eux ne voulait dormir, pourtant le sommeil les prit doucement dans ses bras.

Chinatown, Honolulu
30 octobre, 11 h 30

Le lieutenant Dan Watanabe était attablé dans un restaurant du centre d'Honolulu, le Deluxe Plate, un Spam musubi à la main. Il s'agissait d'un sushi fait d'une boulette de riz sauté parfumée d'un morceau de Spam et enveloppée d'une feuille d'algue. Watanabe prit une bouchée. L'algue, le riz sauté et le porc salé dégagèrent sous son palais un goût inimitable qu'on ne trouvait qu'à Hawaii.

Il le savoura lentement. Pendant la Seconde Guerre mondiale, des cargaisons entières de Spam avaient été envoyées dans l'archipel pour nourrir les troupes. C'était le Spam qui avait fait gagner la guerre aux soldats américains. Oui, à eux deux, le Spam et la bombe atomique avaient assuré la victoire aux États-Unis. De ce jour, les Hawaiiens s'étaient pris d'une passion pour le porc en boîte, un amour qui ne les avait plus quittés. Dan Watanabe pensait que le Spam stimulait la réflexion et il croyait fermement qu'il l'aidait à résoudre certaines affaires.

Pour le moment, il était préoccupé par la disparition de la directrice de Nanigen. Son directeur, Eric Jansen, s'était apparemment noyé à la pointe Makapuu quand son bateau était tombé en panne avant de se retourner dans le ressac. Toujours est-il que son corps n'avait pas été retrouvé. Les nombreux requins blancs qui croisaient dans le canal de Molokai l'avaient peut-être dévoré. Mais, plus vraisemblablement, le corps aurait dû se faire rejeter par les courants et les vents dominants aux alentours de Koko Head. Au lieu de quoi, il avait disparu. Peu de temps après, le frère d'Eric, Peter Jansen, était arrivé à Hawaii.

Et il avait disparu à son tour.

La police d'Honolulu avait reçu un appel de Donald Makele, le chef de la sécurité de Nanigen, leur signalant la disparition de sept étudiants du Massachusetts et d'une directrice de la société nommée Alyson Bender. Peter Jansen était au nombre de ces étudiants venus se faire embaucher par Nanigen. Les huit, en comptant la jeune femme, étaient partis ensemble, un soir, faire la fête et on ne les avait jamais revus.

L'appel de Don Makele avait été enregistré par le service des personnes disparues de la police d'Honolulu. Un rapport avait été rédigé et il avait atterri dans *Les Nouvelles du jour*, le bulletin interne qui circulait chaque matin dans le service. Watanabe l'avait découvert par hasard en lisant la chronique. Ça faisait donc deux directeurs de Nanigen qui disparaissaient, plus sept étudiants.

Soit au total neuf personnes ayant toutes un rapport avec Nanigen.

Bien sûr, il arrivait que des gens disparaissent à Hawaii, surtout de jeunes touristes. Le surf pouvait être très dangereux. Ou ils prenaient une cuite ou se shootaient tellement au cannabis qu'ils en oubliaient leur nom. Ils sautaient dans un avion pour Kauai et revenaient à pied par la côte de Na Pali sans avoir prévenu qui que ce soit. Mais comment expliquer que neuf personnes, plus ou moins liées à Nanigen et venues d'horizons différents, aient pu se volatiliser de la sorte ?

Dan Watanabe but une gorgée de café noir et finit son sushi. À sa curiosité professionnelle se mêlait un pressentiment désagréable. Il flairait quelque chose de louche. Une affaire criminelle.

— Je vous ressers ? proposa Misty, la serveuse, qui tenait une cafetière à la main.

— Merci.

C'était du Kona, un arabica suffisamment fort pour vous tenir à cran tout l'après-midi.

— Un dessert, Dan ? Nous avons du *haupia*.

Watanabe se tapota l'estomac.

— Oh, non, merci, Misty. J'ai eu plus que ma ration de Spam.

Misty laissa l'addition sur la table. Watanabe se tourna vers la fenêtre. Une vieille Chinoise passait sur le trottoir en tirant un caddie chargé de commissions d'où dépassait la queue d'un poisson roulé dans un journal. Au passage d'un nuage la rue s'obscurcit, plongeant les piétons dans l'ombre. Puis le soleil revint, bientôt caché par un autre nuage. Comme d'habitude, les alizés faisaient la pluie et le beau temps sur Oahu. Les grains et le soleil alternaient constamment sur l'île et, quand on regardait les montagnes, on y voyait souvent des arcs-en-ciel.

Il chaussa ses lunettes noires et repartit d'un pas nonchalant vers le poste de police, tout en essayant de déloger avec sa langue un morceau de Spam coincé entre ses molaires.

Oui, sa décision était prise.

Il allait enquêter sur Nanigen.

Discrètement.

C'était un sujet sensible. Nanigen était une riche société avec à sa tête un P-DG très en vue. Elle avait peut-être des soutiens politiques, allez savoir... En outre cette affaire empiéterait sur le temps qu'il devait consacrer à l'enquête sur les morts étranges de l'avocat Willy Fong, du détective privé Marcos Rodriguez et d'un jeune Asiatique non identifié. Les trois victimes, couvertes de coupures, s'étaient vidées de leur sang alors qu'elles étaient enfermées à clé dans le bureau de Fong. Tant pis, le casse-tête Willy Fong, comme il se plaisait à l'appeler, devrait attendre. De toute façon, il n'avançait pas.

Arrivé au commissariat, il passa par le bureau de son chef, Marty Kalama.

— J'aimerais m'occuper des disparitions de Nanigen.

— Pourquoi ? demanda Kalama en clignant des yeux.

Watanabe savait que Kalama ne remettait pas ses méthodes en question. Il voulait juste savoir ce qu'il avait à l'esprit, à quelles conclusions il était arrivé.

— Je vais attendre encore un peu, au cas où ces étudiants réapparaîtraient. Sinon, je réunirai une équipe de recherche. Mais pour le moment, j'aimerais bien enquêter tout seul de mon côté. Discrètement.

— Tu as des soupçons ?

— Encore rien de précis, mais il y a plusieurs choses qui ne collent pas.

— Explique-toi.

— Peter Jansen. Quand je lui ai montré la vidéo de la noyade de son frère, il a eu l'air de reconnaître une fille parmi les témoins. Pourtant, il m'a soutenu qu'il ne l'avait jamais vue. Je suis sûr qu'il mentait. Ensuite, quand j'ai envoyé deux de mes hommes à Nanigen chercher des infos sur Eric Jansen, le directeur qui s'est noyé, ils ont été reçus par le P-DG, un certain Drake qui s'est montré poli, sans plus. Et mes gars l'ont trouvé nerveux, comme s'il n'avait pas la conscience tranquille.

— Peut-être que M... euh...

— Drake.

— Peut-être que M. Drake était bouleversé par la perte de son directeur.

— Il avait plutôt l'air d'un type qui cache un cadavre dans son coffre.

Marty Kalama cligna de nouveau des yeux derrière ses lunettes à monture invisible.

— Dan, je ne vois pas de preuve tangible dans tout ça.

Watanabe se tapota le ventre.

— Je le sens dans mes tripes. C'est mon Spam qui parle.

Kalama hocha la tête.

— Sois prudent.

— Pourquoi ?

— Tu sais ce que fait Nanigen, non ?

Watanabe laissa échapper un sourire penaud. Il ne s'était même pas renseigné sur leurs activités.

— Ils fabriquent de petits robots, expliqua Kalama. Vraiment tout petits.

— Bien. Et alors ?

— Ce genre de société a souvent des contrats avec le gouvernement. Ça craint !

— Vous savez quelque chose sur eux ?

— Je ne suis qu'un flic. Et les flics ne savent jamais rien.

— Je vous tiendrai en dehors de ça, répondit gaiement Watanabe.

— T'as pas intérêt ! Allez, dégage !

Kalama retira ses lunettes et se mit à les nettoyer avec un Kleenex, tout en suivant du regard Watanabe qui repartait. Ce type tranquille et intelligent était un de ses meilleurs limiers. C'étaient ceux-là qui créaient le plus d'ennuis. Et le problème avec les ennuis, c'était que Marty Kalama les adorait.

25.

La ravine des Fougères
30 octobre, 7 heures

Le matin arriva. Les six survivants s'éveillèrent au creux de la poche de mousse accrochée au tronc d'un arbre perdu quelque part sur les flancs du Koolau Pali. Les oiseaux chantaient. Ces chants qui leur semblaient lents et graves évoquaient à leurs oreilles l'appel des baleines dans l'océan.

Peter Jansen sortit la tête de leur cachette et regarda autour de lui. Il aperçut au pied de l'ohia, sur le sol, les ruines de leur fort que la scolopendre avait piétiné. Celle-ci gisait morte un peu plus loin. Les fourmis avaient déjà commencé à la débiter et à emporter de gros morceaux de sa carcasse.

Ils se trouvaient au fond d'une mer, pensa-t-il. Une mer de jungle aussi profonde qu'un océan.

Il tendit le cou vers le sommet de l'arbre. Sa tête couronnée de fleurs rouges semblait en feu.

— Il faut monter à la cime, décida-t-il.

— Pour quoi faire ? demanda Rick.

— J'aimerais voir le parking. Et vérifier qu'on va dans la bonne direction. Et avoir aussi une idée de ce qui se passe là-bas.

— Pas bête ! répondit Rick.

Peter et Rick ramenèrent leur tête à l'intérieur.

Les autres étaient blottis dans la mousse avec Amar endormi entre eux, enveloppé dans la couverture de survie. Un hématome était apparu sur le côté de son visage et s'étendait sur sa tempe gauche. Ce pouvait être aussi bien un simple bleu qu'un symptôme des microbulles. Quoi qu'il en soit, ils décidèrent que Rick veillerait sur Amar, pendant que Peter, Danny, Erika et Karen escaladeraient l'arbre. Il y avait en tout et pour tout quatre talkies-walkies. Ils en laisseraient un à Rick et emporteraient les trois autres.

— Nous devons garder le silence radio absolu sauf en cas d'urgence, recommanda Peter.

— Tu crois que quelqu'un de Nanigen pourrait être à l'écoute ? s'inquiéta Karen.

— L'émetteur ne porte qu'à une trentaine de mètres. Mais si Drake nous croit vivants, il doit surveiller les ondes. Et je le crois capable de tout.

Ils se lancèrent à l'assaut de l'arbre. Peter prit la tête vers la première fourche, en emportant l'échelle de corde trouvée dans le sac. Karen, promue au rang de chasseur de l'expédition, emporta la sarbacane de Rick, la boîte de fléchettes et le pot de curare.

L'ascension de l'arbre se révéla très facile. Des mousses et des lichens ainsi que l'écorce rugueuse offraient une multitude de prises pour les mains et les pieds. Ils étaient suffisamment forts pour s'accrocher d'une seule main ou même de quelques doigts. Et ce ne serait pas très grave s'ils tombaient. La chute ne représentait pas de réel danger. Ils atterriraient sur le sol sans se faire mal.

Ils prenaient la tête de la cordée à tour de rôle. Celui qui grimpait était assuré par le suivant avec la ceinture et la poulie. Dès qu'il avait grimpé une hauteur suffisante, il fixait l'échelle de corde à l'arbre, la déroulait et les autres le rejoignaient.

L'écorce ravinée de l'ohia foisonnait de mousses et d'hépatiques – des plantes minuscules, certaines microscopiques, même si elles avaient la taille d'arbustes à l'échelle des micro-humains. L'arbre aux feuilles arrondies et caoutchouteuses et aux branches sinueuses portait également toutes sortes de lichens frisés, en dentelle ou noueux.

Danny abandonna très vite.

— Je n'y arriverai jamais ! soupira-t-il en se laissant tomber sur une touffe de lichen chauffée par le soleil.

— Tu préfères nous attendre ici ? proposa Peter.

— À tout prendre, je préférerais me trouver au café Algiers d'Harvard Square en train de boire un espresso tout en lisant Wittgenstein, répondit-il avec un petit sourire triste.

Peter lui tendit un talkie-walkie.

— Ne nous appelle qu'en cas d'urgence.

— D'accord.

— Tout va bien se passer, le rassura Peter en posant sa main sur son épaule.

— Ça m'étonnerait, rétorqua-t-il en s'enfouissant sous un lichen bouclé.

— On n'a pas le droit de laisser tomber, Danny.

Le visage fermé, Danny s'allongea et mit le casque.

— Test... test..., répéta-t-il et sa voix craqua aux oreilles des autres. Un, deux, trois...

— Et le silence radio ? s'écria Peter.

— Vin Drake ! Au secours ! SOS. Nous sommes coincés dans un arbre ! hurla Danny dans son micro.

— Arrête !

— Je plaisantais !

— Je reçois quelque chose ! s'exclama Johnstone, les écouteurs sur les oreilles.

Il se pencha sur le localisateur de radio dans le cockpit de l'hexapode, et éclata de rire.

— Les cons ! Ils appellent Drake au secours. Ils sont dans un arbre au-dessus de nous, ajouta-t-il en tournant la tête vers la canopée.

Avec un grognement, Telius se leva et prit les

jumelles qui pendaient à son cou pour scruter les feuillages à la recherche d'un mouvement, d'un bruit. Si les espions se cachaient quelque part là-haut, ils ne seraient pas faciles à repérer.

Il ne voyait rien. Puis il tendit un doigt sans rien dire : par là !

Johnstone inclina le joystick. L'hexapode se déplaça rapidement et en douceur sur le sol, se signalant seulement par le petit gémissement qu'émettaient les moteurs des articulations des pattes.

Telius tendit le doigt vers la base d'un arbre. Un pandanus. Puis il indiqua son sommet.

Johnstone enfonça une touche. Les griffes des pieds du véhicule se rétractèrent dans leur gaine laissant la place à des coussinets couverts de poils minuscules. Des nanopoils, à l'instar de ceux que l'on trouvait sur les pieds du gecko, capables d'adhérer à n'importe quelle surface, même lisse comme le verre. L'hexapode commença à escalader le tronc. Retenus dans le cockpit par des harnais, les deux hommes ne semblaient pas incommodés par la station verticale de l'engin. De toute façon, la gravité ne les gênait pas.

Les grimpeurs atteignirent le sommet de l'ohia, Karen en tête. Elle se hissa sur la dernière fourche, marcha le long d'une branche, puis rampa jusqu'à un bouquet de feuilles exposées au soleil. Une vue magnifique s'offrit à elle. Les autres la suivirent et ils se retrouvèrent assis en rang d'oignons, balancés doucement par le vent. Les fleurs de l'ohia formaient un véritable feu d'artifice avec leurs plumeaux rouges composés d'une gerbe d'étamines écarlates. Elles diffusaient un parfum d'une douceur incroyable.

Ce perchoir fleuri donnait sur la vallée de Manoa et les crêtes environnantes. Les flancs de la montagne, couverts de verdure ou coupés de falaises, plongeaient des pitons et des défilés dans un voile de nuages. Des cascades déferlaient le long des fissures. La vallée était fermée au nord par le pic Tantalus, constitué de la crête arrondie de l'ancien cratère, et au sud-ouest, à son étroite embouchure sur la côte, par les immeubles d'Honolulu qui soulignaient l'étonnante proximité de la ville. Néanmoins, le siège de Nanigen, situé de l'autre côté de Pearl Harbor, aurait pu tout aussi bien se trouver à un million de kilomètres.

Ils aperçurent, au sud-est, la serre et le parking. Le terrain vague parsemé de flaques d'eau était vide et désert. Aucun signe de véhicules ni de personnel. On apercevait derrière le tunnel d'accès qui traversait la falaise et le portail de sécurité. Fermé.

— Il se trouve à 170° sud-sud-est, annonça Peter après avoir relevé sa position à la boussole.

Puis il consulta sa montre. Il était 9 h 30. La navette ne passerait que dans l'après-midi. Si elle venait... En tout cas, pour le moment, il n'y avait aucune trace d'activité humaine dans la vallée.

Un son fracassant retentit au-dessus de leurs têtes. Instinctivement, ils coururent se cacher sous les feuilles.

— Attention ! hurla Peter en se jetant à plat ventre sur une branche.

Un papillon passa au-dessus d'eux dans un assourdissant battement d'ailes orange, or et noir. Il piquait et tournoyait dans le soleil. On aurait dit qu'il s'amusait. Soudain, dans un grondement, il se posa sur une fleur d'ohia.

Des gouttes de nectar perlaient entre les pétales. Le papillon déroula son proboscis et le plongea profondément dans la fleur, jusqu'à ce que le bout atteigne une gouttelette. Ils entendirent des bruits de succion et d'aspiration tandis que l'insecte pompait un nombre apparemment infini de litres de nectar dans son estomac.

Peter releva lentement la tête.

— Si tu t'étais vu, Peter ! gloussa Karen. Terrorisé par un papillon !

— Tu as vu sa taille ! protesta-t-il.

Il appartenait à l'espèce des *Kamehameha*, native d'Hawaii, leur dit Erika. Alors qu'il butinait, çà et là, le vent leur apporta une odeur désagréable et amère. Le papillon était peut-être joli à regarder, mais il dégageait une horrible puanteur.

— C'est une défense chimique, expliqua Erika. Des phénols, je pense. Ses composés doivent être suffisamment amers pour faire vomir un oiseau.

Ignorant les humains, le papillon décolla de la fleur et, à puissants battements d'ailes, prit le vent qui l'emporta à toute vitesse sur des océans de courants aériens.

Le papillon venait de leur donner une information précieuse. Les fleurs dégoulinaient de sucre liquide. Juste ce qu'il leur fallait pour faire le plein d'énergie. Karen plongea dans une fleur la tête la première et enfourna à deux mains le nectar dans sa bouche.

— Faut que vous goûtiez ça, les enfants ! s'écriat-elle d'une voix empâtée par le sucre.

Elle sentait presque son corps se recharger d'énergie au fur et à mesure qu'elle absorbait le nectar.

Les autres, à leur tour, disparurent dans les fleurs pour se gaver.

Pendant qu'ils se gorgeaient de nectar, un mouvement au loin attira l'attention de Peter.

— Il y a quelqu'un qui vient !

Ils cessèrent de boire pour regarder le véhicule sur la route sinueuse qui venait d'Honolulu. C'était un gros pick-up noir. Il longea la falaise et s'arrêta devant l'entrée du tunnel. Le conducteur descendit. Peter le vit à travers ses jumelles sortir une pancarte jaune de l'arrière du pick-up et aller la fixer sur le portail.

— Il accroche un panneau.

— Qu'est-ce qu'il dit ? demanda Karen.

Peter secoua la tête.

— Je n'arrive pas à lire.

— C'est la navette ?

— Attendez !

L'homme remonta dans son véhicule et franchit le portail qui se referma derrière lui. Quelques minutes plus tard, le pick-up émergea à l'autre bout du tunnel, descendit vers la vallée et s'arrêta sur le parking. Le conducteur sortit du véhicule.

— Je crois que c'est le type qui a déterré les stations, murmura Peter. Un grand balèze en chemise hawaïenne. Et sur le pick-up, c'est écrit « SÉCURITE NANIGEN ».

— Ça n'a pas l'air d'être la navette, marmonna Karen.

— Non.

L'homme avança lentement sur le parking en scrutant le sol. Soudain, il s'agenouilla et passa la main sous un buisson de gingembre blanc.

— On dirait qu'il cherche quelque chose sur le bord du parking, continua Peter.

— Tu crois que c'est pour nous ? s'enquit Karen.

— J'en ai bien l'impression.

— Ça ne me dit rien qui vaille.

— Maintenant il parle dans un émetteur-récepteur. Oh, oh !

— Quoi ?

— Il regarde droit dans notre direction.

— Il ne peut pas nous voir ! ricana Karen.

— Il discute en tendant le doigt vers nous. On dirait qu'il sait où nous sommes.

— C'est impossible !

L'homme repartit vers l'arrière du camion et en sortit une sorte de pulvérisateur. Il le chargea sur son dos et fit le tour du parking en arrosant la végétation.

— Qu'est-ce que c'est ?

— Du poison, je parie, répondit Karen. Ils savent que nous sommes en vie. Ils ont deviné qu'on essaierait de rentrer par la navette, alors ils contaminent le parking. Maintenant, je suis sûre qu'il n'y aura plus de navette. Ils essaient de nous retenir dans cette vallée. Ils pensent que nous allons y mourir.

— On va leur prouver qu'ils se trompent, assura Peter.

— Et comment ? demanda Karen, sceptique.

— Nous allons revoir notre plan.

— Comment ?

— En allant à Tantalus.

— Tantalus ? Mais c'est de la folie, Peter !

— Pourquoi ? demanda Erika.

— Il y a une base Nanigen là-haut. Il y a peut-être encore du monde. Peut-être qu'ils nous aideront, on ne sait jamais. Et Jarel Kinsky nous a dit qu'il s'y trouvait des avions. Il a parlé de micro-avions.

— Des micro-avions ? répéta Karen.

— En fait, j'en ai déjà vu un. Et vous aussi, rappelez-vous ! Je l'avais trouvé dans la voiture de mon frère. On l'a regardé au microscope avec Amar. Il avait un cockpit et un panneau de contrôle. On pourrait peut-être en voler un pour s'enfuir.

Karen le foudroya du regard.

— C'est de la pure folie ! Tu ne sais absolument rien sur la base Tantalus.

— Je sais au moins que personne ne nous y attend, ce qui nous donnera déjà l'avantage de la surprise.

— Mais regarde la montagne, Peter ! protesta-t-elle en montrant d'un grand geste le Tantalus qui les dominait de sa grosse masse conique aux parois presque verticales couvertes de jungle. Il fait six cents mètres de haut, Peter ! Pour nous, c'est l'équivalent d'au moins sept fois l'Everest.

— Sauf que nous ne serons pas ralentis par la gravité, répliqua-t-il calmement tout en scrutant le Tantalus à travers ses jumelles. Et je crois bien que je vois le Gros Caillou, ajouta-t-il à la vue d'un énorme bloc de roche posé sur le bord du cratère. D'après la carte, la base se trouverait à son pied.

Il ne pouvait la voir à une telle·distance, mais elle devait se trouver quelques mètres plus loin.

Il sortit sa boussole et visa le Gros Caillou.

— Il se trouve au cap 330 par rapport à nous. Il suffit de suivre la boussole...

— Ça va nous prendre des semaines ! objecta Karen. Et il nous reste à tout casser deux jours avant d'être atteints par les microbulles.

— Les soldats peuvent parcourir quarante-cinq kilomètres par jour.

— Peter, nous ne sommes pas des soldats, protesta Erika.

— On peut toujours essayer, murmura Karen. Mais qu'est-ce qu'on fait pour Amar ? Il ne peut pas marcher.

— On va le porter, répondit Peter.

— Et Danny ? C'est vraiment un emmerdeur !

— Il est des nôtres. On le tiendra à l'œil, répliqua Peter d'un ton ferme.

Au même moment, un bip retentit et la radio de Peter se mit à crachouiller.

— Quand on parle du loup ! murmura Karen.

Dès que Peter mit le casque il entendit Danny hurler :

— Au secours ! Oh, mon Dieu ! À l'aide !

Danny avait fini par s'assoupir au soleil, dans les branches basses de l'arbre. La bouche ouverte, il ronflait, épuisé par la plus longue et la plus terrifiante nuit de sa vie.

Il n'entendit pas le cliquetis. Une guêpe s'était mise en vol stationnaire au-dessus de lui et l'examinait de ses yeux inexpressifs. Elle se posa et s'avança avec précaution. Doucement, elle tâta son bras gauche de son antenne, puis elle tapota sa gorge, ses joues. Sa peau, aussi pâle que douce, lui rappela celle d'une chenille. Un hôte. À l'extrémité de son abdomen pendait un long tube qui ressemblait à un tuyau d'arrosage avec, à l'extrémité, un foret pointu.

Elle prit doucement Danny entre ses pattes antérieures, planta la pointe dans son épaule et lui injecta un anesthésique. Puis elle activa le foret, enfonça profondément le tube et se mit à ahaner. Elle produisait des sons qui ressemblaient effroyablement aux halètements d'une femme en couches.

Danny rêvait. Il tenait une jolie fille dans ses bras, toute nue et pantelante de désir. Ils s'embrassèrent. Il sentit sa langue descendre sur sa gorge... il leva la tête vers elle et vit des yeux protubérants à facettes sur un visage de femme... elle le serrait et ne voulait plus le lâcher... il se réveilla en sursaut.

— Ahhh !

Son regard plongeait dans les yeux d'une guêpe géante qui l'étreignait entre ses pattes, son dard planté dans son épaule. Et il ne sentait rien. Son bras était complètement engourdi.

— Non ! hurla-t-il en tirant sur le dard à deux mains pour l'arracher.

La guêpe se dégagea au même moment et s'envola.

Danny roula sur le dos en serrant son bras contre lui.

— Aïe ! Au secours !

Son bras pendait tel un poids mort, insensible comme s'il était gorgé de novocaïne. Danny remarqua un petit orifice dans le tissu et une tache sombre qui s'étalait autour... Du sang ! Il ouvrit sa chemise d'un geste sec et vit sur son épaule un trou aussi net et rond qu'une perforation de perceuse et qui saignait à flots. Mais il n'éprouvait aucune douleur, rien.

Il attrapa le casque.

— Au secours ! Oh, mon Dieu ! À l'aide !

— C'est toi, Danny ? répondit la voix de Peter.

— J'ai été piqué. Au secours !

— Qu'est-ce qui t'a piqué ?

— Je ne le sens plus. Il est mort.

— Qu'est-ce qui est mort ?

— Mon bras. Elle était énorme..., continua-t-il d'une voix de plus en plus affolée qui grimpait dans les aigus.

— Que se passe-t-il ? demanda alors Rick depuis les profondeurs de la grotte, en bas, où il était resté avec Amar.

— Danny s'est fait piquer, répondit Peter. Danny, reste où tu es. Je te rejoins.

— Je l'ai chassée.

— C'est bien.

Danny se recroquevilla pour ne plus voir son épaule. Le sang détrempait sa chemise. Il se tâta le front. Avait-il de la fièvre ? Délirait-il ?

— J'suis pas empoisonné... Ça va... j'suis pas empoisonné... pas empoisonné...

Peter prit la trousse de secours et entreprit de descendre. Ce fut facile et rapide. Il lui suffisait de se suspendre d'une main sur l'autre et il lui arriva même de ne se tenir que du bout des doigts. Il trouva Danny roulé en position fœtale, le visage livide, le bras gauche inerte.

Peter écarta sa chemise et inspecta sa blessure, une petite perforation qu'il désinfecta avec un tampon de teinture d'iode. Il s'attendait à ce que cela le brûle, mais Danny ne sentit rien.

Peter chercha des signes d'envenimation. Il examina ses yeux, guettant un resserrement ou une dilatation des pupilles. Tout lui parut normal. Il prit le pouls, nota la respiration, et chercha des changements dans la couleur de sa peau ou son comportement. Danny semblait terrorisé. Peter examina son bras. La peau avait une couleur normale, pourtant le bras restait sans réaction. Il le pinça.

— Tu sens quelque chose ?

Danny secoua la tête.

— Tu as des nausées ? Des douleurs ?

— Pas empoisonné... pas empoisonné...

— Non, je ne pense pas que tu le sois.

Si cette piqûre avait été chargée de venin, Danny aurait terriblement souffert ou même serait mort. Mais ses signes vitaux restaient stables.

— Tu as dû lui faire peur. Qu'est-ce que c'était, au fait ?

— Une abeille ou une guêpe, marmonna Danny. Je ne sais pas.

Les guêpes étaient bien plus communes que les abeilles. Hawaii devait en posséder des milliers d'espèces différentes, dont la plupart n'avaient été ni nommées ni identifiées. C'était impossible de savoir quel type de guêpe avait piqué Danny, si c'en était bien une. Peter mit un pansement sur la perforation. Puis il arracha la manche de sa propre chemise pour en faire une écharpe. Il réfléchit ensuite à la façon de redescendre Danny.

— Tu te sens capable de sauter ?

— Non. Enfin, peut-être.

— On ne peut pas se faire mal.

Peter appela ensuite par radio Karen et Erika toujours perchées au sommet de l'arbre.

— Nous allons sauter en bas de l'arbre avec Danny. Vous devriez en faire autant.

Karen et Erika se penchèrent par-dessus les feuilles. Elles ne voyaient pas le sol. Karen échangea un regard avec Erika qui hocha la tête.

— C'est parti ! répondit-elle à la radio tout en vérifiant que la sarbacane était bien fixée sur son dos. Un, deux, trois...

Erika s'élança la première, Karen la suivit quelques secondes plus tard.

Une fois en chute libre, Karen écarta les bras et les jambes comme un parachutiste et se mit à planer.

— Waouh !

Elle vit Erika au-dessous d'elle qui criait. Elles glissaient tout en contrôlant leur descente. Karen bougea les bras puis les jambes et prit de l'inclinaison. Elle sentait l'air épais et doux passer sur son corps et la porter. Elle avait l'impression de faire du bodysurf, sauf qu'elle évoluait dans l'air, pas dans l'eau. Elle heurta une branche sans se faire mal et reprit de la vitesse, mais dès qu'elle étendit de nouveau les bras, elle recommença à planer dans le vent liquide entre les branches. En revanche, Erika, en contrebas, accélérait dangereusement.

Karen voulut ralentir. Elle roula de gauche à droite en étirant ses membres pour freiner sa chute.

— Waouh !

Elles fonçaient vers des feuilles... Erika disparut de sa vue... elle l'entendit hurler...

Elle traversa les feuilles à son tour... et vit une toile d'araignée tendue juste au-dessous d'elle. Erika était tombée droit dedans et rebondissait en agitant les bras et les jambes de tous côtés pour se dégager. Une araignée vert pâle attendait au bord de la toile... Une araignée-crabe... très venimeuse...

Karen s'inclina pour corriger sa trajectoire.

Tout ce qu'elle savait sur l'araignée lui revint dans un flash. Il fallait qu'elle aussi tombe dans la toile. C'était la seule façon de sauver Erika. Affronter une araignée-crabe ne lui faisait pas peur. Elle atterrit sur le bord de la toile et rebondit, collée à la soie.

À son échelle, la toile mesurait entre quinze et vingt mètres de diamètre, bien plus grande que le filet de sécurité tendu dans les cirques. En plus, elle était collante : les gouttelettes poisseuses qui enduisaient les fils tendus entre les rayons traversaient ses vêtements et la rivaient à la toile pendant qu'Erika, aveuglée par la panique, appelait à l'aide, engluée, elle aussi, hors de son atteinte. L'araignée-crabe parut hésiter. Peut-être qu'elle ne reconnaissait pas les humains comme des proies. Mais elle ne tarderait pas à charger. Et l'attaque serait fulgurante.

— Tiens-toi tranquille ! cria Karen.

Elle s'approcha du monstre en roulant sur elle-même, sans cesser de parcourir la toile du regard. Elle aperçut enfin le fil avertisseur qu'elle cherchait : il courait de l'une des pattes de l'araignée jusqu'au centre, en travers des spirales de la toile. Avec un *yah !* assourdissant, elle se jeta en avant et le coupa.

Ce fil avertisseur prévenait l'araignée de la présence d'une proie. Le couper équivalait à couper un nerf. Et cela avait aussi l'avantage de l'inquiéter.

Affolée, celle-ci courut se réfugier dans sa tanière au creux d'une feuille roulée.

— Toutes des froussardes ! ricana Karen. Désolée, mon ange ! cria-t-elle en coupant un autre fil.

Libérées, les deux jeunes femmes reprirent leur chute et atterrirent ensemble dans un enchevêtrement de fils collants.

— J'ai cru que j'allais mourir ! gémit Erika, toujours sous le choc.

— Il n'y a pas grand-chose à craindre si on connaît la structure de la toile.

— Mais moi, je ne m'y connais qu'en coléoptères !

Peter et Danny s'écrasèrent peu après dans les feuilles non loin d'elles. Enfin Rick apparut. Il descendait Amar à l'aide de la corde. Ils se rassemblèrent au pied de l'ohia et Peter les informa de leur nouvelle destination. Ils devaient gagner Tantalus.

Dix minutes plus tard, Rick et Peter portant Amar, ils pénétrèrent dans une forêt de fougères, un labyrinthe apparemment sans fin de hauts polystiques à épées, qui ruisselaient d'humidité et formaient des arches et des tunnels dans toutes les directions. Des koas, des olopuas et des hibiscus kokio blancs jaillissaient de ces fougères pour s'élancer vers les étages supérieurs de la forêt.

Peter dut sortir sa boussole pour les guider alors qu'ils suivaient un long chemin sinueux entre les épées. Les frondes, qui se recourbaient au-dessus de leurs têtes, peignaient le monde en vert.

Danny, qui avançait d'un pas chancelant, s'arrêta brusquement en regardant Amar, les yeux écarquillés.

— Il... il saigne !

Personne ne l'avait remarqué. Rick reposa Amar

qui tomba à genoux. Un filet de sang dégoulina d'une narine, passa sur sa lèvre supérieure et goutta sur le sol.

— Laissez-moi, murmura Amar. J'ai les micro-bulles.

26.

Sous la canopée
30 octobre, 12 heures

— Ils sont cachés par là, murmura Telius, ses jumelles rivées sur la masse de fougères à épées qui couvraient le sol de la forêt.

Les deux hommes se trouvaient suspendus la tête en bas, retenus à leur siège par les harnais, l'hexapode accroché par ses pieds au-dessous d'une feuille de pandanus. Ils venaient de repérer la position des émetteurs.

Telius continua à scruter la végétation, puis il fit signe d'un doigt à Johnstone de les libérer.

Johnstone enfonça un bouton, les coussinets lâchèrent la feuille et l'hexapode tomba en chute libre. Johnstone replia les pattes du véhicule qui culbuta plusieurs fois sur lui-même avant de heurter le sol sur lequel il rebondit. Il s'immobilisa enfin, à l'envers, ses occupants protégés par les arceaux de sécurité.

Johnstone déplia les pattes. En s'étirant, elles remirent l'hexapode à l'endroit. Aussitôt celui-ci s'enfonça dans la forêt de fougères. Telius, l'oreille aux aguets, se leva. Il avait entendu les fugitifs parler. Il montra du doigt la direction dans laquelle ils se trouvaient et fit signe à Johnstone d'escalader la tige d'une fougère.

L'hexapode grimpa jusqu'aux frondes. À l'aide de ses jumelles, Telius inspecta les alentours et repéra les proies. Six au total, au niveau du sol. Ils étaient rassemblés autour d'un malade qui saignait du nez. Sans doute les microbulles. C'était un Indien, apparemment. Le sang coulait le long de sa lèvre supérieure et sur son menton. Ouais, le type souffrait bien de la maladie de décompression. Il était foutu.

— Ce pauvre con fait une hémorragie, glissa-t-il à Johnstone qui répondit par un grognement.

Telius continua d'observer le groupe et identifia le leader : un type mince aux cheveux châtains bouclés, un peu à l'écart, qui parlait et que tout le monde écoutait. Cet individu avait pris la tête du groupe, c'était évident. Telius repérait toujours les chefs : les premiers à abattre, bien sûr.

Leur position était idéale. Avec un hochement de tête vers Johnstone, Telius épaula sa carabine, pendant que son comparse, dans le rôle d'observateur, fixait la cible de ses jumelles pour le guider. Telius mit la croix du viseur sur la tête du jeune leader. La portée était longue, quatre mètres environ. Une légère brise fit osciller la fougère et l'hexapode. Telius secoua la tête. Le tir était hasardeux et Telius ne laissait jamais rien au hasard. Il devait abattre en un laps de temps minimum plusieurs cibles mouvantes, car les autres détaleraient comme des lapins aussitôt qu'il aurait exécuté leur chef. Il fit signe à Johnstone de redescendre.

Ce dernier fit pivoter le véhicule et repartit vers le bas de la feuille à la recherche d'une position plus stable. Telius lui fit signe de s'arrêter. Il détacha son harnais, tomba en chute libre, réalisa un tour sur lui-même et atterrit à quatre pattes, tel un chat, la carabine dans le dos. Puis il rampa vers son gibier.

Peter déchira l'enveloppe qui entourait la trousse de secours et s'agenouilla devant Amar pour appliquer une compresse sous son nez. Il ne savait pas quoi faire pour arrêter l'hémorragie.

— Je suis fichu, murmura Amar. Je vous en prie, continuez sans moi.

— Il n'est pas question qu'on t'abandonne.

— Je ne suis que de la protéine. Laissez-moi.

— Amar a raison, opina Danny, une main sur son bras en écharpe. Il faut le laisser sinon nous allons tous mourir.

Ignorant Danny, Peter retira la compresse. Elle était trempée. Amar avait perdu beaucoup de sang et commençait à s'affaiblir. Des hématomes couvraient ses bras comme si le venin de la scolopendre accélérait les problèmes de décompression. Le seul moyen de le guérir, c'était de le ramener à sa taille normale. Hélas, ils n'étaient pas près de regagner Nanigen.

Danny se laissa tomber par terre et foudroya les autres du regard.

— Il faut demander de l'aide par radio.

— Danny n'a peut-être pas tort, reconnut Erika. Peut-être qu'il y a quelqu'un de bien à Nanigen qui...

— Oui, on devrait les appeler, renchérit Karen. C'est sans doute notre seule chance de sauver Amar.

— Très bien.

Peter se leva et prit un talkie-walkie.

Depuis la tige de la fougère, Telius visa le leader. Il le tenait dans la croix de sa lunette, lorsque celui-ci se pencha vers le gars qui avait les microbulles. Hum... Il pourrait peut-être les descendre tous les deux en même temps. Le chef de file et l'hémophile. Ouais ! Il ajusta sa visée, pressa la détente et absorba un méchant recul.

Il y eut un sifflement. Une aiguille d'acier, qui paraissait mesurer une trentaine de centimètres, rasa le cou de Peter en déchirant sa chemise avant d'aller se planter dans le cou d'Amar où elle explosa. La détonation fit voler du sang et des éclats de métal dans toutes les directions. Brutalement arraché du sol, Amar fut projeté en l'air. Pétrifié, le visage empreint de stupeur, Peter regarda le corps d'Amar se désagréger et retomber en charpie autour de lui.

Il se releva, couvert de sang.

— Qu'est-ce...

Les autres avaient suivi la scène, incrédules.

— On nous tire dessus ! hurla Karen. Mettez-vous à l'abri !

Alors qu'elle se précipitait vers la fougère la plus proche, elle vit que Peter ne bougeait pas ; il semblait paralysé, comme incapable d'assimiler ce qui se passait.

La deuxième aiguille lancée par le tireur frappa une feuille au-dessus de la tête de Peter et explosa. Le souffle le projeta par terre. Karen comprit alors qu'il était visé. Elle fit un crochet pour l'arracher à sa torpeur.

— Baisse-toi et cours en zigzag.

Il ne fallait surtout pas fuir en ligne droite.

— Fonce ! brailla-t-elle.

Peter comprit enfin et se précipita vers les fougères en courant un coup à droite, un coup à gauche, encore à droite, un arrêt brutal, à droite encore... Karen le suivait en slalomant, elle aussi, mais pas trop près, se demandant si le prochain coup...

Peter trébucha et s'étala de tout son long.

— Peter ! Non !

Il ne bougeait plus et devenait une cible trop facile.

— Karen... va-t'en..., protesta-t-il en se remettant sur ses pieds.

Ce furent ses dernières paroles. Une seconde plus tard, une aiguille lui perforait le torse et explosait. Peter Jansen culbuta et mourut avant d'atteindre le sol.

Troisième partie

TANTALUS

27.

La ravine des Fougères
30 octobre, 12 h 15

Rick Hutter sentit Karen King le soulever par la chemise et le tirer hors de ce qu'il croyait être une cachette sûre.

— Dépêche-toi ! Sors de là !

Il ramassa sa sarbacane qui traînait par terre, saisit la boîte de fléchettes et courut chercher un autre refuge. Karen avait disparu, il n'avait aucune idée de l'endroit où elle était allée. Il passa sous un bout de bois, repoussa un tas de feuilles et courut ventre à terre sous les fougères qui se recourbaient au-dessus de lui. C'est alors qu'il vit le camion-insecte. Un véhicule à six pattes qui se déplaçait le long d'une fronde avec un faible chuintement, et conduit par un homme protégé par une armure. Un homme de sa taille. Un micro-humain. Un homme qui semblait plein d'expérience et sûr de lui.

L'inconnu immobilisa le véhicule et souleva un étrange fusil avec un canon de gros calibre. Il chargea une aiguille métallique dans la culasse, visa à travers la lunette et tira. Le fusil recula avec un sifflement.

Sans lâcher sa sarbacane, Rick se jeta derrière un rocher. Allongé sur le dos, le souffle court, il continua à observer le tireur. Celui-ci semblait détendu, pas gêné le moins du monde d'assassiner ses semblables, constata-t-il avec fureur. Il avait massacré Peter et Amar de sang-froid.

Rick jeta un regard à sa sarbacane. *Faut que je descende ce salopard. Karen m'a sauvé la vie. Quel abruti de me terrer comme ça ! Sans Karen, j'étais foutu !*

Il ouvrit sa boîte, sortit un dard et le contempla d'un air désabusé. C'était à peine une esquille avec une pointe métallique taillée dans une dent de fourchette. Elle ne traverserait jamais l'armure de ce salaud. Il ouvrit le pot de curare, trempa profondément la pointe dans la mixture et la fit tourner, refrénant une forte envie d'éternuer provoquée par l'odeur qui s'en échappait. *Ne mégote pas sur la dose !*

Il mit la fléchette dans le tube et roula sur lui-même pour regarder par l'autre côté du rocher.

Le véhicule n'était plus là. Il avait disparu.

Où était-il passé ?

Rick sortit de son abri en rampant, tous ses sens en éveil. Il entendit un chuintement sur sa gauche. Le camion-insecte. Il se leva, courut vers le bruit et, une fois à proximité, plongea dans une touffe de mousse. Il n'y avait qu'à attendre. Le bruissement se rapprocha. Rick sortit prudemment la tête de sa cachette.

L'insecte mécanique venait de grimper sur la mousse et de s'arrêter presque au-dessus de lui. De là où il était, il voyait juste le dessous de l'engin, pas le conducteur.

Un nouveau sifflement retentit. L'homme avait encore tiré.

Rick ignorait s'il y avait d'autres survivants que lui. Karen était peut-être morte, Erika aussi. Massacrées !

Une rage meurtrière s'empara de lui.

Il eut subitement envie de tuer. Quitte à y laisser sa peau.

L'homme ne tirait plus et le camion avança de nouveau. Il s'arrêta à une courte distance et Rick entendit l'homme parler dans sa radio.

— Il y a une femme à trois heures. Cette salope a un couteau.

Salope.

Karen.

Non ! Elle allait se faire tuer !

Il rampa frénétiquement à travers la mousse pour aller se glisser sous une feuille morte. De là, il voyait l'homme juste au-dessus de lui : il portait un casque, un plastron et des renforcements sur les bras. Son menton était nu. Son cou aussi.

Rick visa la gorge. *Essaie d'avoir sa jugulaire.* Il inspira lentement, en évitant de faire du bruit, et souffla de toutes ses forces.

La fléchette rata le cou, mais se ficha dans la peau flasque, sous le menton, entrant verticalement juste au-dessus de la pomme d'Adam. Elle était enfoncée profondément, jusqu'à l'embout du dard, un tampon de coton. Rick entendit un cri étranglé. L'homme s'effondra à l'intérieur du véhicule hors de sa vue. Suivit une toux grasse, puis une grande agitation et des coups. L'homme convulsait, comme un poisson hors de l'eau. Enfin, ce fut le silence.

Rick mit une autre fléchette dans le tube et sauta sur le véhicule, prêt à tirer. Il regarda à l'intérieur. L'homme gisait sur le dos, le visage rouge cerise, les yeux exorbités, de l'écume aux commissures des lèvres : tous les signes de l'empoisonnement par le curare. On ne voyait plus que le petit tampon de coton collé sous le menton. La fléchette avait traversé sa langue et son palais avant de perforer le cerveau.

— De la part de Peter ! cracha Rick.

Un tremblement parcourut ses mains puis tout son corps. Il n'avait jamais tué personne de sa vie ; jamais il ne s'en serait cru capable.

Un autre sifflement retentit sur sa droite.

Oh, merde ! Y en a un autre ? Et ce salaud tire sur mes amis ! Faut le descendre !

Rick sauta du camion et, la sarbacane chargée, courut en direction de l'origine du bruit. Subitement tout s'obscurcit autour de lui. Il vit alors une ombre se profiler dans les fougères. Il s'arrêta net, se sentant incroyablement petit et totalement impuissant. Il n'en revenait pas de la taille de l'affreuse créature.

Karen surprit l'homme en train de se relever entre deux fougères. Petit, agile, il se déplaçait comme un félin. Il portait une armure de camouflage et un gant à la main droite. La gauche était nue et refermée sur la gâchette d'un fusil pointé sur elle. À un mètre. Juste la bonne distance.

Elle tenait son couteau à la main, mais que pouvait-elle contre une arme à feu ? Elle regarda autour d'elle. Aucune cachette possible.

L'homme sortit de derrière les tiges de fougère, le canon toujours braqué sur elle. Il jouait avec elle, car il aurait déjà pu facilement lui tirer dessus.

— Je l'ai trouvée ! annonça-t-il dans son laryngophone. Tu me reçois ? Tu me reçois ? répéta-t-il, n'obtenant apparemment aucune réponse.

Il s'avança.

C'est alors que Karen vit l'ombre derrière lui sans bien comprendre ce que c'était. Elle distingua juste de la fourrure brune derrière un bouquet de frondes. L'ombre se déplaça lentement puis s'arrêta. Karen pensa qu'il s'agissait d'un mammifère, peut-être un rat, à cause de sa couleur et de sa taille. Mais alors une patte apparut, une longue patte fuselée et articulée, un exosquelette couvert de poils drus et bruns. La fougère s'écarta et elle vit les yeux. Au nombre de huit.

C'était une énorme araignée, grosse comme une maison. Si massive qu'on avait du mal à croire que c'en était une. Karen, pourtant, connaissait cette espèce. C'était une sparasside. Chasseuse et carnivore. Elle ne tissait pas de toile. Elle préférait tendre des pièges et capturer ses proies au sol. Celle-là avançait le corps au ras de la terre, signe qu'elle chassait. Elle avait un corps aplati, protégé par des poils, armé de crocs en forme de faucille repliés sous plusieurs appendices

296

bulbeux. C'était une femelle. Elle devait chercher avidement des protéines, car elle portait des œufs.

Karen fut sidérée par son immobilité. Ce qui n'annonçait jamais rien de bon de la part d'un prédateur.

L'homme lui tournait le dos, sans se douter de sa présence. La constellation d'yeux le fixait, telles des gouttelettes de verre noir. Karen entendait l'air entrer et sortir doucement de ses poumons situés sur son abdomen.

— Johnstone. Tu me reçois ? répéta-t-il.

Il s'arrêta, guettant la réponse de son partenaire.

— Qu'est-ce qui est arrivé à votre copain ? murmura Karen pour le faire parler.

Il se contenta de la regarder. Ce n'était pas un bavard.

Elle veillait à ne pas bouger. Surtout pas de mouvements brusques. Elle savait que l'araignée ne voyait pas très bien, malgré ses nombreux yeux. En revanche, elle entendait à la perfection. Dix « oreilles » se répartissaient sur chaque membre, sous forme d'orifices dans sa carapace qui captaient les sons. Quatre-vingts oreilles au total. Sans compter les milliers de poils capteurs de vibrations qui recouvraient ses pattes. Ces organes auditifs lui donnaient une image du monde en 3-D.

Si Karen émettait le moindre bruit ou la moindre vibration, l'araignée pourrait former une image sonique d'elle. Et l'identifier comme une proie. Karen savait que l'attaque serait fulgurante.

Elle s'agenouilla, très lentement, ramassa un caillou et leva le bras lentement.

L'homme sourit.

— Vas-y. Si ça peut te soulager.

Elle lui jeta le caillou qui rebondit sur son plastron avec un bruit sourd.

Il leva sa carabine en gloussant et visa Karen à travers la lunette au moment où les crocs se refermaient brutalement sur lui, l'arrachaient du sol et broyaient sa carabine. Il hurla.

L'araignée avança de quelques pas sans lâcher sa proie et, bizarrement, se jeta sur le dos pendant que Karen courait se mettre à l'abri.

Une fois dans cette position, l'araignée souleva l'homme et enfonça ses crocs plus profondément. Dès que les pointes incurvées acérées comme des rasoirs percèrent son armure, elles injectèrent du poison.

Le corps se gonfla sous la pression du liquide et des bruits d'éclatement parcoururent la cuirasse tandis qu'un mélange de venin et de sang suintait par les fissures. Alors que le poison faisait son œuvre, l'homme se cambra et agita la tête. Les neurotoxines déclenchaient une tempête dans son système nerveux central. Il se tordit dans tous les sens et entra en convulsions, frappé par une crise d'épilepsie. Ses yeux roulèrent dans leurs orbites. On n'en voyait plus que le blanc. Et subitement, ce blanc vira au rouge. Ses vaisseaux sanguins se rompaient dans tout le corps tandis que le venin qui contenait des enzymes digestives lui liquéfiait les chairs. Alors que le corps était terrassé par les hémorragies internes, le cœur s'arrêta.

Le venin de l'araignée déployait la puissance d'Ebola en trente secondes.

Elle continua à injecter son poison dans le cadavre jusqu'à ce que l'armure se fende enfin. Le plastron s'ouvrit d'un coup et les viscères sortirent, dégoulinants de venin.

Karen s'était réfugiée derrière une fougère où elle avait retrouvé Rick, accroupi, sa sarbacane à la main.

Ils regardèrent l'araignée préparer son repas. Après avoir tué sa victime, couchée sur le dos, elle se remit d'un bond sur ses huit pattes pour la découper. Elle prit d'abord l'homme entre ses palpes, une paire d'appendices similaires à des mains situés de part et d'autre de sa bouche. Les crocs se déplièrent comme des canifs et révélèrent des lames internes en dents de scie. Elles lacérèrent le corps et le réduisirent en un magma de chair, d'os brisés et d'intestins mélangés à des morceaux de kevlar et de plastique. À l'aide de ses palpes, l'araignée malaxa avec dextérité cette mixture pour en faire une boule de nourriture dans laquelle elle injecta des fluides digestifs par la pointe de ses crocs. Au bout d'une ou deux minutes, les restes humains se retrouvèrent agglutinés en une boulette de pâtée liquescente parsemée de fragments d'os et d'armure.

— C'est fascinant ! chuchota Karen avant de se tourner vers Rick. Les araignées digèrent leur nourriture à l'extérieur de leur corps.

— Je ne le savais pas.

Cette étape terminée, l'araignée posa fermement sa bouche sur la boule de nourriture et se mit à en aspirer les sucs alors qu'un ronronnement de pompe montait de son estomac. Karen trouva que ses yeux brillaient d'une expression lointaine, ou peut-être simplement de satisfaction.

— On risque quelque chose ? demanda Rick.

— Non, elle est occupée. Mais nous avons intérêt à décamper avant qu'elle ne reparte en chasse.

Ils appelèrent Erika et Danny. Erika s'était cachée sous une fleur d'hibiscus et Danny s'était tapi sous une racine.

Ils n'étaient plus que quatre survivants. Rick, Karen, Erika et Danny. Ils rassemblèrent les sacs et, accablés par une sensation de vide effroyable, s'engagèrent sous les fougères en abandonnant les corps de Peter et d'Amar. Amar Singh, un être doux qui aimait les plantes, mort. Peter Jansen, mort. Ils n'avaient pas imaginé une seule seconde que Peter puisse mourir. Sa disparition les anéantissait.

— Il gardait toujours son sang-froid ! murmura Rick. Je pensais vraiment qu'il réussirait à nous ramener.

— Peter était notre espoir, renchérit Erika en se mettant à pleurer. J'étais sûre qu'il nous sauverait d'une manière ou d'une autre.

— J'avais bien dit que ça finirait mal ! lâcha Danny.

Il s'assit, ajusta son bras en écharpe puis, de sa main valide, décolla un morceau d'adhésif de sa chaussure en feuille pour la resserrer. Il laissa alors tomber sa tête entre ses genoux et lâcha d'une voix étouffée :

— C'était inévitable... ça devait se terminer en catastrophe... Nous sommes complètement, totalement, irrémédiablement... morts.

— Je nous trouve encore bien vivants, remarqua Rick.

— Plus pour longtemps.

— Nous avions tous confiance en Peter, reprit Karen. Il était si... si calme. Il ne perdait jamais courage.

Elle essuya son visage en sueur et rajusta son sac sur son dos. Elle ne voulait pas l'admettre mais, pour la première fois de sa vie, elle était terrorisée. Pétrifiée. Elle ne voyait pas comment ils pourraient revenir à Nanigen.

— Peter était le seul à pouvoir nous guider. Et maintenant, nous n'avons plus de chef.

— Ouais, acquiesça Rick. Et il est clair que Drake nous sait vivants et veut nous tuer puisqu'il a lancé ses sbires à nos trousses. Nous avons dégommé ses deux tueurs à gages, mais allez savoir qui d'autre il a chargé de nous descendre.

— Ils étaient deux ? s'étonna Karen.

— Regarde devant toi, répondit Rick avec un sourire sinistre.

L'hexapode se tenait de travers sur une motte de mousse. Rick sauta à l'intérieur. Quelques secondes plus tard, un corps en fut expulsé, tourbillonna dans les airs et atterrit avec un craquement aux pieds de Karen. Elle nota l'armure, la fléchette enfoncée dans le menton, les yeux exorbités, la langue pendante couverte d'écume...

Elle retint son souffle. Il y avait deux snipers ! Et Rick ne le disait que maintenant !

— C'est... c'est toi qui l'as tué ?

— Montez, éluda Rick en se penchant sur les commandes. Nous avons un engin pour nous conduire à Tantalus. Et nous avons aussi un fusil.

28.

Le pick-up remontait la route à une voie qui menait à la vallée de Manoa. C'était une vieille Toyota, peinte à la bombe de plusieurs couleurs, avec un porte-surf et des gros pneus qui semblaient atteints d'éléphantiasis. Le véhicule s'arrêta au portail devant le tunnel et un homme en descendit. Il marcha jusqu'aux grilles et lut le panneau. PROPRIÉTÉ PRIVÉE. ENTRÉE INTERDITE.

— Merde !

Eric Jansen secoua les portes. Il examina le système de fermeture : un clavier numérique. Il essaya quelques codes de la société, sans succès. Ce salaud de Vin avait changé la combinaison, évidemment !

Il remonta dans sa voiture et recula pour redescendre la route sur une courte distance, jusqu'à un dégagement, et se gara sous les arbres. Si quelqu'un de Nanigen le voyait, il le prendrait pour un planteur de marijuana qui allait surveiller ses cultures dans la montagne. Et certainement pas pour le vice-président de la société à la recherche de son frère.

Il prit un sac à dos, remonta jusqu'à la route, se glissa sous le portail et traversa le tunnel en courant. Arrivé dans la vallée, de l'autre côté, il s'enfonça dans la forêt. Il attendit d'être hors de vue pour sortir de son sac un ordinateur et une boîte de circuits électroniques d'apparence très complexe. Ça sentait la fabrication maison, avec des tableaux pleins de soudures et une antenne. Muni d'une paire d'écouteurs, il balaya la bande des soixante-dix gigahertz, l'oreille aux aguets. N'entendant rien, il changea de fréquence, pour vérifier la bande des communications privées de Nanigen, et entendit un chuintement confus. Comme d'habitude. Les bavardages intra-entreprise. Le problème, c'était d'arriver à les déchiffrer.

Il resta trois heures à l'écoute, jusqu'à ce que la batterie donne des signes de faiblesse. Il remballa son matériel, regagna la route, le tunnel, remonta dans son camion et repartit. Personne ne l'avait remarqué ; il n'y avait pas âme qui vive de toute façon. Il reviendrait le lendemain. Juste au cas où Peter et les autres se trouveraient quelque part dans la vallée. Il ignorait où ils étaient, il savait seulement qu'ils avaient disparu.

29.

De son bureau sans fenêtre, Dan Watanabe appela le service des personnes disparues.

— Je voudrais qu'on me prévienne tout de suite si jamais vous apprenez quoi que ce soit sur ces étudiants.

— Votre coup de fil tombe à pic. Vous devriez contacter Nanci Harfield. Elle est dans le 8e district.

Le 8e district couvrait la partie sud-ouest d'Oahu. Le sergent Nanci Harfield travaillait à la sécurité routière.

— Je suis à Kaena, lui expliqua-t-elle. Nous venons de retrouver un cabriolet au fond d'une crique, sous le vieux pont de 1929. Il s'agit d'un véhicule de fonction de Nanigen MicroTechnologies enregistré au nom d'une certaine Alyson Bender. Il y a un corps coincé à l'intérieur. Une femme, apparemment. Pas d'autres corps visibles.

— J'aimerais y jeter un coup d'œil.

Watanabe monta dans sa Ford Crown Victoria marron banalisée, contourna Pearl Harbor par l'autoroute à un bon cent quarante à l'heure, et prit ensuite la direction de Waianae, une ville située sur la côte sud-ouest d'Oahu. C'était le versant de l'île sous le vent, sec et ensoleillé, aux plages doucement léchées par les vagues où l'on emmenait les tout petits *keikis* patauger, mais aussi la plus sujette, cependant, à la petite criminalité. Il y avait beaucoup d'effractions de voitures et de menus larcins, mais jamais de violence ou très peu. Dans les années 1800, du temps où Hawaii était encore un royaume, la côte sous le vent était un endroit malfamé, un repaire de brigands qui détroussaient et assassinaient les imprudents venus s'y aventurer. À présent, il s'agissait surtout de vols mineurs.

On venait donc de retrouver une voiture sur le toit dans une crique peu profonde de Kaena Point. Le gros camion-grue de la police était arrêté au bout de la route. Un câble en descendait à travers l'enchevêtrement de *hau* jusqu'à la voiture. Ça n'avait pas été facile de le faire passer dans la végétation. Le filin se tendit, la voiture se redressa, bascula et se retrouva à l'endroit. Il s'agissait d'un cabriolet Bentley bleu marine, à la capote déchirée et écrasée. Tandis que du sable et de l'eau s'écoulaient de l'intérieur, le cadavre se tenait assis sur le siège du conducteur avec une raideur à donner froid dans le dos.

Watanabe descendit la pente en dérapant. Il déchira son pantalon et se maudit de porter des chaussures de ville.

Le temps qu'il atteigne la voiture, le treuil l'avait hissée sur les rochers. La victime portait un tailleur sombre. Ses cheveux s'étaient enroulés autour de sa tête et lui couvraient la bouche. Elle n'avait plus d'yeux. Les poissons de récif les avaient mangés.

Il se pencha par-dessus le corps pour examiner l'intérieur de l'habitacle trempé. Il vit des vêtements disséminés un peu partout, plaqués aux sièges ou pris dans la carcasse tordue de la capote. Un bermuda de bain. Une ceinture en serpent mangée par les poissons. Un slip de femme, vert anis. Un autre bermuda, qui portait encore une étiquette, tout juste acheté. Une chemise Hilo Hattie. Un jean évasé troué au genou.

— Elle se rendait au pressing ou quoi ? demanda-t-il à un policier.

C'étaient des vêtements comme en portaient les jeunes. Il remarqua alors une bouteille en plastique coincée sous le tableau de bord, la dégagea et regarda l'étiquette.

— De l'éthanol ! Tiens donc !

Il trouva un portefeuille à l'arrière. Il contenait un permis de conduire du Massachusetts délivré à une certaine Jenny H. Linn. Elle faisait partie des étudiants disparus. Mais il n'y avait pas d'autres corps dans la voiture en dehors de celui de la jeune femme. Il devait s'agir d'Alyson Bender. Il faudrait attendre le médecin légiste pour en être certain.

Il remonta sur la route. Nanci Harfield et un autre policier photographiaient et mesuraient les traces de pneus dans le sable.

— Alors, qu'est-ce que vous en pensez ? demanda-t-il à Harfield.

— On dirait que la voiture s'est d'abord arrêtée ici. Ensuite, elle a roulé tout droit.

Harfield scruta le sol autour des traces de pneus à la recherche d'empreintes. Le gravier montrait des striures, mais aucune trace de pas.

— Apparemment, la voiture a basculé dans le précipice sans un seul coup de frein. Sinon on verrait des traces. La conductrice a dû rester ici un moment avant de se décider, puis elle a enfoncé l'accélérateur et sauté dans le vide.

— Un suicide ?

— C'est une possibilité. Ça collerait avec ces traces.

L'équipe médico-légale prit des photos et des vidéos. Puis on mit le corps dans un sac et on le chargea à bord d'une ambulance qui s'éloigna en silence, dans un clignotement de lumières. La Bentley fracassée suivit, sur le plateau de la dépanneuse de la police, encore dégoulinante d'eau de mer.

Watanabe se retrouva de nouveau à son bureau au commissariat, les yeux rivés sur les éraflures du mur métallique qu'il fixait souvent quand il réfléchissait. Il n'arrivait pas à s'ôter de l'idée qu'on avait mis volontairement les affaires dans la voiture. Surtout le portefeuille. Les gens qui décident de disparaître ne laissent pas leur portefeuille derrière eux. Si Jenny Linn s'en était allée de son plein gré, elle aurait gardé son portefeuille sur elle. Et si ce n'était pas le cas ? Si elle avait été kidnappée ? À moins qu'il n'y ait eu un accident de bateau ? Un naufrage pourrait expliquer la disparition de tous ces gens à la fois.

Il se renseigna. Aucun événement en mer n'avait été signalé récemment. Son regard se perdit de nouveau sur le mur. Il était peut-être temps de manger un peu de Spam.

Son téléphone sonna au même moment. C'était un policier du service des personnes disparues.

— J'ai encore un cas pour vous.

— Ah bon ? Qui ça ?

— Mme Joanna Kinsky vient de nous signaler que son mari n'était pas rentré du travail hier soir. Il est ingénieur à Nanigen.

— Encore Nanigen ! Vous plaisantez ou quoi ?

— Mme Kinsky a appelé la société. Et personne n'a vu son mari depuis hier après-midi.

Le chef de la sécurité de Nanigen s'était bien gardé de lui en parler. Il y avait beaucoup trop de gens de Nanigen qui s'évanouissaient dans la nature pour une petite ville tranquille comme Honolulu.

Nouveau coup de téléphone. Cette fois, il s'agissait de Dorothy Girt, une spécialiste médico-légale de la section scientifique d'investigation.

— Dan, vous voulez bien venir ? Ça concerne l'affaire Willy Fong. J'ai du nouveau.

Merde ! Le casse-tête Willy Fong. Il ne manquait plus que ça !

Don Makele entra dans le bureau de Vin Drake, en sueur, le visage décomposé.

— Telius et Johnstone sont morts.

Drake serra les dents.

— Que s'est-il passé ?

— J'ai perdu le contact radio avec eux. Ils venaient de repérer les survivants. Ils commençaient l'opération de... de sauvetage. Et, tout à coup, ils ont été attaqués par quelque chose. J'ai entendu des hurlements et ensuite... eh bien... eh bien, Telius s'est fait dévorer.

— Dévorer ?

— Je l'ai entendu. Par un prédateur. Sa radio s'est tue. J'ai essayé longuement de reprendre contact. Mais je n'ai plus rien reçu.

— Qu'en pensez-vous ?

— Je pense que tout le monde est mort.

— Pourquoi ?

— Mes hommes étaient les meilleurs. Ils se sont fait anéantir malgré leurs cuirasses et leurs armes...

— Et donc, les étudiants...

Don Makele secoua la tête.

— Aucune chance.

Drake se renfonça dans son siège.

— Ils auraient été eux aussi exterminés par le prédateur ?

Don Makele aspira l'air entre ses dents.

— Quand j'étais en Afghanistan, j'ai remarqué un truc.

— Quoi donc ?

— Si les gens étaient moins cons, il y aurait beaucoup moins d'accidents.

— C'est vrai ! gloussa Drake.

— Le sauvetage a échoué, monsieur.

Drake constata que Don Makele avait parfaitement compris ce qu'il entendait par sauvetage. Cependant, il avait encore des doutes.

— Comment pouvez-vous être certain qu'il a... euh... échoué ?

— Il n'y a aucun survivant. J'en suis sûr.

— Montrez-moi les corps.

— Mais on ne peut pas...

— Je ne croirai à la mort de ces étudiants que lorsque j'en aurai la preuve. Tant qu'il restera un espoir, nous n'épargnerons aucun effort pour les sauver. Aucun. Suis-je clair ?

Makele quitta le bureau de Drake sans dire un mot. Il n'y avait rien à dire.

Quant à Vin Drake, il n'était pas mécontent de ce qui était arrivé à Telius et à Johnstone. Ainsi, il n'aurait pas à leur donner de précieuses parts de la société. Il ne pouvait pas pour autant en déduire que les étudiants étaient tous morts. Ils avaient fait preuve d'une ténacité et d'un pouvoir de survie surprenants jusqu'à présent et il fallait donc continuer à les traquer, juste au cas où certains d'entre eux seraient encore vivants.

30.

Le Pali
30 octobre, 16 heures

— Cet engin ferait un malheur dans les embouteillages de Boston ! remarqua Karen.

L'hexapode gravissait une pente escarpée et slalomait pour éviter les rochers et les tiges des plantes. Soudain, il tangua.

— Je t'en prie ! Fais attention à mon bras ! gémit Danny qui agrippait son bras gauche boudiné dans l'écharpe.

Celui-ci avait terriblement enflé et remplissait presque la manche de la chemise.

Avançant d'une allure régulière, rythmée par le gémissement de ses articulations, l'hexapode grimpait à l'assaut d'un vaste monde vertical étincelant d'une infinité de tons de vert. Erika, maintenue par une corde, se tenait recroquevillée à l'arrière, dans le compartiment à bagages. Rick marchait à côté du véhicule, armé de la carabine à air comprimé, à l'affût d'éventuels prédateurs, une cartouchière d'aiguilles explosives en bandoulière.

La pente devenait de plus en plus raide. La terre céda la place à des éboulis de lave et de gravier d'où saillaient des rochers volcaniques, le tout festonné d'herbes et de petites fougères. Des koas et des goyaviers poussaient péniblement de-ci, de-là, mêlés à quelques stipes de loulu hauts et étroits. Beaucoup de ces arbres étaient couverts de lianes. Parfois leurs branches se heurtaient, agitées par le vent qui, en permanence, balayait le flanc de la montagne et secouait le transporteur et ses passagers. Un pan de brume assombrit la végétation ; à ce nuage succéda un soleil éclatant.

La mort de Peter et d'Amar pesait lourdement sur le petit groupe. Des huit personnes coincées dans le micromonde, il ne restait que quatre survivants. Leur nombre avait été réduit de moitié en deux jours. Cinquante pour cent de pertes. Un chiffre effroyable, inférieur à l'espérance de vie des soldats qui s'étaient battus sur les plages de Normandie. Et Rick pressentait d'autres décès, à moins qu'ils ne soient sauvés par miracle. Ils ne pouvaient plus révéler leur existence à qui que ce soit de Nanigen désormais, vu les moyens déployés par Vin Drake pour les retrouver et les éliminer.

— Drake est toujours à nos trousses, déclara Rick. J'en suis sûr.

— Ça suffit ! le coupa Karen, lassée de parler de Vin Drake, ce qui ne faisait que souligner leur impuissance. Peter n'aurait jamais abandonné, reprit-elle plus calmement avant de se concentrer sur les commandes pour escalader un énorme rocher.

Rick monta à bord le temps de franchir l'obstacle.

Ils entraient dans la végétation montagnarde. Des trous dans la canopée révélaient de temps à autre un panorama saisissant : les falaises à pic ou les flancs du Pali ; une cascade qui rugissait non loin de là. Quelque part au-dessus de leurs têtes s'arrondissait la corniche qui formait la lèvre du cratère du Tantalus.

Au fur et à mesure de leur avancée, les pattes de leur machine réveillaient toutes sortes de créatures : des collemboles sautaient en l'air de surprise, des vers fuyaient en se tortillant, des acariens couraient ici et là, n'hésitant pas à escalader les pattes de l'hexapode. Ses occupants devaient constamment les repousser du véhicule, faute de quoi ces bestioles souillaient l'habitacle et les commandes de petits tas d'excréments. Et l'air autour d'eux pullulait d'insectes qui bourdonnaient et tournoyaient en scintillant sous le soleil.

— Toute cette vie m'épuise ! se lamenta Danny, prostré sur son bras malade.

— On devrait atteindre le Tantalus avant la tombée de la nuit, si les batteries tiennent jusque-là, affirma Rick.

— Et après ? demanda Karen.

— On reconnaît les lieux. On étudie la base et on décide de la suite.

— Et si la base n'est plus là ? Si elle a été arrachée comme les autres stations ?

— Tu es vraiment forcée d'être aussi pessimiste ?

— J'essaie juste de rester réaliste, Rick.

— Très bien, Karen. Dis-moi ton plan ?

Comme elle n'en avait pas, elle s'abstint de répondre. Elle espérait juste atteindre le Tantalus et y trouver une solution. Ce n'était pas un plan, juste un vœu pieux. Tandis qu'ils avançaient, elle réfléchit à leur situation. Elle avait mortellement peur, autant l'avouer. Une peur, cependant, qui lui permettait de se sentir vivante. Elle se demanda combien de temps il lui restait à vivre. Un jour ? Quelques heures ? *Alors autant en profiter à fond, au cas où mon existence se révélerait aussi brève que celle d'un insecte.*

Elle contempla Rick. Comment faisait-il ? Il marchait, le fusil en bandoulière, comme s'il n'avait aucun souci au monde. Un bref instant, elle l'envia. Même s'il lui déplaisait toujours autant.

Elle entendit gémir Erika. Celle-ci se tenait assise à l'arrière du véhicule, les bras serrés autour des genoux.

— Ça va, Erika ?

— Ça va.

— Tu... tu as peur ?

— Bien sûr que j'ai peur !

— Essaie de ne pas y penser. Tout va bien se passer.

Erika ne répondit pas. Elle était au bout du rouleau. Karen la plaignait et s'inquiétait pour elle.

Don Makele avait décidé de rendre visite au centre de communication de Nanigen, une petite pièce équipée d'un système radio crypté et d'un réseau interne sans fil. Il avait un service à demander à la jeune femme qui gérait les canaux de l'entreprise.

— Je voudrais essayer de localiser un appareil que nous avons perdu dans la vallée de Manoa, lui expliqua-t-il en lui donnant le numéro de série de la pièce.

— De quelle sorte d'appareil s'agit-il ? s'enquit-elle.

— Un modèle expérimental, répondit-il, se gardant de lui révéler que c'était un des hexapodes sophistiqués du Projet Omicron.

La jeune femme pianota sur un clavier afin de mettre en route le puissant transmetteur de soixante-douze gigahertz situé sur le toit de la serre de l'arboretum de Waipaka. C'était un transmetteur longue distance à portée optique.

— De quel côté dois-je l'orienter ?

— Au nord-ouest. Vers la station de ravitaillement Echo.

— Compris.

Elle introduisit les données et orienta le transmetteur.

— Allez-y ! Bipez-le !

La jeune femme pianota de nouveau sur le clavier et fixa l'écran.

— Rien.

— Balayez la zone autour.

Nouveau pianotage. Toujours rien.

— Maintenant orientez le transmetteur vers la montagne. Et n'arrêtez pas de biper.

Elle se remit au travail. Tout à coup, son visage s'éclaira.

— Je l'ai. Il m'a répondu.

— Où se trouve-t-il ?

— Mince ! Il est sur les falaises. À mi-hauteur du Tantalus.

Elle fit apparaître une image du terrain sur son écran et montra un point sur le flanc de la montagne, bien au-dessus de la vallée de Manoa.

— Comment cet appareil est-il arrivé là-haut ?

— Je l'ignore, répondit Makele.

Il y avait donc des survivants. Et ils grimpaient droit vers le sommet de la montagne. Intéressant !

Makele retourna au bureau de Drake.

— J'ai tenté de localiser l'hexapode, à tout hasard. Et il m'a répondu. Vous ne devinerez jamais ! Il se trouve à mi-hauteur du cratère du Tantalus.

Drake plissa les yeux. Merde ! Le prédateur qui avait dévoré Telius et Johnstone n'avait donc pas tué tout le monde !

— On peut le retrouver et le récupérer ?

— Ces falaises sont vraiment raides. Là où il se trouve actuellement, je ne pense pas qu'on puisse l'atteindre. Surtout que nous ne pouvons le situer qu'à cent mètres près.

Un sourire s'étala sur la bouche de Drake.

— Je me demande s'il ne se dirigerait pas vers la base Tantalus ?

— C'est pas impossible !

Drake éclata de rire.

— La base Tantalus ! Ah ! Comme j'aimerais voir leur tête quand ils la découvriront. Ils vont avoir une mauvaise surprise... s'ils y parviennent. Vous allez monter au cratère leur préparer une réception inoubliable, ordonna-t-il, de nouveau sérieux. Moi, je surveille leur progression.

C'était Rick qui conduisait quand le bip retentit et que le panneau de communication de l'hexapode s'alluma.

Des caractères s'affichèrent : RÉPONSE 23094-451.

— Merde, c'est quoi ce bordel ? s'écria-t-il.

— Éteins ça, grommela Danny en se tassant sur le siège passager.

— J'peux pas. Ça s'est mis en route tout seul.

Rick se demanda alors si quelqu'un n'essayait pas de les contacter. Peut-être Drake. Quand le panneau s'éteignit, il eut alors la conviction que Drake savait où ils étaient. Que feraient-ils si jamais il les retrouvait ? La carabine à air comprimé n'aurait aucun effet sur un homme de taille normale.

Il se pencha vers Karen qui marchait à côté.

— La radio fait de drôles de trucs.

Elle haussa les épaules.

L'inclinaison du terrain augmentait. Ils parvinrent au pied d'un petit escarpement que le véhicule escalada. Arrivés au-dessus, ils contournèrent une touffe de joncs et se retrouvèrent devant un rocher.

— Stop ! cria Rick.

Il avait vu quelque chose sous la roche. Quelque chose de noir et brillant.

— Il y a un scarabée caché là-dessous, dit-il à Erika. C'est quoi comme espèce ?

Elle l'étudia avec attention. Elle reconnut un *Metromenus,* comme celui qu'ils avaient vu à leur arrivée dans le micromonde.

— Fais gaffe, ses projections sont mauvaises.

— Ça tombe bien !

— Qu'est-ce que tu mijotes ?

— Puisque c'est la guerre chimique ici, autant s'armer en conséquence !

— Ce n'est pas la peine, nous avons déjà le pulvérisateur de benzos.

Elle sortit de sa poche le flacon qui contenait le composé d'autodéfense qu'elle avait espéré montrer à

Drake. Mais quand elle pressa la pompe, rien n'en sortit. Elle l'avait vidé sur la scolopendre.

Rick avait justement l'intention de recharger le flacon. Il s'avança en rampant avec la carabine et visa le scarabée. L'aiguille traversa sa carapace, il y eut une explosion sourde. Le scarabée frissonna et, dans les affres de la mort, projeta de l'acide autour de lui ; l'air empestait.

Erika affirma qu'il devait rester largement de quoi faire dans ses entrailles. Rick enfila donc sa tenue de savant fou, le tablier en caoutchouc, les lunettes et les gants, et se mit au travail.

D'abord, il retourna le scarabée sur le dos. Ensuite, il tapa sur les segments articulés de son abdomen avec sa machette, à la recherche d'une ouverture.

— Coupe entre le sixième et le septième segment, lui conseilla Erika. Retire doucement les plaques de sclérite.

Rick enfonça la lame entre les deux segments, coupa le long de l'articulation, puis, se servant de la machette comme d'un levier, souleva les plaques. Elles se détachèrent avec un bruit de déchirure. Il découvrit en dessous une épaisseur de graisse qu'il ouvrit avec précaution.

Erika s'agenouilla à côté de lui.

— Il faut que tu trouves les deux chambres chimiques à la base de l'abdomen. Ne les crève surtout pas, sinon tu vas le regretter.

Rick souleva un premier organe en forme de ballon de foot puis un second. Les chambres de stockage. Des muscles les maintenaient fermées. Suivant les instructions d'Erika, il coupa l'un de ces muscles et un liquide pestilentiel s'écoula de la poche.

— C'est de la benzo, expliqua-t-elle. Elle est mélangée à de l'acide caprylique, un détergent qui aide la solution chimique à coller aux surfaces, ce qui accroît ses pouvoirs de façon redoutable. Ne t'en mets surtout pas sur les doigts.

Karen se réjouit de voir Erika sortir de sa léthargie et s'intéresser enfin à quelque chose. Cette diversion tombait à pic.

Rick récupéra le liquide dans un flacon et, après avoir bien vissé le bouchon, le tendit à Karen.

— Voilà de quoi te protéger.

Rick l'étonnait. Il avait de l'énergie à revendre. C'était elle qui aurait dû penser à refaire son stock de substances chimiques. Il s'était bien adapté au micro-monde ; il avait même l'air de s'y plaire. Cela ne le rendait pas plus sympathique à ses yeux mais, bizarrement, et elle en était la première surprise, elle se sentait rassurée par sa présence.

— Merci, lui dit-elle en remettant le flacon dans sa poche.

— Il n'y a pas de quoi.

Rick retira sa tenue et la rangea, puis ils reprirent leur ascension.

La paroi devint incroyablement abrupte, presque verticale et ils parvinrent à la base d'une falaise interminable. La muraille se dressait au-dessus d'eux, à l'infini, taillée dans de la roche volcanique bulleuse, drapée de lichens et de mousses pendantes et parsemée de touffes de fougères uhule. Et ils ne voyaient aucun moyen de la contourner.

— Putain de falaise ! jura Rick. Va falloir mettre la gomme !

Ils vérifièrent que leur matériel était bien sanglé, puis Rick sauta à l'arrière avec Erika et s'attacha à son tour. Karen prit les commandes. Les pieds du véhicule adhéraient magnifiquement à la roche et l'ascension commença. Ils avançaient à une vitesse prodigieuse et gagnaient rapidement de l'altitude.

La paroi n'en finissait pas. Le jour baissait et ils ne savaient pas quelle distance ils avaient parcourue ni ce qu'il leur restait à faire. Le voyant de la batterie montrait qu'elle baissait régulièrement. Ils avaient déjà consommé les deux tiers de la charge.

— On devrait bivouaquer sur la falaise, suggéra Rick. On y sera plus en sécurité qu'ailleurs.

Ils trouvèrent une corniche et y arrêtèrent le véhicule. C'était un endroit magnifique avec une superbe vue sur la vallée. Ils mangèrent les derniers steaks de sauterelle. Puis Danny étala quelques affaires à l'arrière du véhicule avec l'intention d'y passer la nuit. Il ne sentait plus son bras qui continuait d'enfler. Il avait l'impression qu'il ne lui appartenait plus, que ce n'était qu'un poids mort.

— Oooh ! gémit-il en le serrant brusquement contre lui, le visage déformé par une grimace.

— Quoi encore ? demanda Rick.

— Mon bras vient de détoner !

— Comment ça, détoner ?

— Laisse tomber. Il a juste fait un drôle de bruit.

Rick se pencha vers lui.

— Montre-moi ça.

— Non.

— Allez, remonte ta manche.

— Ça va, d'accord ?

Le bras inerte tendait la manche crasseuse à craquer.

— Tu devrais au moins remonter ta manche pour laisser ta peau respirer, insista Rick. Sinon, ça risque de s'infecter.

— Fous-moi la paix. T'es pas ma mère !

Danny roula un vêtement en boule sous sa nuque en guise d'oreiller et se blottit sur le plancher du transporteur.

L'obscurité tomba sur le Pali tandis que reprenaient les bruits nocturnes et les appels mystérieux des insectes.

Rick s'installa sur le siège passager.

— Tu peux dormir, Karen. Je veille.

— Non, ça va. Si tu dormais plutôt ? Je vais prendre le premier quart.

Ils finirent par rester éveillés tous les deux et montèrent la garde dans le silence angoissant, pendant qu'Erika et Danny se reposaient. Les chauves-souris sortirent. Leurs cris et leurs échos sillonnèrent le ciel au-dessus d'eux tandis qu'elles gobaient les papillons et autres insectes volants.

— Les chauves-souris m'empêchent de dormir, se plaignit Danny, derrière eux.

Ce qui ne l'empêcha pas de ronfler peu après.

La lune monta au-dessus de la vallée de Manoa et transforma les cascades en fils d'argent tendus dans le vide. Rick aperçut un arc de lumière près d'une chute et plissa les yeux. Qu'est-ce que ça pouvait être ? On aurait dit que l'arc scintillait et frissonnait.

Karen l'avait remarqué, elle aussi.

— Tu sais ce que c'est, hein ? demanda-t-elle en tendant le harpon dans sa direction.

— Aucune idée.

— C'est un arc-en-ciel lunaire, Rick. Oh, regarde ! s'écria-t-elle en posant la main sur son bras. C'est même un double arc-en-ciel lunaire !

Il ne savait même pas que ça existait. Ils voyageaient dans un dangereux jardin d'Éden. C'était bien sa chance de se retrouver au paradis avec Karen King ! Il se surprit à la dévisager. D'accord, elle était belle, particulièrement sous ce clair de lune. Rien ne semblait l'abattre longtemps, rien ne semblait la décourager. À vrai dire, Karen King était la partenaire idéale pour une telle aventure, même s'ils ne s'entendaient pas. En tout cas, elle ne manquait pas de cran ! Quel dommage qu'elle ait ce foutu caractère ! songea-t-il en s'assoupissant. Quand il se réveilla, un peu plus tard, il la trouva endormie contre lui, respirant paisiblement, la tête au creux de son épaule.

31.

— C'est bizarre ! s'exclama Dorothy Girt, la directrice du service médico-légal de la police d'Honolulu, les yeux collés au microscope binoculaire Zeiss. C'est la première fois que je vois un truc pareil !

Elle s'écarta pour laisser la place à Dan Watanabe. Ils se trouvaient dans un espace décloisonné qui abritait différentes paillasses de laboratoire, couvertes de matériel d'analyse et d'imagerie, de microscopes et d'ordinateurs.

Il régla les oculaires et regarda.

Il vit un petit objet d'aspect métallique.

— Quelle taille fait-il ?

— Un millimètre.

C'était à peine plus grand qu'une graine de coquelicot. Pourtant, il s'agissait d'une machine. Du moins, ça y ressemblait.

— Qu'est-ce que ça peut bien...

— C'est la question que je me pose.

— D'où ça sort ?

— Du cabinet de Fong. L'équipe médico-légale l'a passé au peigne fin. Et en cherchant des empreintes sur une fenêtre, ils ont relevé cet objet sur du ruban de prélèvement, près de la serrure.

Watanabe le balaya de haut en bas. Il était endommagé ; il semblait écrasé et recouvert d'une matière sombre, un peu comme du goudron. Il évoquait vaguement un aspirateur auquel on aurait fixé une sorte de ventilateur. Des pales dans un carter. Un peu comme un moteur à réaction. Il possédait en outre un long bec flexible en col de cygne d'où saillaient deux tiges de métal aplaties et pointues.

— Ça doit provenir d'un ordinateur, supposa-t-il.

Dorothy, qui s'était appuyée à la paillasse à côté de lui, se redressa.

— Il y a des couteaux dans un ordinateur ?

Il regarda de nouveau. Ce qu'il avait pris pour deux tiges métalliques ressemblait en fin de compte à des lames. Des dagues croisées qui brillaient au bout du bras flexible.

— Vous pensez que...

— Dites-moi plutôt ce que vous pensez, vous, Dan.

Watanabe zooma sur les lames et les agrandit. Il vit alors apparaître des instruments de précision. Forgés et polis. Qui lui rappelaient les tantō, ces dagues utilisées par les samouraïs. Les lames étaient maculées d'une matière sombre et sale. Il distingua alors les cellules. Du sang séché. Du sang séché mélangé à de la fibrine.

— Il y a du sang dessus.

— Je l'avais remarqué.

— Quelle longueur font ces lames ?

— Moins d'un demi-millimètre.

— Alors ça ne colle pas. Les coupures qui ont saigné les victimes à blanc mesuraient jusqu'à deux centimètres de profondeur puisque les jugulaires ont été sectionnées. Ces lames sont bien trop courtes pour trancher une gorge. C'est comme si on voulait tuer une baleine avec un canif. Impossible !

Ils restèrent tous les deux silencieux quelques instants.

— Quoique... aux anniversaires..., murmura Watanabe.

— Pardon, Dan ?

— Quand vous emballez un cadeau, vous coupez le papier avec des...

— ... ciseaux.

— Ces lames sont en fait des ciseaux. Elles ont donc pu entailler profondément les victimes.

Il examina de nouveau l'engin en cherchant un indice qui permette de l'identifier : un numéro de série, un nom gravé dessus, le logo d'une société. Il ne trouva rien de tel. Celui qui avait construit cet appareil ne lui avait pas apporté de marques d'identification ou les avait soigneusement effacées. En d'autres termes, qui que fût le concepteur de cet engin, il ne voulait pas qu'on remonte jusqu'à lui.

— Est-ce que l'autopsie a révélé d'autres appareils de ce type ? Dans les blessures, dans le sang ?

— Non. Mais les médecins ont très bien pu ne pas les remarquer.

— Que sont devenus les corps ?

— Fong a été incinéré. Rodriguez enterré. L'inconnu est dans le frigo.

— Il faut le réexaminer.

— Je m'en charge.

Watanabe s'écarta du microscope, enfonça les mains dans ses poches et commença à arpenter le labo de long en large. Il fronça les sourcils.

— Pourquoi a-t-on retrouvé cet engin sur une fenêtre ? S'il provient d'un des corps, comment a-t-il pu y atterrir ? Et comment s'est-il introduit dans le corps, pour commencer ?

Il regagna le microscope et examina le ventilateur. Merde ! C'était une hélice !

— Mon Dieu ! Ce machin peut voler, Dorothy !

— C'est on ne peut plus hypothétique, répondit-elle sèchement.

— Ou au moins naviguer dans le sang.

— Peut-être.

— Vous pouvez retrouver l'ADN du sang collé dessus ?

— Je pourrais retrouver l'ADN dans un éternuement de puce, Dan, rétorqua-t-elle avec un sourire pincé.

— J'aimerais savoir s'il correspond à celui de l'une des trois victimes.

— Ce serait intéressant, l'approuva-t-elle et son regard cynique s'éclaira un peu.

— Ils fabriquent des petits robots, murmura-t-il.

— Pardon, Dan ?

Il se leva.

— Travaillez bien, Dorothy !

Elle lui répondit par un sourire fugace. À quoi croyait-il qu'elle consacrait son temps dans le service médico-légal, si ce n'était à faire du bon travail ? Elle se servit d'une pince pour saisir le minuscule objet. Avec une précaution extrême elle le déposa au fond d'une fiole en plastique plus fine que son petit doigt. Puis elle porta celle-ci dans l'armoire où on gardait sous clé les pièces à conviction. Allez savoir, peut-être tenait-elle l'arme du crime.

Watanabe repartit, plongé dans ses pensées. Nanigen. Les petits robots. À présent, il voyait un lien se dessiner entre le casse-tête Willy Fong et Nanigen.

Il était temps qu'il ait une petite conversation avec son P-DG.

Vin Drake était passé au centre de communications. Il avait viré la jeune opératrice de la pièce et, après avoir fermé la porte à clé, avait entrepris de localiser lui-même l'hexapode. Il regardait à présent l'écran qui affichait une carte en 3-D des falaises nord-ouest de la vallée de Manoa, entre le bas de la vallée et la masse du cratère du Tantalus, six cents mètres plus haut. Il aperçut alors un cercle marqué d'une croix, presque en haut des falaises, à la base du cratère.

Ce cercle indiquait la position approximative de l'hexapode volé. Les survivants avaient réussi à gagner les contreforts du cratère du Tantalus. À la vitesse à laquelle ils montaient, ils atteindraient la base le lendemain matin, sauf si un prédateur les tuait. Il ne pouvait pas contrôler les prédateurs. En revanche, il pouvait contrôler la base Tantalus.

Sans quitter la salle de communication, Drake sortit son téléphone d'entreprise crypté et appela Don Makele.

— L'hexapode approche.

32.

Falaises du Tantalus
31 octobre, 9 h 45

Le véhicule franchit une corniche rocheuse et émergea dans une poche de terrain moussu. Un petit lac brillait sous le soleil, alimenté par une minuscule cascade. Les gouttes qui tombaient dans l'eau faisaient étinceler la surface d'éclats prismatiques.

Rick, Karen et Erika descendirent à terre et s'approchèrent du bassin pour l'examiner. Il avait une clarté de cristal sous sa surface miroitante.

— Qu'est-ce que nous somme sales ! remarqua Erika.

— Une baignade me ferait du bien, ajouta Karen.

Ils contemplèrent leurs reflets dans l'eau ; ils avaient l'air fatigués et transpiraient dans leurs vêtements déchirés et crasseux. Karen s'agenouilla pour tâter l'eau. Ses doigts la creusèrent sans s'y enfoncer. Elle touchait le ménisque, sa surface élastique. Elle appuya de tout son poids et sa main s'enfonça enfin.

— C'est tellement tentant !

— Ne faites pas ça. Vous allez vous faire tuer ! les mit en garde Danny depuis le transporteur.

— Il n'y a aucun danger ici, Danny, répondit Karen.

Rick en était moins sûr. Il prit le harpon, le

plongea jusqu'au fond et remua l'eau. Si une créature nuisible y vivait, il espérait ainsi la déloger. Cela fit seulement remonter des organismes unicellulaires qui se tortillèrent à la surface, mais aucun ne semblait dangereux.

Le lac était suffisamment petit et peu profond pour qu'ils en voient la totalité. A priori aucun danger.

— Je vais nager, annonça Erika.

— Pas moi, rétorqua Danny.

Rick et Karen se dévisagèrent.

Erika passa derrière une touffe de mousse et revint complètement nue.

— Y a un problème ? demanda-t-elle alors que Danny la regardait fixement. Nous sommes entre biologistes.

Elle s'avança dans le lac. L'eau se rida sous ses pieds, mais supporta son poids. Elle appuya plus fort et, traversant d'un coup la surface, s'enfonça jusqu'au cou. Elle nagea jusqu'à la cascade et se mit en dessous. Les gouttelettes qui s'écrasèrent sur sa tête lui coupèrent le souffle.

— C'est magnifique ! Venez !

Karen commença à se déshabiller tout à fait naturellement. Rick hésitait ; il avait honte de la regarder se dévêtir et encore plus d'aller nager nu avec les deux jeunes femmes. Il retira ses vêtements à toute allure et sauta dans l'eau.

— Bienvenue au paradis ! lança Erika.

— Un paradis dangereux.

Rick disparut sous la surface et se frotta la tête.

Plus Karen explorait le plan d'eau, plus elle le voyait comme un aquarium, sauf qu'en guise de poissons il était rempli d'organismes unicellulaires qui tournoyaient, nageaient et dérivaient autour d'eux. Une petite torpille fonça vers elle. C'était une paramécie, un protozoaire d'eau douce constitué d'une cellule unique. Les cils vibratiles qui la recouvraient lui permettaient de se déplacer dans l'eau. Elle se cognait contre le bras de Karen et la chatouillait. Karen mit ses mains en coupe pour la capturer et la cellule se tortilla. Elle lui fit penser à un chat qui ne veut pas qu'on le prenne.

— Je ne vais pas te faire de mal, la rassura-t-elle en la caressant doucement du bout du doigt.

Dès qu'elle effleura les cils, ils réagirent en inversant leur direction et tapèrent contre son doigt. Elle avait l'impression de caresser du velours qui se débattait.

Qu'est-ce qui me prend de parler à une cellule ? se demanda-t-elle. Une cellule est une machine. Juste un mécanisme de protéines à l'intérieur d'un sac d'eau. Et pourtant... elle ne pouvait s'empêcher de la considérer comme un petit être rempli de détermination et de désirs. Une cellule n'avait pas la forme d'intelligence d'un être humain, bien sûr. Elle ne pouvait pas imaginer des galaxies ni composer une symphonie, mais cela ne l'empêchait pas d'être un système biologique sophistiqué, parfaitement adapté pour survivre dans cet environnement et voué à se multiplier le plus possible.

— Bonne chance ! dit-elle à voix haute en ouvrant les mains pour la libérer.

Elle la regarda s'éloigner à toute vitesse en se tortillant, puis se tourna vers Rick.

— Nous ne sommes pas très différents de ces protozoaires.

— Je ne vois pas la ressemblance !

— L'être humain est un protozoaire le jour de sa conception. Le biologiste John Tyler Bonner a bien dit : « Un être humain est un organisme unicellulaire doté d'un corps fructifère complexe. »

— C'est le corps fructifère le meilleur, gloussa Rick.

— Idiot ! s'esclaffa Karen.

Erika regarda Rick avec un sourire en coin.

Une ombre traversa la mare tandis qu'un cri résonnait dans les airs. Instinctivement, ils enfoncèrent la tête sous l'eau. Quand ils la ressortirent, Rick scruta les alentours.

— C'étaient des oiseaux.

— De quelle espèce ? demanda Karen.

— Aucune idée. Ils sont partis de toute façon.

Ils lavèrent leurs vêtements pour les débarrasser de la boue et de la poussière. Puis ils les étalèrent au soleil et se firent bronzer sur la mousse. Leurs affaires séchèrent rapidement.

— Il faut repartir, déclara Rick en boutonnant sa chemise.

Au même instant, les cris se rapprochèrent tandis que des formes sombres surgissaient dans le ciel, au-dessus d'eux. Ils se levèrent d'un bond.

Une nuée d'oiseaux longeaient les falaises sans cesser de s'y poser et de redécoller, à la recherche de nourriture. Leurs clameurs déchiraient l'air.

Un oiseau atterrit devant eux. Il était énorme avec des plumes noires brillantes, un bec jaune et un regard acéré.

Il inspecta l'endroit en sautillant, poussa un cri rauque et retentissant et, sans prévenir, redécolla. D'autres oiseaux arrivèrent, décrivirent des cercles dans le ciel pour explorer les environs et finirent par se poser sur des arbres accrochés à la paroi. Les baigneurs pouvaient sentir les innombrables yeux rivés sur eux, tandis que les piaillements des oiseaux cernaient le plan d'eau.

— Ce sont des mainates ! les avertit Rick avant de courir prendre la carabine sur l'hexapode. Mettez-vous à l'abri !

Les mainates étaient des carnivores.

Danny sauta pour se tapir sous le transporteur. Karen se jeta derrière un rocher tandis qu'Erika plongeait dans la mousse. Rick s'agenouilla à découvert, la carabine à la main, l'œil fixé sur les formes noires qui sillonnaient la falaise, et dont les cris étaient emportés par le vent.

Les oiseaux le repérèrent. Un être aussi petit ne leur inspirait aucune crainte. L'un d'eux atterrit non loin de lui et s'approcha en sautillant. Rick tira. La carabine claqua avec un sifflement en le projetant en arrière alors que le mainate s'envolait. Il l'avait raté. Il rechargea frénétiquement en jetant une nouvelle aiguille dans la culasse. Son arme ne tirait qu'un projectile à la fois.

Il estima qu'il devait y avoir entre vingt et trente mainates qui tournoyaient autour des falaises.

— Ils chassent en bande !

Un autre oiseau atterrit.

Rick appuya sur la détente. Rien ne se passa.

— Merde !

L'arme était enrayée ! Il essaya frénétiquement d'actionner la culasse. Le mainate s'avança d'un bond, l'examina d'un œil rond et, d'un coup de bec, lui arracha la carabine des mains. L'objet brillant avait attiré son attention. L'oiseau l'explosa contre un rocher et le jeta au loin. Puis il releva la tête, ouvrit le bec et laissa échapper un cri qui fit presque trembler le sol.

Rick s'était jeté à plat ventre et rampait vers le harpon, abandonné sur la rive.

Le mainate reporta son attention sur Erika, recroquevillée dans la mousse. Sentant qu'il la regardait, elle paniqua. Elle se leva d'un bond et s'enfuit, tête baissée, en poussant des gémissements.

— Non, Erika ! hurla Rick.

Intrigué par ses mouvements, l'oiseau sautilla derrière elle.

Karen King, qui n'avait rien perdu de la scène, décida brusquement de se sacrifier pour Erika, de lui donner une chance de s'en sortir. La vie méritait d'être vécue. Elle se leva d'un bond et courut vers l'oiseau en agitant les bras.

— Hé ! Attrape-moi !

L'oiseau dévia vers elle et lui donna un coup de bec. Mais il la rata et elle s'étala de tout son long pendant qu'Erika sautait dans le transporteur et essayait fébrilement de démarrer. Elle ne savait plus ce qu'elle faisait. Elle n'avait qu'une idée, s'enfuir.

— Arrête ! Je t'ordonne d'arrêter ! hurla Danny.

Erika ne l'écoutait pas. Le véhicule tangua et commença à monter parmi les rochers, à découvert.

Erika abandonnait les autres.

— Erika ! Reviens ! cria Karen.

Hélas, Erika n'était plus capable d'écouter qui que ce soit.

Le véhicule brillant qui grimpait avec ses six pattes le long de la paroi devait paraître appétissant ou du moins intéressant. Toujours est-il qu'un mainate fondit dessus et arracha Erika du siège du conducteur. Dans une pluie de matériel et de sacs, le transporteur bascula en arrière, dégringola en rebondissant le long de la paroi et disparut.

Le mainate atterrit, Erika dans le bec. Puis, secouant la tête, il cogna sa proie à plusieurs reprises contre la roche pour la tuer. Enfin, il redécolla en emportant le cadavre, aussitôt poursuivi par un congénère. Ils se disputèrent la dépouille d'Erika et finirent par la déchiqueter en plein vol.

Ce n'était pas terminé. Rick, armé du harpon, cherchait désespérément Karen. Où était-elle ? Elle gisait à découvert, étendue sur le sol, sous un mainate, affublé d'une étrange marque noire au bec, qui la contemplait, l'air de se demander si elle était comestible.

— Karen ! hurla Rick en lançant le harpon sur l'oiseau.

L'arme s'enfonça dans les plumes, mais pas en profondeur. L'oiseau se secoua et le harpon retomba par terre. Le volatile ramena son attention sur Karen.

Elle se recroquevilla pour paraître petite et peu appétissante.

Rick se mit à courir dans l'espoir de distraire le mainate.

— Par ici !

— Non, Rick !

Au son de sa voix, l'oiseau sauta d'un bond sur Karen, la saisit dans son bec et, renversant la tête en arrière, l'avala d'une traite. Puis il s'envola dans un tonnerre de battements d'ailes.

— Salaud ! Ramène-la ! hurla Rick, agitant son harpon dans sa direction.

Mais le mainate rejoignit la nuée qui jacassait et tournoyait dans les arbres. Rick ne le distinguait plus dans la masse.

— Reviens ! Reviens te battre ! brailla-t-il en sautant sur place tout en agitant les bras et en brandissant son harpon.

Il aurait voulu pleurer. Il aurait fait n'importe quoi pour que le mainate à la marque noire revienne. Il refusait de se résigner.

Tout à coup, il se souvint d'une chose qu'il avait apprise sur les oiseaux. Les oiseaux n'ont pas d'estomac, ils ont un jabot.

33.

Crête du Tantalus
31 octobre, 10 h 15

Roulée en position fœtale à l'intérieur du jabot du mainate, Karen retenait son souffle. Les parois musclées l'écrasaient pour l'empêcher de bouger. Non seulement elles étaient gluantes et lisses, mais elles empestaient. Cependant, le jabot ne contenait aucun suc digestif. Ce n'était qu'un sac qui stockait la nourriture en attendant qu'elle soit acheminée vers le reste du système digestif.

Karen savait que l'oiseau volait, car elle percevait le claquement sourd de ses pectoraux qui actionnaient les ailes. Elle réussit à remonter ses mains sur son visage et, poussant de toutes ses forces, dégagea un peu d'espace devant son nez et sa bouche.

Elle inspira.

L'air sentait horriblement mauvais, empli d'une puanteur acide d'insectes en décomposition, mais c'était quand même de l'air. Malheureusement il y en avait très peu. Presque aussitôt il fit une chaleur étouffante et elle se mit à haleter. Une vague de claustrophobie la submergea. Elle avait envie de hurler. Elle dut faire un terrible effort de volonté pour se calmer. Si elle se laissait aller à crier et à se débattre, elle consumerait rapidement le peu d'oxygène disponible et finirait étouffée. Son seul espoir de survie, c'était de rester tranquille et de limiter ses mouvements au maximum pour le faire durer le plus longtemps possible. Elle étira sa colonne vertébrale et tendit les jambes, ce qui élargit le jabot et lui donna un peu plus d'espace. Malgré cela, elle manquait toujours d'air.

Elle voulut prendre son couteau, mais elle l'avait mis au fond de sa poche, à la taille. Impossible de l'atteindre. Les parois musclées bloquaient son bras en arrière.

Merde ! Il fallait qu'elle attrape ce couteau !

Elle se promit de le mettre autour de son cou à l'avenir. Si elle avait un avenir... Elle poussa son bras droit vers le bas, en s'arc-boutant contre la paroi caoutchouteuse qui l'entourait. Elle réussit à introduire les doigts dans sa poche, expira bruyamment, inspira l'air fétide et toussa. L'extrémité de ses doigts effleura un flacon. Qu'est-ce que c'était ? Le vaporisateur ! Plein à ras bord de projections de scarabée. C'était Rick qui l'avait rempli.

Une arme !

Avec une grimace, elle sortit le flacon.

Au même moment, l'oiseau fit une manœuvre en vol. Le jabot se resserra, et Karen, écrasée par les muscles, vida ses poumons d'un coup. Elle se sentit soudain légère, avec l'impression de tomber. Puis il y eut une secousse accompagnée d'un bruit sourd. L'oiseau s'était posé. Elle perdit conscience.

Le mainate était revenu à l'endroit où il avait attrapé Karen, espérant y découvrir encore de la nourriture. Il regarda Rick et inclina la tête.

Rick reconnut la marque noire sur son bec. C'était lui. L'oiseau qui avait avalé Karen. Pas moyen de savoir si elle était encore vivante. Mais ce n'était pas impossible. Son harpon brandi devant lui, il s'avança vers lui.

— Viens donc t'en prendre à moi, sale dégonflé !

L'attaque masaï. Voilà ce qu'il devait faire. *À treize ou quatorze ans, un jeune guerrier masaï est capable de tuer un lion avec une lance. Donc, je devrais y arriver. Ce n'est qu'une question de technique.*

L'oiseau sautilla vers lui.

Rick calcula la distance et le temps, puis anticipa les gestes qu'il allait faire ainsi que l'angle du harpon. Il devait se servir de la force et du poids de l'animal afin de les retourner contre lui, comme un guerrier masaï le faisait avec les lions. Le chasseur provoquait le fauve et, au dernier moment, quand celui-ci le chargeait, il calait le bout de sa lance dans le sol, la pointe tendue vers l'animal, et s'agenouillait derrière. Le lion sautait sur la pointe et s'empalait tout seul.

Soudain, l'oiseau piqua vers lui, le bec ouvert. D'un seul geste, Rick planta le manche de son harpon dans le sol, inclina la pointe vers sa gorge et plongea s'abriter sous son poitrail.

L'oiseau s'empala sur le harpon. Le dard, plus aiguisé qu'un scalpel et badigeonné de poison, lui traversa la peau du cou et y resta planté. Le mainate recula en secouant la tête pour se débarrasser de cette lance qui ballottait sous sa gorge. Rick en profita pour s'éloigner à quatre pattes. Puis il se redressa et brandit sa machette.

— Allez, viens te battre !

Karen entendit Rick et reprit ses esprits. Mais elle ne put aspirer suffisamment d'air dans ses poumons et se retrouva en hyperventilation. Elle vit des éclats de lumière, signe qu'elle manquait d'oxygène. Elle sentit alors le flacon sous ses doigts et appuya sur le poussoir. Elle éprouva aussitôt une horrible brûlure tandis que les composés chimiques se répandaient autour d'elle. Les muscles du jabot se resserrèrent, les étoiles se fondirent dans un brouillard, puis ce fut le néant...

Le mainate n'était pas content. Le harpon le gênait et des sensations déplaisantes agressaient son jabot. Il vomit.

Karen atterrit dans la mousse et l'oiseau décolla.

Elle était inconsciente. Rick s'agenouilla à côté

d'elle et chercha le pouls sur son cou. Son cœur battait toujours. Il posa sa bouche sur la sienne et souffla de l'air dans ses poumons.

Dans un sifflement rauque, elle inspira d'elle-même. Elle toussa et ouvrit les yeux.

— Ohh !

— Respire, Karen, continue ! Tout va bien.

Elle tenait toujours le flacon crispé dans ses doigts et il dut les desserrer pour le retirer. Puis il traîna Karen à l'abri d'une fougère. Il l'aida à s'asseoir et l'entoura de ses bras.

— Respire profondément.

Il retira une mèche qui lui tombait sur le visage et lui caressa doucement les cheveux. Il ne savait pas où étaient les oiseaux, s'ils chassaient toujours dans les environs ou s'ils étaient partis, mais leurs cris semblaient s'être éloignés. Il adossa Karen à une tige et, toujours assis à côté d'elle, remonta les genoux contre sa poitrine et passa un bras autour de ses épaules.

— Merci, Rick.

— Tu es blessée ?

— Non, juste un peu sonnée.

— Tu ne respirais plus. J'ai cru que tu étais...

Les cris des oiseaux s'évanouirent. La nuée était partie plus loin.

Rick fit un rapide bilan de l'équipement qui leur restait. Leurs chances de survie se réduisaient dramatiquement. Le transporteur avait disparu. Erika était morte. La plupart de leurs affaires avaient basculé dans le vide avec l'hexapode. Le harpon était perdu, lui aussi, envolé avec l'oiseau. Le sac à dos gisait près du lac. Ils avaient encore la sarbacane et le curare. Une machette traînait par terre. Pas de trace de Danny Minot.

C'est alors qu'ils entendirent sa voix au-dessus d'eux. Dans sa panique, Danny s'était hissé sur une liane jusqu'au sommet d'un rocher où ils le découvrirent, accroupi, qui agitait son bras valide.

— J'aperçois le Gros Caillou ! On est presque arrivés !

34.

Drake avait investi la salle de communications. L'œil rivé sur l'écran du traceur GPS qui avait localisé l'hexapode, il se sentait un peu déconcerté par ce qu'il voyait. Les croix qui indiquaient la position exacte du véhicule sur la falaise avaient chuté d'un coup de cent cinquante mètres. Au début il avait cru à une erreur du système. Mais il avait beau attendre, la position ne variait pas. Le véhicule ne bougeait plus.

Il s'autorisa un petit sourire modeste. Oui, il avait bien l'impression que le transporteur était tombé de la falaise. C'était la seule explication plausible. Il avait basculé dans le vide.

Bien sûr, il savait que les micro-humains pouvaient survivre à une telle chute. Mais le fait que le véhicule ne bouge plus signifiait au moins qu'il était endommagé. Il devait même être en miettes. Et les survivants totalement paniqués. Ils ne pouvaient plus atteindre le Tantalus. Quant au mal de décompression, il ne tarderait pas à les affecter. Ils n'allaient pas se sentir très frais.

Il appela Don Makele au téléphone.

— Vous êtes allé au Tantalus ?

— Oui.

— Et alors ?

— Je n'ai rien fait. Y avait pas besoin. C'est...

— Ils ne peuvent plus y arriver, de toute façon. Les pauvres petits ont fait une mauvaise chute !

35.

Parc industriel de Kalikimaki
31 octobre, 10 h 30

Le lieutenant Dan Watanabe gara sa Ford marron sur le seul espace parking marqué « Visiteurs ». Le bâtiment métallique se dressait entre la carcasse d'un entrepôt à moitié terminé et une parcelle de terrain vague couverte de broussailles. Près de l'entrepôt, il remarqua une zone couverte de gravier. Il s'approcha et en ramassa une poignée. Du calcaire concassé. Comme celui trouvé dans les rayures des pneus du privé Rodriguez. Intéressant ! Il le mit dans sa poche pour le montrer à Dorothy Girt.

Le parking devant Nanigen était rempli de voitures.

— Comment vont les affaires ? demanda-t-il à la réceptionniste.

— On ne me tient pas au courant.

Une cafetière électrique répandait une odeur amère de café qui a bouilli pendant des heures.

— Je vous en prépare une tasse ? proposa l'hôtesse.

— Je crois qu'il est préparé depuis longtemps.

Un homme imposant bardé de muscles entra. C'était Don Makele, le chef de la sécurité.

— Des nouvelles des étudiants ? demanda-t-il.

338

— Pouvons-nous aller dans votre bureau ? répondit Watanabe.

Alors qu'ils se dirigeaient vers le centre du bâtiment, ils passèrent devant des pièces closes aux parois vitrées obscurcies de l'intérieur par des stores noirs. Pourquoi ces stores étaient-ils tous tirés ? Et pourquoi étaient-ils noirs ? Watanabe remarqua par ailleurs un bourdonnement et une vibration qui montaient du sol. Ce bourdonnement révélait l'utilisation d'une grande quantité de courant alternatif dans le bâtiment. À quoi servait-il ?

Makele le fit entrer dans son bureau. Pas de fenêtre. Watanabe remarqua la photo d'une femme, sans doute son épouse. Deux enfants, encore des *keikis*. Son attention fut ensuite attirée par une plaque accrochée au mur. Corps des Marines des États-Unis.

Watanabe s'assit sur une chaise.

— Vous avez de beaux enfants.

— J'en suis dingue.

— Vous avez servi dans les marines ?

— Oui, dans les renseignements.

— Sympa ! – Ça ne faisait jamais de mal de bavarder un peu, sans compter que ça pouvait se révéler très instructif. – Nous avons retrouvé votre vice-présidente, Alyson Bender...

— Je sais... Elle était très déprimée.

— Et pourquoi ?

— Elle avait perdu son petit ami, Eric Jansen, qui s'est noyé.

— Mlle Bender et M. Jansen avaient donc une liaison, si je comprends bien, continua Watanabe.

Il percevait un certain malaise chez son interlocuteur. Instinct de flic.

— Il n'est pas facile pour sept personnes de se volatiliser dans nos îles, reprit-il. J'ai appelé un peu partout pour savoir si on ne les avait pas vus. À Molokai, entre autres. Là-bas, tout le monde se connaît. La visite de sept jeunes du Massachusetts, on en aurait jasé dans le pays.

— À qui le dites-vous ! Je suis né à Moloka'i.

Watanabe remarqua que Don Makele prononçait le nom de l'île à l'ancienne, avec le coup de glotte sur la dernière syllabe. Il se demanda s'il parlait hawaiien. On le parlait encore sur Molokai. Les habitants l'apprenaient de leurs grands-parents ou des « oncles », ceux qui enseignaient les traditions.

— Molokai est une île magnifique, ajouta Watanabe.

— C'est le vieux Hawaii. Tout ce qu'il en reste.

Watanabe changea de sujet.

— Connaissez-vous un gentleman du nom de Marco Rodriguez ?

Don Makele resta sans expression.

— Non.

— Et Willy Fong ? Un avocat installé au nord de l'autoroute, continua Watanabe sans préciser qu'ils étaient morts.

Don Makele mordit néanmoins à l'hameçon.

— Bien sûr ! s'exclama-t-il en clignant des yeux, l'air perplexe. Ce sont les types qui se sont fait poignarder, c'est ça ?

— Oui, dans le cabinet de Fong. Ils étaient trois : Fong, Rodriguez et un inconnu toujours pas identifié.

Don Makele le regarda d'un air interrogateur. Il écarta les mains.

— Quelque chose m'aurait-il échappé, lieutenant ?

— Je ne sais pas, répondit Watanabe, guettant sa réaction.

Don Makele parut surpris et irrité, mais garda son calme. Cependant, Watanabe nota avec plaisir que le chef de la sécurité s'agitait nerveusement sur son siège.

— Tout ce que je sais sur ces meurtres, c'est ce que j'ai lu dans les journaux.

— Qu'est-ce qui vous fait penser qu'il s'agit de meurtres ?

— C'est ce qu'on a dit aux infos.

— En fait, ils ont parlé de suicides. Mais vous, vous pensez que c'étaient des meurtres ?

Don Makele ne prit pas sa question à la légère.

— Lieutenant, y a-t-il une raison particulière pour que vous veniez me parler de ça ?

— Fong ou Rodriguez ne travaillaient pas pour Nanigen, par hasard ?

— Vous plaisantez ! Nanigen n'emploierait jamais des tocards pareils.

Don Makele savait pertinemment ce qui était arrivé à Fong et Rodriguez. Dix-neuf robots de surveillance avaient disparu la nuit de l'effraction. Ils s'étaient jetés sur l'intrus et l'avaient tailladé pour s'introduire dans sa circulation sanguine et sectionner ses artères de l'intérieur. Mais les robots n'auraient jamais dû faire une chose pareille. Ils n'étaient pas censés tuer qui que ce soit. Ils devaient juste photographier tout intrus, lui faire quelques incisions superficielles pour qu'il laisse des traces de sang et déclencher une alarme silencieuse. C'était tout. Ils ne devaient rien faire de dangereux et certainement rien de mortel. Sauf que quelqu'un les avait programmés pour tuer. Vin Drake, pensait-il. Les robots avaient découpé le privé en rondelles, puis ils avaient sauté comme des puces de son corps dans ceux des deux autres types. Des puces assoiffées de sang. Meurtrières. Un malfaiteur et ses complices s'étaient fait tuer. Si les gens étaient moins cons, il y aurait moins d'accidents.

Mais qu'est-ce que l'inspecteur savait exactement ? Don Makele l'ignorait et cela l'angoissait.

Il décida de passer à l'offensive. Il se pencha et demanda de son ton le plus officiel :

— Cette société ou l'un de ses employés font-ils l'objet d'une enquête criminelle ?

Watanabe laissa s'écouler un silence significatif.

— Non, répondit-il enfin.

Pas encore.

— Je suis heureux de vous l'entendre dire, lieutenant, parce que nous avons à Nanigen un profond respect de l'éthique. Son fondateur, Vin Drake, est connu pour son investissement financier personnel dans la recherche de traitements des maladies orphelines, maladies auxquelles personne ne s'intéresse car elles ne sont pas lucratives. M. Drake est un homme bien qui compte sans donner.

Le lieutenant Watanabe encaissa cette déclaration, le visage impassible.

— Vous voulez dire qu'il donne sans compter.

— C'est ce que je viens de dire, rétorqua Don Makele, imperturbable.

Watanabe sortit une carte, y nota un numéro de téléphone et la posa sur le bureau.

— C'est mon portable. Appelez-moi dès que vous aurez du nouveau. Je crois que M. Drake m'attend.

Vin Drake trônait sur son confortable fauteuil derrière son bureau présidentiel. Un tapis persan ancien couvrait le sol. Un agréable parfum de cigare flottait dans l'air. D'après la qualité de l'arôme, Watanabe déduisit qu'il ne s'agissait pas d'un cigare à dix dollars. La pièce, qui ne possédait aucune fenêtre, était éclairée par une lumière douce et indirecte. Il aperçut par une porte latérale une salle de bains en marbre. Très inattendu dans un entrepôt ! Ce type ne se refusait rien.

— Nous sommes bouleversés par tout ce qui est arrivé, commença-t-il. Nous espérions que vous pourriez nous aider.

— Nous faisons de notre mieux, répondit Watanabe. Je voulais juste avoir plus de détails sur le contexte de ces disparitions.

— Bien sûr.

Watanabe ne détestait pas le portrait de Drake sur le mur derrière lui. Il n'était pas mauvais. Peut-être un peu prétentieux, mais expressif.

— Pouvez-vous me dire avec précision ce que fait votre société ?

— Nous construisons essentiellement de petits

robots que nous utilisons pour explorer la nature et découvrir de nouveaux médicaments qui sauveront des vies humaines.

— Petits comment ?

Drake haussa les épaules et écarta légèrement son pouce et son index.

Watanabe plissa les yeux.

— Quoi ? Vous voulez dire un centimètre ? Gros comme une cacahuète ?

— Même moins que ça.

— Quoi ? Un millimètre ?

— C'est difficilement réalisable.

— Mais y êtes-vous parvenu ?

— Parvenu à quoi ?

— À réaliser des robots d'un millimètre ?

— Nous entrons dans le domaine du secret professionnel, répondit Drake en se renfonçant dans son siège.

— Avez-vous eu des accidents avec vos robots ?

— Des accidents ? s'esclaffa Drake tout en fronçant les sourcils. Oui, fréquemment.

— Des employés blessés ?

— C'est plutôt dans l'autre sens. Des employés qui marchent accidentellement sur des robots. Les robots n'y résistent pas.

Il regarda sa montre et soupira.

— J'ai une réunion.

— Bien sûr. Juste une dernière chose.

Watanabe allait décrire l'objet qu'il avait vu sans en montrer la photo, car une photo était une preuve et on n'exhibait pas ses preuves. Il décida donc de rester vague.

— On nous a parlé d'un appareil, assez petit, qui semble avoir une hélice et des lames tranchantes et qui serait capable de voler ou de nager dans la circulation sanguine humaine. Serait-il fabriqué par Nanigen ?

Drake ne répondit pas tout de suite. Watanabe estima qu'il mettait une fraction de seconde de trop.

— Non, répondit-il enfin. Nous ne fabriquons pas ce genre de robot.

— Qui les fabrique alors ?

Drake dévisagea Watanabe d'un œil prudent. Où ce flic voulait-il en venir ?

— Vous me décrivez un appareil qui en est encore au stade de l'étude.

— Quelle sorte d'appareil ?

— Eh bien, ça ressemble à un microrobot chirurgical.

— Un quoi ?

— Un microrobot chirurgical. Qu'on appelle aussi un surgibot. C'est un tout petit robot qui sert à des fins médicales. En théorie, un surgibot devrait être assez petit pour emprunter la circulation sanguine d'un patient. Un essaim de microrobots équipés de scalpels pourraient réaliser de la microchirurgie. On les injecterait dans le patient et ils suivraient sa circulation sanguine jusqu'au tissu ciblé. Ils pourraient découper les plaques d'athérome à l'intérieur des artères, par exemple. Ou traquer les métastases. Les surgibots les tueraient une par une et vaincraient ainsi le cancer. Mais pour l'instant, les surgibots appartiennent au rêve, pas à la réalité.

— Et donc, actuellement, vous ne construisez pas ces... Comment les appelez-vous ? Des surgibots ?

— Pas de ce genre, non.

— Excusez-moi, mais je ne comprends pas.

Drake poussa un soupir.

— Nous entrons dans un domaine très délicat.

— Pourquoi ?

— Nanigen fait de la recherche... pour vous.

— Pour moi ? s'exclama Watanabe, interloqué.

— Vous payez des impôts ?

— Bien sûr.

— Nanigen travaille donc pour vous.

— Oh, vous voulez dire que vous travaillez pour le gouvernement...

— Nous ne pouvons pas en parler, lieutenant.

344

Ils travaillaient sur un projet gouvernemental classé secret, qui concernait de petits robots, expliqua Drake. Et Watanabe aurait des ennuis avec le gouvernement s'il insistait. Qu'à cela ne tienne ! Watanabe changea brusquement de sujet.

— Pourquoi votre vice-président a-t-il sauté de son bateau ?

— Pardon ? Que voulez-vous dire ?

— Eric Jansen était un marin chevronné. Il savait qu'il ne faut jamais abandonner son bateau même dans le ressac. Et il devait donc avoir une bonne raison pour sauter dans les vagues. Laquelle ?

Drake se leva, le visage empourpré.

— Je ne sais pas où vous voulez en venir. Nous vous avons demandé de retrouver nos étudiants disparus. Vous n'avez retrouvé personne. Nous avons perdu deux directeurs. Vous ne nous avez pas apporté le moindre éclaircissement sur ces affaires non plus.

Watanabe se leva à son tour.

— Monsieur, nous avons retrouvé Mlle Bender. Nous continuons à rechercher Eric Jansen.

Il ouvrit son portefeuille et sortit sa carte de police.

Drake la prit et la regarda en soupirant. Une expression désagréable se peignit sur son visage.

— Pour être franc, nous sommes très déçus par la police d'Honolulu, lâcha-t-il en laissant négligemment tomber la carte sur le bureau. C'est à se demander si vous servez à quelque chose !

— Eh bien, monsieur, sachez que le département de police d'Honolulu est plus ancien que celui de New York, au cas où vous l'ignoreriez. Et que nous poursuivons nos enquêtes avec toujours autant de soin.

— Nous en avons trouvé cinq autres, annonça Dorothy Girt en étalant des clichés sur la paillasse devant Watanabe.

Les photos montraient les mêmes engins, tous

équipés d'une hélice dans un carter et d'un bec flexible armé de lames.

— Je les ai extraits du corps du jeune Asiatique inconnu. Un sale boulot !

— Comment avez-vous fait, Dorothy ? Ils sont vraiment très petits.

Avec un petit sourire de triomphe, Dorothy ouvrit un tiroir et en sortit un gros aimant industriel en forme de fer à cheval.

— Je l'ai passé sur les blessures. Ce foutu machin est sacrément lourd.

Elle le reposa pour montrer à Watanabe un agrandissement d'un des robots. Il avait été coupé en deux très proprement. On distinguait des puces et des circuits incroyablement petits et quelque chose qui ressemblait à une pile, un arbre de transmission, des vitesses...

— Cette coupe est parfaite, Dorothy. Comment l'avez-vous réalisée ?

— C'est simple. J'ai mis le robot dans un bloc d'époxy comme un échantillon de peau. Ensuite, je l'ai coupé au microtome. Vous voyez ce détail, Watanabe ?

Il se pencha sur le cliché pour regarder une sorte de petit boîtier qu'elle pointait du doigt dans les entrailles du robot. Un petit *n* en bas de casse était imprimé dessus.

— Donc le P-DG de Nanigen m'a menti !

Il faillit lui donner une claque amicale dans le dos, mais se ravisa in extremis. Dorothy Girt n'était pas du style à apprécier ce genre de familiarité. Il se contenta de lui adresser un petit hochement de tête respectueux, à la japonaise, comme on avait coutume de le faire dans sa famille.

— Excellent travail, Dorothy !

— Pff ! renifla-t-elle.

Son travail ne pouvait être qu'excellent !

36.

Cratère du Tantalus
31 octobre, 13 heures

— Putain de Mère Nature ! grommela Danny
Minot. Elle n'a inventé que des monstres insatiables !

Il avançait péniblement en traînant ses pieds
chaussés d'herbe, son bras malade serré contre lui.
Celui-ci avait encore enflé et sa manche commençait à
se déchirer. Rick Hutter et Karen King marchaient à
côté de lui, Rick portait le sac à dos, Karen tenait la
machette dégainée, prête à frapper. Ils étaient les trois
derniers survivants. La large bande de terrain incurvée
qu'ils traversaient était couverte de sable et de gravier.
Ce terrain découvert formait la lèvre du cratère du
Tantalus et s'étirait jusqu'à des bambous d'une
hauteur vertigineuse. Entre les troncs ils apercevaient
un rocher de la taille d'une montagne, couvert de
mousse et complètement raviné. Le rocher semblait
distant de plusieurs kilomètres, du moins à leur
échelle.

Le soleil les accablait. Il n'avait pas plu sur le Tantalus depuis des heures. Ils commençaient à souffrir de
la soif. Leur corps minuscule se déshydratait très vite.

Karen se sentait exposée. Ils formaient d'excel-
lentes cibles, en mouvement sur ce terrain désolé sans
aucun abri. Un oiseau passa dans le ciel et elle rentra

la tête dans les épaules, les mains crispées sur sa machette. Ce n'était pas un mainate mais un aigle, qui tournait au-dessus du Tantalus. Leur petitesse les rendait indignes de son appétit, du moins l'espérait-elle.

— Ça va, Karen ? demanda Rick.

— Arrête de t'inquiéter pour moi !

— Mais...

— Je vais bien. Occupe-toi plutôt de Danny. Il a mauvaise mine.

Danny s'était assis sur une pierre et semblait incapable de repartir. Il caressait son bras malade et ajustait l'écharpe, le visage livide.

— Ça va, mec ?

— Comment ça ?

— Comment va ton bras ?

— Il est normal !

Mais brusquement Danny baissa les yeux. Pris de spasme, son biceps se contractait et tendait le tissu, se relâchait, se contractait encore. Cela semblait involontaire.

— Qu'est-ce qui lui arrive ? demanda Rick, alors que les convulsions provoquaient des ondes le long de son bras qui semblait, soudain, animé d'une vie indépendante.

— Il ne lui arrive rien du tout ! soutint Danny.

— Mais regarde, Danny, il tressaille.

— Non !

Danny le repoussa, s'écarta de lui et lui tourna le dos en tenant son bras malade comme un joueur qui défend un ballon de rugby.

— Tu peux le bouger ?

— C'est ce que je viens de faire !

Ils entendirent alors une déchirure stridente. Danny se mit à gémir.

— Non... non...

Sa manche s'était fendue en révélant une vision de cauchemar. Sous la peau devenue translucide comme du parchemin huilé, on apercevait de grosses formes ovoïdes blanches qui palpitaient d'un air satisfait.

— La guêpe était un parasite. Elle a pondu des œufs ! s'exclama Rick.

— Non ! hurla Danny.

Les œufs avaient éclos. Et les larves qui en étaient sorties se nourrissaient de la chair qui les entourait. Danny contempla son bras en gémissant. Les petites explosions qu'il avait entendues, c'étaient les œufs en train d'éclore. Les vers le rongeaient... lui dévoraient le bras... Il se mit à sangloter.

— Nous allons te faire soigner, tenta de le calmer Rick. Nous sommes presque arrivés à Tantalus...

— Je vais mourir !

— Ils ne vont pas te tuer. Ce sont des parasites. Ils veulent que tu restes en vie.

— Pourquoi ?

— Pour avoir de quoi continuer à manger...

— Oh, mon Dieu ! Oh, mon Dieu !

Karen l'aida à se lever.

— Viens. Il faut continuer.

Ils reprirent leur marche, mais Danny les ralentissait. Il n'arrêtait pas de trébucher et de s'asseoir, les yeux rivés sur son bras, comme hypnotisé par les vers.

À mi-chemin du plateau, ils aperçurent un tube rond, fait de boulettes d'argile agglutinées, qui émergeait du sol comme une cheminée penchée.

— Ah, si Erika avait été là, murmura Karen, elle nous aurait dit ce que c'est.

Ils devaient se méfier. Cette cheminée cachait sans doute quelque chose de dangereux, un insecte vraisemblablement. Ils passèrent au loin, prêts à courir se cacher au moindre mouvement.

Et pendant ce temps ils se rapprochaient du Gros Caillou.

C'était une mère. À l'instar d'un papillon, elle ne se nourrissait que du nectar des fleurs. Ce qui ne l'empêchait pas d'être aussi un prédateur. Elle chassait pour ses petits : eux se nourrissaient de viande. Comme tous les prédateurs, elle était intelligente, capable d'apprendre, et dotée d'une excellente mémoire. En fait, elle possédait neuf cerveaux. Ils se composaient d'un cerveau maître et de huit cerveaux mineurs en chapelet le long de sa moelle épinière, telles des perles sur un fil. Elle se classait parmi les insectes les plus intelligents.

Elle s'était accouplée une fois avec son partenaire, qui avait succombé juste après. C'était une reine qui resterait solitaire sa vie entière. Il s'agissait d'un pompile.

La guêpe émergea de sa cheminée ; la tête sortit la première, suivie de son corps, les ailes plaquées sur le dos, pliées en éventail. Elle les déploya et les fit vibrer le temps que ses muscles s'échauffent au soleil.

À sa vue, les humains se figèrent. Elle était vraiment énorme avec son abdomen articulé strié jaune et noir. Dans un battement assourdissant, elle décolla, les pattes pendantes.

— Couchez-vous !

Ils se jetèrent par terre et se mirent à ramper vers le peu de couverture que leur offrait le terrain : des tiges d'herbe, des cailloux.

La guêpe ne les vit pas tout de suite. Après avoir quitté sa cheminée, elle se mit à voler en zigzag, afin de s'orienter, avant de partir en chasse. Pendant cette phase, elle scrutait le sol dans les moindres détails et le comparait à la carte précise du terrain qu'elle gardait en mémoire.

Elle repéra alors une nouveauté.

Trois objets encombraient le quart sud-est de son territoire. Ces objets étaient vivants. Ils rampaient. Ils ressemblaient à une proie.

Elle corrigea aussitôt sa trajectoire.

La guêpe pivota, plongea à toute vitesse et choisit Rick Hutter.

Il roula sur le dos en agitant sa machette pendant

que la guêpe l'emprisonnait entre ses pattes. Sans cesser de battre des ailes, elle le prit doucement entre ses mandibules.

Il ne pouvait plus respirer. Les mandibules avaient vidé l'air de ses poumons. Pourtant, bizarrement, elles ne l'avaient pas transpercé. Au contraire, la guêpe faisait preuve d'une grande douceur.

Elle courba alors son abdomen en dessous d'elle pour pointer son dard sur Rick. Les plaques de l'armure qui protégeait la pointe articulée de son abdomen s'écartèrent et deux doigts souples couverts de soies sensorielles émergèrent et s'agitèrent. Il s'agissait des palpes du dard. Ils tapotèrent le cou et le visage de Rick et testèrent sa peau.

Son goût lui plut.

La piqûre fut subite. Deux aiguillons enveloppés d'un fourreau émergèrent d'une cavité sous les palpes gustatifs. Alors que le fourreau forait un trou juste sous l'aisselle de Rick, les aiguillons se plantèrent en lui, l'un après l'autre, et s'enfoncèrent d'un mouvement de piston.

Rick sentit les aiguilles le transpercer. La douleur incroyable lui arracha un cri.

Karen se précipita en brandissant sa machette, mais c'était trop tard. La guêpe décolla en emportant Rick entre ses pattes. Karen le vit donner des coups de pied puis s'affaisser, complètement inerte.

La guêpe atterrit sur la cheminée et poussa Rick dans le conduit avec sa tête. Puis elle s'enfonça à sa suite et son dard disparut en dernier.

— Rick est mort, déclara Danny.

— Qu'est-ce que t'en sais ? protesta Karen.

Il leva les yeux au ciel.

— Il peut très bien être encore en vie, insista-t-elle.

Danny répondit par un grognement.

Karen essaya de se souvenir de ce qu'elle avait

appris sur les guêpes en entomologie. Comme Erika Moll lui manquait ! Elle, elle aurait su à quoi s'en tenir.

— C'était un pompile, je crois.

— Et alors ? Je t'en prie, il faut y aller.

— Attends... – Ce cours qu'elle avait suivi sur les insectes... – Ces pompiles... ce sont des femelles, bien sûr ! Elles construisent un nid pour leurs petits. Elles paralysent leur proie, mais je ne crois pas qu'elles la tuent. Elles la donnent à leurs petits.

Elle ne savait pas du tout à quelle espèce de guêpe elle avait affaire ni quelles étaient ses coutumes.

— Laisse tomber ! marmonna Danny en se relevant.

Karen dégaina sa machette.

— Qu'est-ce que tu fais ?

— Rick m'a sauvé la vie !

— T'es malade !

Elle ne répondit pas. Elle sortit l'aiguisoir accroché à sa ceinture et le passa sur la lame de sa machette.

— Cette salope a emmené Rick.

— Non, Karen, arrête !

Karen ignora Danny. Elle ouvrit son sac, sortit un talkie-walkie et une lampe frontale, et les mit. Puis elle prit un autre talkie-walkie et le jeta à Danny.

— Mets ton casque.

Et, sans un regard pour lui, elle partit en courant vers la cheminée.

— Tu me reçois, Danny ? lui demanda-t-elle par la radio.

Il s'était allongé à plat ventre, à l'ombre d'une petite plante.

— T'es cinglée ! hurla-t-il.

Elle posa son oreille contre la cheminée. Elle était faite de terre et il en montait une drôle d'odeur. Celle de la colle fabriquée avec de la salive d'insecte. Karen sentit un lent vrombissement sous ses pieds. Les ailes de la guêpe qui battaient sous terre. Il y avait un nid là-dessous. Le vrombissement se poursuivit. Puis il commença à remonter vers le sol. La guêpe ressortait. Karen se tapit dans l'ombre de la cheminée en se faisant la plus petite possible.

La tête de la guêpe émergea. Deux yeux semi-circulaires à facettes passèrent sur elle. Elle se crut repérée, mais la guêpe ne réagit pas et décolla. Une fois en l'air, l'insecte décrivit de nouveaux zigzags pour s'orienter, puis elle partit en direction du nord-ouest, vers d'autres terrains de chasse connus d'elle seule.

Quand elle ne fut plus qu'un point sur l'horizon, Karen recula d'un pas et se mit à abattre frénétiquement la cheminée à coups de machette, sans cesser de surveiller le nord-ouest, craignant son retour. Mais le ciel restait vide. Elle écarta les blocs de terre qui obstruaient l'entrée et sauta les pieds en avant dans le tunnel.

— Ne me laisse pas ! cria Danny.

Karen ajusta son casque.

— Tu m'entends ?

— Tu vas mourir, Karen. Je vais me retrouver tout seul...

— Appelle-moi si tu la vois.

— Ohhh...

— Bien reçu. Terminé.

Elle avait intérêt à retrouver Rick et à le sortir de là vite fait. La guêpe pouvait revenir à tout instant.

Le tunnel aux murs arrondis tapissés d'argile s'enfonçait en pente raide. Karen s'y engagea les pieds les premiers, puis descendit en crabe sur ses mains et sur ses coudes. C'était étroit. La lumière du jour ne filtrait que par l'entrée derrière elle et se faisait de plus en plus ténue au fur et à mesure qu'elle progressait. Elle alluma sa lampe frontale. Une odeur forte mais pas désagréable montait du tunnel. C'était sans doute les phéromones de la mère. Il s'y mêlait une puanteur rance, qui augmentait au fur et à mesure qu'elle avançait.

Elle arriva brusquement à un puits. Le tunnel

plongeait à pic. Elle faillit succomber à la claustrophobie quand elle se pencha pour apercevoir le
fond : le trou semblait sans fin. *Rick doit être là-dedans,
c'est bien ma veine ! Enfin, il m'a sauvé la vie, j'ai une dette
envers lui. Et en plus je ne peux pas le souffrir !*

Elle se tortilla entre les parois étroites du tunnel
pour s'asseoir sur le bord du puits, les pieds dans le
vide. Elle se laissa lentement glisser à l'intérieur en se
retenant des mains et des genoux contre la paroi. Elle
n'avait aucune envie de tomber. Si jamais elle se
coinçait, elle n'arriverait peut-être pas à remonter.
L'idée de se retrouver piégée dans un puits vertical
avec une guêpe géante qui lui fondrait dessus... non !
Il ne fallait surtout pas y penser !

Dehors à l'air libre, Danny Minot avait ouvert le
sac à la recherche de nourriture. Il devait garder des
forces. Enfin, quelle importance puisqu'il allait
mourir ! Il retira le casque, le posa à côté de lui et
commença à inspecter son bras. C'était vraiment horrible !

Il entendit la radio crachoter. Il remit le casque.

— Quoi ?

— Tu ne vois toujours rien ?

— Non, non.

— Écoute, Danny. Fais bien le guet. Si jamais tu
vois la guêpe, préviens-moi que j'aie le temps de ressortir. C'est dans ton intérêt.

— D'accord, d'accord.

Il replaça correctement le casque sur sa tête et
s'adossa à l'ombre d'un rocher, face au nord-ouest.

Karen atteignit le fond de la cheminée. Le boyau
s'élargissait légèrement avant de faire un virage aigu à
l'horizontale qu'elle franchit à quatre pattes. Elle
déboucha dans une caverne et la balaya avec sa lampe.
De nombreux tunnels en rayonnaient, environ deux
douzaines, et tous étaient plongés dans l'obscurité.

— Rick ?

Il devait se trouver dans l'une de ces galeries. Mort probablement.

Elle s'engagea dans l'une d'elles. Très vite, elle rencontra un mur. Il était fait de gravats amassés grossièrement pour boucher le conduit. Un magma de grains de sable et de gravier, collé par de la salive, dans lequel étaient aménagés des espaces. Elle plongea sa lampe dans l'un d'eux pour voir ce qu'il y avait derrière.

Il s'agissait en fait de trous d'aération, car une créature vivait de l'autre côté. Cette cloison faisait office de bouchon ou de tampon perforé. Des crissements et des bruits d'aspiration filtraient par ces orifices, accompagnés d'un crépitement. Il en émanait également une odeur de pourriture. Une créature affamée vivait dans la salle derrière les gravats, une créature qui mangeait constamment.

— Rick ! cria Karen. Tu es là ?

Le crépitement cessa un bref instant. Ce fut la seule réaction.

Karen colla son œil à un trou et braqua la lampe dans un autre. La lumière tomba sur une surface brillante de la couleur de l'ivoire ancien. Une surface divisée en segments qui défilèrent un à un devant le trou. Cela dura un moment, comme un métro qui passe devant une ouverture. Elle entendait une respiration, mais pas celle d'un être humain. Ce qui l'effraya le plus, ce fut la taille de cette créature. Elle lui parut aussi grosse qu'un phoque.

Il lui restait beaucoup d'autres tunnels à explorer. Karen recula jusqu'à la caverne et s'engagea dans la galerie suivante. Arrivée devant l'amas de pierre et de boue séchée qui l'obstruait, elle essaya de voir de l'autre côté.

— Rick ? Tu m'entends ? appela-t-elle à nouveau.

— Qu'est-ce qui se passe ? demanda la voix de Danny Minot dans le casque, brouillée par l'épaisseur de terre au-dessus de Karen.

— Je suis arrivée dans une caverne qui donne sur

une vingtaine de tunnels. Chaque tunnel conduit à une cellule. Et je pense que chacune contient une larve.

Elle s'attaqua au tampon de gravats à coups de machette et commença à creuser dans la boue.

— Rick ? Tu es là ? hurla-t-elle. *Peut-être qu'il m'entend, mais qu'il ne peut pas me répondre. Ou il est mort. Peut-être que je ferais mieux de partir d'ici. Essaie quand même.*

Elle élargit l'ouverture jusqu'à ce qu'elle puisse passer et s'introduisit à quatre pattes dans la cellule.

Celle-ci contenait une larve de guêpe plus grosse qu'elle, une masse obèse à la respiration sifflante, à la tête dépourvue d'yeux et à la bouche encadrée de deux paires de mandibules noires et coupantes. La mère avait approvisionné la cellule en nourriture pour son enfant. Il y avait deux chenilles, une punaise d'un vert brillant et une araignée à l'air très malheureux. Pour le moment, la larve dévorait la punaise. La pièce était jonchée de débris de carapaces dépouillées de leur chair. Il y avait également trois têtes d'insectes entières, qui se décomposaient dans une horrible puanteur.

Karen s'avança en veillant à rester hors d'atteinte des inquiétantes mandibules de la larve qui continuait à dévorer son repas.

Elle écouta. On entendait l'air circuler à travers les trous des exosquelettes des proies. Parfait. Cela signifiait qu'elles étaient paralysées, mais encore vivantes. Donc, Rick pouvait très bien être encore en vie. Quant à l'araignée, en dehors de son abdomen qui se soulevait et s'abaissait avec sa respiration, elle restait d'une immobilité de statue, ses huit yeux vitreux.

La larve secoua la tête et tira entre ses mandibules des morceaux de punaise qu'elle aspira comme des spaghettis. La punaise respirait, elle aussi.

Karen résista à l'envie de poignarder l'horrible créature. Cette larve faisait partie de la nature. Elle n'était pas plus mauvaise qu'un lionceau déchiquetant la viande apportée par sa mère. Les guêpes représentaient les lions du monde des insectes. Elles étaient utiles, elles tenaient en échec des populations d'insectes mangeurs de plantes, tout comme les lions maintenaient l'équilibre de l'écosystème. N'empêche que ce n'était pas une raison pour laisser l'une d'elles dévorer Rick !

Karen ressortit de la cellule et passa dans le tunnel suivant. Elle appela par le trou d'aération, puis dégagea le passage. Elle arriva cette fois devant une larve adulte qui finissait sa dernière chenille.

— Rick !

La terre étouffait sa voix. Il pouvait être dissimulé dans une cellule n'importe où, au-dessus, en dessous, à côté...

Son casque crachota.

— Qu'est-ce qui se passe ? cria Danny.

— Impossible de trouver Rick ! C'est un véritable labyrinthe.

Elle fractura une autre cellule. Celle-ci contenait un cocon. Karen distingua à travers la soie une nymphe qui ne tarderait pas à s'en extirper et qui frémit quand la lumière balaya son cocon. Karen ressortit et empila de nouveau les gravats devant l'ouverture. Elle n'avait pas besoin d'avoir une jeune guêpe qui se balade dans le labyrinthe, surtout qu'elle devait être armée d'un dard !

— Rick ! C'est moi, Karen !

Elle retint son souffle et tendit l'oreille.

Aucun son ne lui parvint en dehors des bruits de mastication des larves et du battement de son cœur d'humaine terrorisée.

Rick, incapable de bouger et de parler, gisait dans une cellule plongée dans le noir total. La piqûre l'avait paralysé, mais il possédait tous ses sens. Il sentait les bosses du terrain sous son dos et ses jambes. Il percevait la puanteur des restes d'insectes en décomposition. Il ne pouvait pas voir la larve qui vivait dans cette cellule, mais il l'entendait très bien. Elle mangeait avec des craquements et des bruits de succion. Lui respirait normalement. Il pouvait cligner des yeux, c'était tout ce qu'il parvenait à faire de sa propre volonté. Il tenta de bouger un doigt sans savoir s'il y parvenait.

Au secours. Tirez-moi de là !

Ce n'était qu'une pensée.

Le venin de la guêpe n'avait neutralisé que la partie de son système nerveux qui contrôlait ses fonctions conscientes. Son système nerveux autonome, la partie inconsciente, continuait à opérer normalement. Son cœur battait, il respirait bien, tout fonctionnait. Mais il n'arrivait pas à se faire obéir de son corps. Comme s'il avait calé et qu'il ne parvenait plus à tourner la clé de contact ni à enfoncer l'accélérateur. Il perçut une douleur, se demanda ce qui se passait, jusqu'à ce qu'il sente une chaleur se diffuser en dessous de lui tandis que sa vessie se vidait automatiquement. Il se sentit soulagé.

Le venin était pour les guêpes leur façon de garder leurs proies au frais. Il permettait de les maintenir bien vivantes jusqu'au moment d'être consommées.

Les craquements et les suçotements continuaient à ses pieds, mais la larve devait avoir fini son repas, car il entendait des morceaux d'exosquelettes racler sur le sol. Elle absorbait les dernières miettes. Et ces craquements qu'il percevait signifiaient que la larve possédait des mâchoires. Il redoutait le moment où celles-ci s'attaqueraient à lui. Il n'arrêtait pas de se demander par quel endroit de son corps la larve commencerait à le dévorer. Lui mastiquerait-elle d'abord le visage ? Lui arracherait-elle ses parties génitales d'un coup de dents ou s'enfoncerait-elle dans sa cavité abdominale ?

Malgré l'horreur de la situation, bizarrement, Rick Hutter s'ennuyait. Paralysé, dans l'obscurité totale, il n'avait rien d'autre à faire que d'imaginer sa mort prochaine. Il décida qu'il ferait mieux de se concentrer sur les meilleurs moments de sa vie. Ce serait sans doute sa dernière occasion d'évoquer ses souvenirs. Il se remémora les vagues de Belmar, sur la côte du New Jersey, où sa famille allait passer chaque année une semaine dans un motel. C'était tout ce qu'ils pouvaient s'offrir. Son père conduisait un camion de livraison pour une chaîne de supermarchés. Il se revit, à cinq ans, debout sur le siège du conducteur, criant à qui voulait l'entendre qu'il serait chauffeur comme son père. Il se revit ouvrant la lettre lui annonçant son admission à l'université et lisant avec une incrédulité totale qu'il avait obtenu une bourse d'études complète pour Stanford ! Puis son cycle supérieur à Harvard, financé aussi par une bourse. Il se revit au Costa Rica, interviewant une vieille femme, une *curandera*, tandis qu'elle préparait une tisane médicinale à base de feuilles d'*Himatanthus*.

Son esprit le ramena au labo. Une nuit où il tentait d'extraire un composé de feuilles d'*Himatanthus*. Karen King se trouvait là, elle aussi, plongée dans une expérience sur ses araignées. Ils étaient seuls dans la salle. Ils avaient travaillé côte à côte sur la paillasse, sans dire un mot, dans l'atmosphère lourde de leur antipathie mutuelle. Mais leurs mains s'étaient frôlées par accident... *Peut-être aurais-je dû essayer de la draguer, ce soir-là. Bien sûr, elle m'aurait mis son poing sur la figure. Pas de doute là-dessus...*

Un homme qui va mourir pense souvent à ses occasions ratées de faire l'amour. Au fait, qui a dit ça ? C'est peut-être vrai, finalement.

Il commençait à s'assoupir... à perdre peu à peu conscience...

— Rick !

Sa voix le réveilla. Elle lui parvenait faiblement à travers la terre.

Je suis là, Karen ! hurla-t-il, mais seulement par la pensée, incapable de faire bouger ses lèvres.

— Rick ! Où es-tu ?

Dépêche-toi ! Je suis enfermé avec un broyeur.

La lampe de Karen clignota – c'était la première

lumière qu'il voyait depuis longtemps – et disparut, avalée par l'obscurité totale. Karen avait continué.

Reviens ! cria-t-il par la pensée. *Tu m'as raté !*

Silence. Elle était partie.

Alors, dans les ténèbres, se produisit le comble de l'horreur. Une chose humide et pesante lui enfonça le pied dans la terre en glissant sur sa cheville. Ce n'était pas possible ! Ensuite, il sentit les segments de la larve rebondir sur sa jambe, *bing, bing, bing*. Non ! Les segments glissaient sur son ventre à présent, puis sur son torse et lui coupaient le souffle ! Non ! Pitié ! Non ! La larve, couchée sur lui, l'écrasait de tout son poids et l'étouffait. Il sentait battre son cœur contre sa poitrine. Il entendit un cliquetis humide. Les mâchoires s'animaient.

Clic-clic. Snip-snap. Snic.

La lumière revint. Un rayon traversa la cellule et révéla juste devant son visage des lames noires qui entouraient une bouche bizarrement molle comme un anus pâle !

Karen éclaira la cellule et saisit la scène au premier coup d'œil.

— Oh, mon Dieu, Rick !

Elle attaqua le tas de gravats à grands coups de machette et arracha les pierres à pleines mains.

Les dents frôlèrent son front. La larve le reniflait, à la recherche d'un endroit tendre pour attaquer son repas. Elle tapota son épaule de ses dents et y laissa un filet de salive. Il la sentit lui picoter le nez. Quand la bouche humide effleura ses lèvres dans un baiser dégoulinant de bave, un haut-le-cœur irrépressible le souleva et il se mit à hoqueter.

— Tiens bon !

Dépêche-toi, cette salope veut me faire un suçon !

Karen se faufila par l'ouverture et, à coups de pied, écarta la larve du visage de Rick. Celle-ci laissa échapper un sifflement de surprise par ses trous d'aération. Karen dégaina sa machette et, d'un coup, lui trancha la tête. Le corps décapité se mit à se convulser et à se tordre en formant des C à l'envers. Karen continua à le poignarder ce qui ne fit qu'augmenter ses spasmes.

Elle passa les bras sous les aisselles de Rick et le tira hors de la cellule, laissant la larve décapitée marteler les murs. Mais une étrange odeur les poursuivait.

Pas de chance ! pensa Rick. *C'est une phéromone d'alerte.*

Karen l'avait compris, elle aussi. La larve mourante lançait un appel de détresse à sa mère dans le langage des odeurs. Cette odeur emplissait le nid. Si la mère la détectait...

— Que se passe-t-il ? demanda la voix de Danny à la radio.

— J'ai retrouvé Rick. Il est vivant. Ne bouge pas. Je le ramène.

Rick était un poids mort, elle avait l'impression de porter un sac de pommes de terre. Heureusement, elle possédait une force incroyable. Et elle se battrait jusqu'à la mort plutôt que de l'abandonner, à présent qu'elle l'avait retrouvé. Elle le traîna en rampant à travers la caverne et se dirigea vers le puits vertical...

Au même moment, la voix de Danny résonna de nouveau dans son casque :

— Elle revient !

37.

Cratère du Tantalus
31 octobre, 14 heures

La guêpe solitaire volait lentement, une chenille paralysée pendue entre ses pattes. Arrivée au-dessus de son nid, elle se mit à zigzaguer et descendit, à la recherche de la cheminée de terre qui menait à son terrier.

Quelques instants lui suffirent pour comprendre que celle-ci avait été détruite. Son nid avait été endommagé et envahi. Il y avait un intrus.

Danny Minot se plaqua contre le rocher, caché sous la plante, essayant de se fondre le plus possible dans le décor.

— Quelle idiote ! souffla-t-il à Karen.

Il allait se retrouver tout seul dans le micromonde.

La mère se posa sans lâcher la chenille. Tout en faisant vibrer ses ailes, elle s'approcha de l'entrée. Elle sentit alors l'odeur de son bébé mourant émaner du trou. Elle se mit à battre des ailes furieusement dans un grondement de tonnerre. Elle lâcha la chenille et s'engouffra dans le trou, la tête la première.

Karen King entendit un grondement dans la terre au-dessus d'elle. Un bourdonnement, un fracas et un choc d'exosquelette.

— Danny ! Que se passe-t-il ? s'écria-t-elle.

Pas de réponse.

— Parle-moi, Danny !

La mère plongeait dans son nid, véritable boule de rage maternelle mortelle.

Karen sortit son aiguisoir et se mit frénétiquement à affiler sa machette. *Zing, swish, zing, swish...* Il fallait qu'elle transperce l'épaisse armure bioplastique.

— Tiens bon, Rick ! marmonna-t-elle, après avoir vérifié le tranchant de son arme.

Elle alla se placer près de l'ouverture et leva la machette au-dessus de sa tête.

— Allez, viens... Viens, ma belle !

La mère atteignit alors le fond du puits. Il y eut un silence.

Puis l'énorme tête de la guêpe noire et jaune surgit par l'ouverture.

À l'envers.

Karen abattit la machette de toutes ses forces.

La lame rebondit sur l'œil de la guêpe où elle laissa une marque. La dame avait des yeux cuirassés.

La guêpe projeta sa tête, toujours à l'envers, dans la caverne. D'un claquement de mâchoires, elle arracha la machette des mains de Karen et la ramena dans le trou. Karen entendit des bruits de métal broyé. Elle avait détruit sa dernière arme.

La caverne trembla : la guêpe martelait les murs du tunnel de ses ailes. Elle se préparait à charger. Karen l'entendait haleter. Elle regarda par-dessus son épaule et le rayon de sa lampe frontale balaya Rick. Il semblait mort...

Mais en se retournant, Karen sentit le petit couteau pendu à son cou. Elle s'était juré de ne plus jamais le mettre dans sa poche. *Mon couteau !* Elle l'ouvrit d'un coup de pouce et arracha la cordelette attachée à son cou.

La guêpe s'avança, toujours à l'envers, en claquant des mâchoires. Karen se jeta par terre et se glissa sous sa tête. Celle-ci était couverte de soies. Karen s'y agrippa. La tête s'agita de haut en bas pour la cogner sur le sol. La guêpe pouvait la voir ; un trio de petits yeux la dévisageait du sommet du crâne.

Karen ne la lâcha pas tandis qu'elle pivotait pour la frapper contre les parois du tunnel sans cesser de claquer des mandibules. Jamais Karen n'avait reçu une telle raclée. Cela ne l'empêcha pas de passer la main derrière la nuque de l'insecte et d'introduire le bout de ses doigts dans la suture occipitale, la fente entre la capsule céphalique et la sclérite, la première plaque cuirassée du thorax. Il y avait un joint dans l'armure à cet endroit. Ses doigts tâtèrent la peau tendre le long de la fente.

Le cou était si étroit qu'elle pouvait le serrer entre ses doigts. Et si elle l'étranglait ?

Au même moment, la guêpe recula d'une secousse dans le tunnel et, tout en continuant à lui marteler le corps, se recourba. Karen comprit qu'elle essayait de ramener son abdomen en avant pour la piquer. Puis la guêpe la repoussa dans la caverne et se mit à se tortiller pour lui faire lâcher prise. Mais Karen tint bon. Ayant localisé la jonction, elle resta accrochée au cou d'une main tandis que de l'autre elle saisissait son couteau et plongeait la lame dans la fente. Puis, d'un geste rapide, clle opéra un mouvement de scie autour du cou en suivant cette fente.

La tête de la guêpe se détacha.

Elle roula sur Karen qui se rua dans la chambre suivie par un jet d'hémolymphe.

Les mandibules claquèrent deux fois et s'immobilisèrent. Le cou tranché, le corps se vida rapidement de son sang qui se répandit sur Karen. Les ailes cessèrent de battre contre les parois du tunnel et le corps s'immobilisa enfin.

Karen se dégagea, courut s'agenouiller près de Rick et le prit par la main. Elle tremblait de tous ses membres.

— Je l'ai eue.

Du coin de l'œil, Rick vit un mouvement derrière

elle. Il cligna des yeux et cria intérieurement : *Attention !*

Le cerveau maître à l'intérieur de la tête tranchée avait perdu le contact avec les huit cerveaux mineurs, mais ceux-ci continuaient d'envoyer des messages au reste du corps. Les pattes de la guêpe entrèrent en action et traînèrent le corps décapité à l'intérieur de la chambre. L'abdomen se recourba vers l'avant et le dard sortit.

Un bruit derrière Karen la fit se retourner d'un bond. Elle eut juste le temps d'éviter le dard, mais se retrouva plaquée par l'abdomen contre le mur. Elle se débattit pendant que le dard s'agitait devant son visage. Elle vit les lames jumelles frotter l'une contre l'autre, à quelques centimètres de ses yeux. Les palpes surgirent, lui tapotèrent la joue et s'introduisirent dans sa bouche. Mais, soudain, le dard s'immobilisa et retomba incrte sur sa clavicule, ses lames dégainées. À leur extrémité perla une goutte de poison dans laquelle Karen vit son visage se refléter.

Elle se dégagea avec précaution, évitant tout contact avec les lames et le venin. Puis elle se laissa tomber à genoux et essuya la terre sur le visage de Rick.

— Comment ça va, soldat ?

Il paraissait totalement paralysé, son visage tel un masque. Ses yeux bougeaient, clignaient, mais restaient totalement inexpressifs. Les muscles de son visage ne répondaient plus et il avait mouillé son pantalon. Au moins respirait-il et son cœur battait-il. Le venin de la guêpe se révélait fort complexe. Il avait déconnecté son système nerveux, mais pas en totalité. Rick essayait-il de communiquer ?

— Tu peux cligner des yeux ? Si tu clignes des yeux, ça veut dire oui. Si tu ne clignes pas, c'est non. Tu me comprends ?

Il cligna une fois. Oui. Puis un tremblotement parcourut son visage.

— Rick ! C'est un sourire ?

Oui. J'essaie.

— C'est un début. As-tu mal quelque part ?

Oui.

— Où ça ? Laisse tomber ! Si je te porte, ça va te faire mal ?

Pas de clignement. *Non.*

Elle le souleva sous les aisselles et contourna la guêpe en le traînant. Elle veilla à ne pas passer sous la gouttelette de venin qui pendait toujours au bout du dard. Elle se rendit compte alors de l'état critique de Rick. Il ne pourrait survivre que s'il pouvait faire fonctionner ses muscles. Son système nerveux avait besoin d'aide. Cette saloperie de venin avait agi comme une bombe intelligente, en neutralisant seulement certaines parties de son système nerveux. C'était un poison à la fois horrible et sophistiqué. La nature réussissait des merveilles chimiques qu'aucune drogue humaine n'était capable d'accomplir.

Et si on ne soignait pas Rick, il allait mourir.

Les yeux rivés sur la gouttelette de poison, Karen eut soudain une idée. Le venin qui l'avait paralysé pourrait peut-être permettre de le sauver.

Il fallait qu'elle ramasse cette goutte. Elle tâta sa taille et trouva la bouteille d'eau suspendue par une cordelette à la ceinture de la machette. Elle vida l'eau, mit le goulot sous la gouttelette et regarda le liquide couler dans la bouteille. Elle vissa le bouchon. Parfait.

— J'ai un plan, Rick. C'est complètement fou, mais ça peut marcher.

Rick se contenta de la regarder.

Les genoux coincés contre les parois du puits, Karen poussait Rick vers le haut tout en grimpant. Elle se sentait comme Superwoman. Elle n'aurait jamais pu faire ça dans le monde normal. L'ascension était longue, accomplie par étapes entrecoupées de pauses, et Karen se félicita d'être forte comme une fourmi. Enfin, elle parvint à l'entrée du nid.

Danny Minot, qui avait abandonné tout espoir, n'en crut pas ses yeux quand il vit Rick Hutter sortir du trou, poussé par une Karen King épuisée.

— Je l'ai retrouvé ! annonça-t-elle d'un ton farouche avant de le porter sur son dos jusqu'à l'ombre de la plante sous laquelle s'abritait Danny.

Elle allongea Rick et s'agenouilla afin de l'examiner pendant que Danny restait recroquevillé sur lui-même pour se protéger du vent.

— Tu peux tenir debout ? demanda-t-elle à Rick.

Il cligna des yeux une fois.

— Oui ? On essaie ?

Elle l'aida à se relever. Il vacilla, chancela et tomba à genoux avant de s'écrouler complètement.

— Ce flacon te donnera peut-être un coup de fouet, Rick, dit-elle en lui montrant la bouteille de venin, mais je ne te garantis rien. Mais avant tout, nous devons regagner la forêt, ajouta-t-elle avec un regard vers les bambous qui se dressaient au loin.

Elle pensait à la mort du tireur et à la crise d'épilepsie qu'avait déclenchée le venin de l'araignée. Cette mort lui avait fourni des informations qui pourraient sauver Rick.

38.

Base Tantalus
31 octobre, 14 h 30

Le vent balayait la corniche qui bordait le cratère. Karen King et Danny Minot transportaient Rick sur une civière faite dans une couverture de survie. Karen portait le sac à dos et la sarbacane. Ils progressaient péniblement vers la forêt de bambous et le Gros Caillou. Une respiration rauque montait de la civière.

— Posons-le, dit Karen.

Elle examina Rick. Il avait le visage pâle, les traits tirés et ses lèvres bleuissaient. Il manquait d'oxygène. Pourtant, ce qui l'inquiétait encore plus, c'était sa respiration : faible, irrégulière et insuffisante. Le venin de la guêpe avait sans doute affecté la régulation des fonctions respiratoires dans son tronc cérébral. S'il cessait de respirer, il était condamné.

Elle ouvrit sa chemise et aperçut une ecchymose sur son torse. Qu'est-ce que c'était ? Les microbulles ou juste des marques laissées par la guêpe ? Ils ne devaient pas rester à découvert. Ils risquaient de se faire gober par un oiseau ou attaquer par une autre guêpe.

— Comment tu te sens, Rick ?

Il bougea lentement la tête d'un côté à l'autre.

— Pas terrible ? Ne t'endors surtout pas, je t'en supplie. D'accord ?

Karen étudia la forêt de bambous devant eux en priant le ciel de trouver ce qu'elle espérait dans les feuillages.

— Il faut qu'on aille se mettre à l'abri sous ces plantes, Rick. Nous ne sommes plus très loin.

Un soupir lui répondit.

— Ça va, Rick ?

Silence.

Il avait perdu connaissance. Elle le secoua.

— Rick ! Réveille-toi ! C'est moi, Karen !

Ses yeux s'ouvrirent et se refermèrent. Il ne répondait plus.

Et si elle le mettait en colère ? Elle avait toujours eu un don pour ça. Elle le gifla.

— Hé, Rick !

Il rouvrit les yeux.

— J'ai failli me faire tuer pour tirer tes fesses de cet enfer, alors tu ne me laisses pas tomber maintenant !

— On va peut-être devoir l'abandonner, fit doucement Danny.

Elle pivota d'un bond vers lui.

— Ne redis jamais ça ! cracha-t-elle.

Ils atteignirent enfin la forêt et étendirent Rick à l'ombre, au frais. Karen lui donna à boire en prenant une goutte d'eau entre ses mains qu'elle vida dans sa bouche. Ensuite, elle examina les feuillages au-dessus de sa tête. Elle n'était pas sûre que c'étaient les bons bambous, mais peu importait du moment que des araignées y vivaient.

Et une en particulier.

Elle s'agenouilla près de Rick pour lui parler.

— Rick, je vais te chercher un bon petit remontant !

Il sourit légèrement.

— Qu'est-ce que tu vas faire ? demanda Danny.

Elle ne répondit pas et se mit à fouiller dans son

sac. Elle en sortit un flacon de laboratoire en plastique vide. Elle examina la végétation, le nez en l'air. Puis elle ramassa la sarbacane et les fléchettes et s'enfonça dans la forêt.

— Où tu vas ? hurla Danny.

— Surveille-le bien, Danny. S'il lui arrive quoi que ce soit, je te...

— Karen !

Elle avait disparu, attirée par un déploiement de vert fluo, de rouge et de jaune qui dépassait d'une feuille. C'était peut-être bien ce qu'elle espérait.

Exactement !

Elle recherchait une araignée pas très toxique. Toutes les araignées utilisaient du venin pour tuer leurs proies, généralement des insectes, mais ce venin se montrait d'une toxicité très variable pour l'homme et les mammifères en général. Celui de la veuve noire était le pire. Une seule morsure pouvait tuer net un cheval. Heureusement, il existait des araignées qui se révélaient moins nocives pour les humains.

Parvenue sous l'araignée, Karen l'examina. Elle était petite, avec des pattes translucides et un corps éclaboussé de couleurs vives qui dessinaient sur son corps un visage de clown souriant.

Il s'agissait d'une *Theridion grallator*, une des espèces les plus communes d'Hawaii et qui intéressait beaucoup les scientifiques. En particulier connue pour sa quasi-innocuité à l'égard des êtres humains.

L'araignée se reposait sur sa petite toile, un fouillis de fils tendus sous une feuille n'importe comment.

Très timide, la *Theridion grallator* prenait la fuite à la moindre alerte.

— Ne t'en va pas, chuchota Karen.

Elle grimpa le long de la tige de bambou et s'assit sur une feuille. Elle sortit un dard de sa boîte de fléchettes et ouvrit sa bouteille remplie à ras bord de venin de guêpe. Elle y trempa sa flèche et chargea la sarbacane.

L'araignée recula en la dévisageant d'un air atterré. Oui, elle avait peur. Elle se roula en boule au centre de sa toile.

Karen savait que l'araignée pouvait l'entendre et former d'elle une image sonique avec les « oreilles » de ses pattes. Elle n'avait sans doute jamais vu d'être humain et ne comprenait pas à qui elle avait affaire.

Karen souffla.

La fléchette se logea dans son dos coloré.

L'araignée déplia ses pattes pour courir, mais le venin agit rapidement et la paralysa en quelques instants. Karen entendait l'air entrer et sortir de ses poumons et voyait son dos se soulever et s'abaisser. Bien. Cela prouvait qu'elle respirait toujours et que son cœur battait. C'était important. L'animal avait besoin de pression sanguine pour injecter son venin.

Karen monta sur la toile. Elle prit un fil et le secoua.

— Yah !

L'araignée ne bougea pas. Karen rampa sur les fils jusqu'à elle. Elle se pencha vers une de ses pattes et tira sur une soie sensorielle. Pas de réaction.

Karen dévissa le bouchon d'un flacon vide et, avec deux doigts, souleva un crochet de l'araignée et le sortit de sa gaine.

Comment faire couler le venin ? Les glandes se trouvaient sur le front, derrière les yeux. Karen assena un coup de poing dessus. L'araignée remua et quelques gouttes de liquide perlèrent au bout de ses crochets. Karen les recueillit dans le flacon qu'elle referma avec précaution. Elle espérait que l'araignée se remettrait vite de ses émotions. Elle coupa la toile derrière elle et se laissa choir sur le sol.

— Ce venin d'araignée va peut-être te doper les nerfs, dit-elle à Rick en lui montrant le flacon. Il contient des excitotoxines. Tu comprends ?

Il cligna des yeux.

— Elles vont te stimuler les nerfs, mais il y a un

risque. Je ne connais rien sur ce venin. Je ne sais pas quelle dose il faut. Il risque de détruire tes cellules. Et te digérer de l'intérieur, ajouta-t-elle en revoyant le corps du tireur se transformer en bouillie.

Elle prit sa main entre les siennes et la pressa.

— J'ai peur, Rick.

Il lui pressa la main à son tour.

— Tu veux que je le fasse ?

Il cligna des yeux.

Elle sortit une fléchette de leur boîte. Une propre, sans curare au bout. Elle trempa la pointe dans le venin de l'araignée. Et la ressortit à peine mouillée.

— Tu es sûr ? demanda-t-elle en lui montrant la fléchette.

Oui.

Elle posa la pointe sur la veine de son avant-bras et l'enfonça juste ce qu'il fallait. Puis elle prit la main de Rick et attendit sans le quitter des yeux.

Pendant quelques instants, il ne se passa rien. Elle commençait à se demander si elle lui en avait administré une quantité suffisante quand il eut un sursaut.

Sa respiration s'accéléra. Elle posa la main sur son cou et sentit son pouls qui s'emballait. Le venin frappait d'un coup.

Rick sursauta de nouveau et inspira brutalement. Puis il fut pris de convulsions. Son regard partit dans toutes les directions et il se raidit contre elle, les yeux écarquillés, le corps tremblant. Elle se coucha sur lui, en lui maintenant les bras le long du corps. Il haleta, prit de profondes inspirations, en hyperventilation, le dos arqué. Elle appuyait sur lui de tout son poids pour le clouer au sol de peur qu'il ne se fasse mal.

Il grogna. Et soudain, il réussit à dégager une main et la referma sur le cou de Karen.

Il voulait l'étrangler. Il la haïssait tellement.

Mais, tout aussi vite, ses doigts se détendirent et lâchèrent sa gorge. Rick fit glisser sa main le long de son épaule et le glissement se transforma en caresse. Il remonta le long du cou jusqu'à l'oreille en effleurant doucement la peau, puis il enfouit ses doigts dans ses cheveux. Karen se retrouva à l'embrasser et le plus merveilleux fut qu'il lui rendit son baiser.

Elle finit par s'écarter.

— Est-ce que ça te fait mal, Rick ?

— Ça... fait... un... mal... de... chien ! croassa-t-il. Mais... je... pourrais... m'y habituer.

Elle l'aida à s'asseoir. Il avait la tête qui tournait et faillit tomber en avant. Elle le retint néanmoins en le serrant dans ses bras et, d'une voix douce, lui dit que tout allait s'arranger.

— Tu m'as sauvé la vie, Rick. Tu m'as sauvé la vie.

Danny les regardait s'étreindre, de plus en plus mal à l'aise. Ce n'était pas ça qui allait les aider à regagner Nanigen. Il avait un besoin urgent de se faire soigner. Il regarda son bras et faillit vomir. Les larves semblaient plus grasses que jamais.

Quelques minutes plus tard Rick réussit à se lever. Ils reprirent lentement leur marche. Ils traversèrent ainsi la forêt de bambous qui se dressaient tels des séquoias. Et quand ils parvinrent de l'autre côté, ils découvrirent une vue stupéfiante. Ils se trouvaient en face du Gros Caillou, sur la crête du Tantalus, avec une vue plongeante sur le cratère.

Au-dessous d'eux s'étendait une cuvette couverte de forêt tropicale, bordée d'une bande rocailleuse parsemée d'arbres rabougris battus par le vent. Tout autour du cratère, les pics du Koolau Pali accrochaient les nuages gonflés d'humidité. Et au pied du Gros Caillou se dressait la base Tantalus.

La base devait être pratiquement invisible pour une personne normale. Il y avait une piste pour les avions d'environ un mètre de long. Du moins Karen pensait-elle qu'il s'agissait d'une piste : elle distinguait vaguement une ligne pointillée et un taxiway. Et derrière le taxiway se tenait une rangée de minuscules bâtiments en béton. Le plus gros ressemblait à un hangar à avions. Les autres, plus petits, à des abris anti-bombe. Ils étaient à moitié enterrés dans le sol et recouverts de feuilles mortes et de débris de plantes pour se fondre dans le décor.

Karen s'arrêta et poussa un soupir de satisfaction.

— Waouh, Rick ! On l'a fait !

Il tourna la tête et lui sourit. Elle lui frictionna les mains et les bras pour faire circuler le sang.

— Tes mains se réchauffent. Tu vas mieux, j'ai l'impression.

Ils ne voulaient pas attirer l'attention, ne sachant pas à quoi s'attendre de la part des habitants de la base, des employés de Nanigen sans doute à la solde de Vin Drake. Ils décidèrent donc de surveiller les lieux un moment et de chercher des signes d'activité. Ils s'allongèrent sous un mamaki. Le Gros Caillou les dominait telle une montagne.

Il n'y avait aucune activité sur la piste. L'endroit semblait désert. Et à y bien regarder, la piste était jonchée de pierres, de boue et de débris végétaux. Un cône de terre s'élevait à côté : une fourmilière. Un chemin de fourmis traversait la piste et plongeait vers les profondeurs du cratère.

— Ça ne me dit rien qui vaille, chuchota Danny Minot.

Karen sentit son cœur se glacer. Cet endroit n'était plus entretenu. Il avait été envahi par les fourmis. Si aucun micro-humain ne vivait ici, ils ne pouvaient plus espérer de navette vers Nanigen ni la moindre aide.

Mais il y avait peut-être encore des avions.

Ils descendirent lentement et entrèrent dans le hangar. Ils virent des amarres pour les avions, mais aucun appareil. Pendant que Rick s'asseyait pour se reposer avec Danny, Karen partit explorer la base. Elle trouva une salle qui devait avoir contenu des pièces et du matériel mécanique, mais celle-ci avait été vidée et il ne restait plus que des clous et des bouts de métal tordus fixés aux murs ou sur le sol. Elle passa dans une autre pièce. Vide aussi. La suivante, inondée par la pluie et à moitié envahie par la boue, avait abrité les quartiers du personnel.

On ne voyait aucun signe de vie nulle part. La base Tantalus avait été bel et bien abandonnée. Et il n'y avait pas trace de route vers Honolulu non plus. Ni de navette. Ni d'avions. Juste les alizés qui soufflaient inlassablement sur le terrain et sifflaient dans les couloirs vides.

Ils sortirent du complexe et s'assirent près de la piste, tournés vers le cratère. Ils apercevaient la ville par une faille et, derrière les immeubles, le bleu de l'océan Pacifique. Nanigen se trouvait à des kilomètres et ils n'avaient aucun moyen d'y parvenir.

Danny Minot s'étendit sur les gravats, son bras serré contre lui, et fondit en larmes. Ses sanglots résonnèrent sur les murs du hangar et le vent les emporta dans le ciel sillonné de gros nuages gris.

Karen regarda une fourmi, chargée d'une graine, se dépêcher de traverser la piste. Elle leva ensuite les yeux vers le Gros Caillou, l'horizon, les nuages... Quelque chose se découpa alors sur le ciel, près du rocher, et elle s'aperçut brusquement qu'il s'agissait d'un homme.

39.

Depuis combien de temps se tenait-il là, Karen n'aurait su le dire. Sans doute les avait-il observés pendant toute leur exploration de la base. La brise soulevait ses cheveux longs d'un blanc éclatant. Il portait une sorte d'armure, mais elle ne pouvait dire de quoi elle était faite. Son regard lui parut dur et froid, même à cette distance. Il souleva un objet et elle vit alors qu'il s'agissait d'une carabine.

— Couchez-vous ! cria-t-elle en empoignant Rick.

L'homme tira. Dans un sifflement, une flèche d'acier les rasa pour aller se planter plus loin dans la terre où elle explosa avec un bruit sourd. Karen rampa, en traînant Rick derrière elle, mais ils n'avaient aucun endroit où se cacher. Encore un tireur... Drake les avait retrouvés...

La voix de l'homme résonna au-dessus du vent.

— C'était un avertissement. Levez-vous, les mains en l'air. Si vous avez des armes, jetez-les devant vous.

Ils obéirent. Karen souleva la sarbacane bien en vue et la laissa tomber. Elle posa la boîte de fléchettes à côté.

— Les mains sur la tête !

376

— Nous avons deux blessés, cria Karen tout en obtempérant. Il nous faut des secours.

L'inconnu ne répondit pas. Il s'avança vers eux, sans cesser de les viser. Il n'était plus tout jeune, le visage raviné et tanné par le soleil, ses yeux bleus profondément enfoncés. Mais il était visiblement musclé et semblait d'une force considérable. Quel âge avait-il ? On lui aurait aussi bien donné cinquante ans que quatre-vingts. Son armure était faite de morceaux de carapace de scarabée. Une cicatrice partait de son front, descendait le long de son cou et disparaissait sous le plastron de sa cuirasse.

Il les examinait et scrutait leurs visages sans cesser de jeter des coups d'œil autour de lui. Karen comprit subitement qu'il se méfiait des prédateurs.

— Vos noms ? demanda-t-il avec un mouvement de son fusil.

Karen lui répondit.

— Qui êtes-vous ? s'enquit-elle à son tour.

— Mon bras..., gémit Danny, mais il se tut en voyant l'homme pointer son canon sur lui.

— Nous avons besoin de soins, insista Karen.

L'homme continua à les fixer. Il poussa la sarbacane du bout du pied.

— Intéressant !

Il la ramassa et examina une fléchette qu'il renifla.

— Elle est empoisonnée ?

Karen hocha la tête.

— Où sont vos fusils ?

— Nous avons perdu le seul que nous avions. Un oiseau nous a attaqu...

— C'est Vin Drake qui vous envoie ? la coupa-t-il. Pour quoi faire ?

— Non, Drake a voulu nous tuer...

— Encore une ruse, l'interrompit-il sans la laisser s'expliquer.

— Non, il faut nous croire.

— D'où venez-vous ?

— De l'arboretum.

— Et vous êtes montés jusqu'ici ? C'est impossible !

Karen s'avança vers lui et écarta son fusil.

— Rendez-moi mon arme.

L'homme écarquilla les yeux, peut-être de surprise ou de colère. Après un silence, il inclina le canon vers le sol et ouvrit son fusil. Le sourire qui plissa son visage découvrit ses dents blanches.

— Je dois dire que vous m'impressionnez, déclara-t-il en lui rendant sa sarbacane. Bienvenue au Tantalus. Je m'appelle Ben Rourke. Je suis l'inventeur du générateur tensoriel.

— Comment avez-vous atterri ici ?

— Naufragé par hasard, ermite par choix.

Ben Rourke habitait dans un labyrinthe de cavernes au pied du Gros Caillou, à deux mètres au-dessus de la base. Il aida Rick à monter la côte et les conduisit vers son repaire dans lequel on entrait par une galerie horizontale, comme dans une mine. Au fur à mesure qu'ils s'enfonçaient, la lumière diminuait. Ils arrivèrent enfin devant une grosse porte en bois massif. Elle était fermée et bloquée par un crochet de fer. Rourke l'ouvrit et ils s'engagèrent dans un tunnel obscur. Il appuya sur un bouton et une rangée de LED s'alluma au plafond.

— Bienvenue au fort Rourke, leur dit-il. C'est le nom que j'ai donné à mon petit refuge.

Il referma la porte derrière eux et la bloqua par une épingle en acier.

— C'est pour empêcher les mille-pattes d'entrer, expliqua-t-il avant de repartir d'un pas énergique.

Le tunnel fit un virage et descendit en pente douce sous la montagne. Il tourna à gauche, à droite, et ils passèrent devant l'entrée d'autres galeries qui s'enfonçaient dans l'obscurité.

— C'est un terrier de rat abandonné. Les hommes de Drake les considéraient comme une menace pour les humains de la base Tantalus, alors ils les ont empoisonnés et ils ont condamné l'entrée du nid. J'ai rouvert les tunnels pour m'y installer.

— D'où vient l'énergie ? demanda Karen en regardant les LED qui jetaient un éclat bleuté au plafond, à intervalles réguliers.

— Un panneau solaire. Installé dans un arbre. Relié par des fils aux piles qui se trouvent ici. Ça m'a pris trois semaines pour les ramener de la base jusqu'ici, et pourtant j'avais un hexapode pour m'aider. Vin Drake n'a aucune idée des trésors que ses gens ont laissés derrière eux quand ils ont abandonné Tantalus. Il me croit mort.

— Quelles étaient vos relations avec Drake ?

— Je le hais.

— Que s'est-il passé ?

— Chaque chose en son temps.

Karen était terriblement intriguée par Ben Rourke. Comment avait-il atterri ici ? Comment avait-il fait pour ne pas mourir des microbulles ?

Rick remua ses membres et se frotta les bras. Il était couvert d'ecchymoses, il les voyait à la lumière. Au moins pouvait-il bouger. Il se demanda combien de temps il leur restait à Karen, à Danny et à lui avant d'être atteints par les microbulles. Depuis combien de temps se trouvaient-ils dans le micromonde ? Il avait l'impression d'y être depuis des siècles, mais ça ne devait faire que trois jours. Les symptômes apparaissaient au bout de trois ou quatre jours.

Ils arrivèrent devant une nouvelle porte en bois. Ces panneaux massifs fonctionnaient comme les portes coupe-feu d'un bateau, isolant les parties du souterrain les unes des autres. Rourke la barricada derrière eux en leur expliquant qu'on n'était jamais trop prudent avec certains prédateurs des environs. Il appuya sur un bouton, allumant ainsi les lumières d'une salle spacieuse au plafond élevé, remplie de meubles, d'étagères de livres, d'équipement de laboratoire et de fournitures de toutes sortes. C'était là qu'il vivait.

— Enfin chez soi ! lâcha-t-il en détachant son armure qu'il suspendit dans un placard.

Des passages donnaient sur d'autres pièces et on apercevait un équipement électronique dans l'une d'elles.

Il y avait un bureau avec un ordinateur, plusieurs chaises faites de brindilles et de feuilles tressées. Une cheminée circulaire occupait le centre de la salle. À côté, des morceaux de viande d'insecte fumée pendaient à une claie. Rourke avait aussi fait une provision de fruits secs, de graines comestibles et de morceaux de racine de taro séchés.

Son lit était fait d'une coquille de noix-chandelle matelassée de fibres d'écorce tendre. Des morceaux de noix-chandelle étaient également entassés contre un mur. Ben Rourke en emporta quelques-uns vers la cheminée et alluma un feu avec un briquet à gaz. À peine enflammée, la noix éclaira et réchauffa la pièce tandis que la fumée s'échappait par un trou percé dans le plafond.

Ben Rourke était visiblement un bricoleur averti et un homme brillant dans de nombreux domaines. Il avait l'air heureux dans sa forteresse, comme s'il avait trouvé l'existence qui lui convenait. Ils s'interrogeaient sur sa vie. Comment était-il arrivé ici ? Pourquoi haïssait-il Vin Drake ? Que lui avait-il fait, ce salaud ? Karen et Rick examinèrent tous les deux leurs mains et leurs bras et remarquèrent des bleus. Ils devaient vite convaincre Rourke de les aider à regagner Nanigen. Ou qu'il leur dise ce qu'il avait fait pour échapper aux microbulles.

Mais Rourke tint d'abord à examiner Rick et Danny et à les soigner. Il commença par Rick. Il lui frotta les membres, regarda ses yeux et lui posa des questions. Il sortit un petit coffre qui ressemblait aux mallettes de médecin comme en emportaient les capitaines au long cours. Il contenait de nombreux instruments, notamment des forceps, des ciseaux, des compresses stériles, un très long scalpel, une scie à os, un flacon de teinture d'iode et une bouteille de Jack Daniel's. Rourke examina le trou laissé par la piqûre sous le bras de Rick, là où s'était enfoncé le dard de la guêpe. Il le tamponna de teinture d'iode ce qui fit bondir Rick ; il lui assura qu'il s'en remettrait.

— Et vous avez besoin d'un bon bain, les enfants, ajouta-t-il.

— Ça fait trois jours que nous sommes dans le micromonde, dit Karen.

— Trois jours, répéta Rourke, pensif. En fait, cela fait davantage pour vous. Je suppose que vous avez remarqué la compression du temps ?

— Que voulez-vous dire ? s'étonna Rick.

— Le temps passe plus vite pour nous ici. Vous courez plus vite, votre cœur bat comme celui d'un oiseau-mouche.

— Nous étions forcés de dormir dans la journée, ajouta Karen.

— Évidemment ! Et le temps vous est compté. Vous êtes déjà atteints par les microbulles, je le vois. La crise ne va pas tarder : les ecchymoses, les douleurs dans les articulations, les saignements de nez, la fin...

— Comment avez-vous fait pour y échapper ?

— Je n'y ai pas échappé. J'ai même failli en mourir. Mais j'ai trouvé un moyen pour m'en sortir. Peut-être que certaines personnes peuvent y survivre.

— Et comment vous en êtes-vous sorti ? insista Rick.

— Nous devons d'abord nous occuper du bras de ce jeune homme, éluda Rourke en ramenant son attention sur Danny.

Danny s'était assis dans un fauteuil près du feu. Un fauteuil en osier, fait d'un tressage de poils de fougère et de minuscules brindilles et pourtant à la fois massif et confortable. À moitié allongé, il soutenait son bras. La manche s'était complètement déchirée et les larves formaient des bosses mouvantes sous la peau. Ben Rourke l'examina et le palpa doucement.

— J'ai l'impression qu'une guêpe parasite a pris votre bras pour une chenille !

— Je vais mourir ?

— Bien sûr. Mais quand, là est la question ! s'empressa-t-il d'ajouter devant la mine horrifiée de Danny. Si vous ne voulez pas mourir maintenant, il faut couper ce bras.

Il sortit un scalpel d'une main et la bouteille de Jack Daniel's de l'autre et la lui tendit.

— Tenez, voici votre anesthésique. Commencez à boire pendant que je fais bouillir les instruments.

— Non.

— Si on ne coupe pas ce bras, les vers risquent de migrer.

— Où ça ?

— Dans votre cerveau.

Rourke prit la scie et passa le doigt sur les dents.

Danny se leva d'un bond du fauteuil et s'éloigna à reculons, en brandissant la bouteille devant lui comme une massue.

— Ne m'approchez pas !

— Ne gâchez pas ce whisky. Il ne m'en reste plus beaucoup.

— Vous n'êtes pas médecin ! brailla Danny avant de boire une gorgée à la bouteille. Je veux un vrai médecin !

Il s'essuya la bouche et toussa.

Rourke remit ses instruments dans la mallette.

— Vous n'irez nulle part pour le moment, monsieur Minot. La nuit tombe. Et la nuit, les gens raisonnables restent sous terre.

40.

Fort Rourke
31 octobre, 7 heures

Ben Rourke rajouta des morceaux de noix-chandelle dans le foyer et suspendit un chaudron à un crochet fixé au bout d'une barre de fer encastrée dans le sol. L'eau, l'équivalent de quelques cuillerées à café, se mit à bouillir presque instantanément. Rourke y plongea un seau qu'il alla vider dans une petite baignoire en bois installée à l'abri des regards, dans une niche. Il y ajouta de l'eau froide qui provenait d'un réservoir alimenté par l'effet de gravité.

Rick se plongea dans le bain. Son organisme n'avait pas éliminé totalement le venin. Il ressentait une certaine raideur dans les membres, et la tête lui tournait un peu. Il trouva un pain de savon, rustique et mou, comme au Moyen Âge. Rourke avait dû le faire avec de la cendre et de la graisse d'insecte. Rick éprouva un immense plaisir à se laver après ces trois jours passés à marcher dans la boue. Cependant il ne put s'empêcher de remarquer les marques sombres qui s'étalaient sur ses bras et le bas de ses jambes. Il essaya de se convaincre que c'étaient des bleus laissés par l'attaque de la guêpe. Il se sentait dans un état bizarre, mais il était sûr que cela provenait du venin.

Danny refusa de se baigner de peur que l'eau ne

stimule les larves. Il resta assis dans son fauteuil à siroter le whisky de Rourke et à fixer le feu.

Ce fut ensuite au tour de Karen de savourer un bon bain. Elle lava ses vêtements et les étendit pour les faire sécher. Puis elle s'enroula dans une robe de chambre que lui avait prêtée Rourke et, fraîche et dispose, alla s'asseoir près du feu. Rick portait un pantalon et une chemise de leur hôte. Quoique cousus grossièrement, ces vêtements étaient propres et confortables.

Rourke, pendant ce temps, préparait le dîner pour ses invités. Il plongea de la viande d'insecte fumée dans de l'eau bouillante et y ajouta des racines, quelques feuilles vertes et du sel. Ce ragoût remplit rapidement la pièce d'une odeur appétissante. Il s'avéra délicieux et revigorant. Assis dans les étranges fauteuils devant la cheminée, ils écoutèrent enfin l'histoire de Rourke.

Ben Rourke était un physicien et un ingénieur concepteur de systèmes industriels spécialisé dans les champs magnétiques les plus intenses. Il avait fouillé au cœur des données des anciennes expériences militaires de Huntsville, et avait décidé d'explorer les possibilités de condenser la matière dans un champ tensoriel. Il avait résolu des équations apparemment insolubles, sur la turbulence dans ces champs. Quand Vin Drake avait découvert son travail, il l'avait engagé au nombre des ingénieurs fondateurs de Nanigen. Avec ses collègues, il avait construit le générateur en modifiant du matériel industriel standard acheté principalement en Asie. Drake avait obtenu des capitaux colossaux du consortium Davros. C'était un magicien : il avait le don de faire paraître ses projets aussi attrayants que lucratifs.

Ben Rourke s'était porté volontaire pour tester le générateur tensoriel. Il se sentait moralement tenu d'être le premier homme à prendre un tel risque. Les organismes vivants étaient à la fois complexes et fragiles. Les animaux qui avaient été réduits par le générateur mouraient fréquemment, le plus souvent saignés à blanc par des hémorragies.

Drake, lui, trouvait ce risque négligeable. Il prétendait qu'il n'y aurait aucun problème.

Rourke n'était resté réduit que quelques heures avant d'être ramené à sa taille normale. Puis d'autres personnes étaient passées dans le générateur. Ce n'est que lorsqu'on avait prolongé leur séjour dans le micromonde qu'elles avaient commencé à se sentir malades, à avoir des ecchymoses et à souffrir de mystérieuses hémorragies. On les avait aussitôt ramenées à leur taille normale pour les examiner. Les études avaient révélé une dégradation inexplicable de leur coagulation sanguine.

Pendant ce temps, Nanigen, gorgée de l'argent des investisseurs, s'engageait à fond dans l'exploration du micromonde. La société avait décidé de concentrer d'abord ses études sur le cratère du Tantalus qui présentait une biodiversité extrême et offrait des richesses incroyables de composés chimiques et biologiques. La base Tantalus avait été édifiée par modules.

— Nous avons construit chacun d'eux comme des maquettes au 1/10, puis nous les avons rétrécis dans le générateur à la taille qui convenait aux micro-humains. Après les avoir remplis de denrées et de matériel, nous avons placé les modules sur le cratère du Tantalus.

Au début, les équipes n'étaient autorisées à rester sur le terrain que trente-six heures au bout desquelles elles étaient rapatriées à Nanigen et ramenées à leur taille normale. Puis Nanigen avait installé les stations de ravitaillement dans l'arboretum de Waipaka, plus bas dans la vallée, et avait commencé à les remplir de monde.

Les changements fréquents d'équipe compliquaient la manipulation des robots extracteurs et la récolte des échantillons. Vin Drake voulait laisser les gens plus longtemps dans le micromonde malgré les risques. Il avait demandé à Rourke s'il accepterait de tenter un séjour prolongé dans le micromonde afin de tester la résistance du corps humain.

— J'avais totalement confiance en Vin et dans mon invention. Nanigen l'avait brevetée et me promettait d'énormes bénéfices en cas de réussite. J'étais donc prêt à prendre des risques pour permettre à Nanigen d'aller de l'avant.

Il avait donc proposé de conduire une équipe de volontaires qui tenteraient de rester une semaine sur le Tantalus.

— Comme j'avais conçu le générateur tensoriel, je considérais que c'était à moi de procéder à cet essai en priorité. Et d'assumer les risques éventuels.

Rourke avait été accompagné par deux autres employés de Nanigen, Fabrio Farzetti, ingénieur, et Amanda Cowells, médecin, qui avait pour mission de surveiller toute variation de leur état de santé. Ils avaient donc été miniaturisés dans le générateur puis déposés à la base Tantalus.

— Tout s'est bien passé au début. Nous avons fait des expériences et testé l'équipement de la base. Nous restions en contact permanent avec Nanigen grâce à un système de communication spécial, une connexion vidéo avec un convertisseur de fréquence audio qui nous permettait de parler avec les gens de taille normale.

Il fit un geste vers une porte en bois entrouverte. Derrière, on apercevait du matériel électronique et un écran vidéo.

— Tout est là. J'ai rapporté le matériel de la base Tantalus. Un jour viendra peut-être où Vin Drake ne sera plus responsable de Nanigen et où je pourrai appeler au secours. Mais tant qu'il dirigera la boîte, je ne m'en servirai pas. Drake me croit mort et je commettrais une erreur fatale en lui révélant que je suis toujours en vie.

Hélas, au bout de quelques jours sur la base, les

trois volontaires avaient commencé à présenter des symptômes des microbulles.

— Nous avions des ecchymoses sur les bras et les jambes puis Farzetti est tombé sérieusement malade. Le Dr Cowells a découvert qu'il faisait des hémorragies internes. Elle a donc demandé son évacuation. Il fallait l'hospitaliser de toute urgence, sinon il allait mourir. C'est là que Drake nous a annoncé que c'était impossible, que le générateur était en panne mais qu'il s'en occupait.

Ben Rourke connaissait le générateur mieux que quiconque. Il avait donc dirigé les travaux de réparation depuis le micromonde, grâce à la connexion vidéo. Mais les ingénieurs de Nanigen eurent beau suivre scrupuleusement ses instructions, ils ne parvinrent pas à remettre l'appareil en état. Celui-ci n'arrêtait pas de retomber en panne. Et Farzetti avait fini par mourir malgré tous les efforts du Dr Cowells.

— Je pense que Vin Drake avait saboté le générateur, soupira Ben Rourke.

— Pourquoi ? demanda Karen.

— Nous étions des cobayes, rien de plus. Vin Drake voulait collecter des données médicales jusqu'à notre mort.

Ensuite, le Dr Amanda Cowells était tombée malade à son tour. Ben Rourke avait supplié qu'on vienne à son secours.

— J'ai fini par comprendre que nous n'avions aucune aide à espérer de quiconque. Vin Drake était décidé à poursuivre sa sordide expérience jusqu'au bout. Il voulait tout savoir sur les microbulles, quitte à utiliser les méthodes des nazis. J'ai essayé de prévenir d'autres employés de Nanigen grâce à la connexion vidéo, mais aucun n'a voulu me croire. Je pense également que Drake aime voir souffrir et qu'il a pris plaisir à nous regarder agoniser. On aurait dit qu'en nous miniaturisant, Drake oubliait que nous étions des êtres humains. Les individus comme Vincent Drake n'ont aucun sens moral. Hélas, leur noirceur échappe aux gens normaux, car ceux-ci n'imaginent personne capable d'une telle monstruosité. Un psychopathe peut sévir pendant des années sans se faire démasquer tant qu'il joue bien la comédie.

— A-t-il des complices ? demanda Karen.

— Je pense que plusieurs employés de Nanigen doivent soupçonner la vérité sur Drake. Notamment ceux qui travaillent sur le Projet Omicron.

— Qu'est-ce que c'est ?

— Le Projet Omicron ? C'est le côté obscur de Nanigen.

— Obscur ?

— Nanigen effectue des recherches confidentielles pour le gouvernement américain. C'est ça, le Projet Omicron.

— En quoi consiste-t-il exactement ?

— Cela concerne l'armement, c'est tout ce que je peux vous dire.

— Et comment le savez-vous ?

— Des bruits de couloir. On ne peut pas les empêcher.

Il se caressa le menton en souriant, puis il se leva pour rajouter dans le feu un gros morceau de noix-chandelle qui s'embrasa aussitôt.

Karen eut l'impression que Rourke souffrait de la solitude. Les yeux rivés sur les flammes, elle songea à sa vie d'ermite et la compara à la sienne. Elle aussi s'était coupée du monde entre son appartement exigu et minable de Somerville et ses heures passées au labo. Elle avait pris l'habitude de travailler la nuit. Elle n'avait pas d'amis proches, ne fréquentait personne, n'allait jamais au cinéma. Elle avait renoncé à toute vie normale pour obtenir son diplôme et devenir une scientifique. Il y avait plus d'un an qu'elle n'avait pas couché avec un homme. Elle les effrayait avec ses araignées, son tempérament, son comportement au laboratoire. Avec son sale caractère, peut-être serait-elle plus heureuse seule, tout comme Rourke semblait apprécier sa vie d'ermite. Pour le moment, sa vie à Cambridge lui semblait appartenir à un autre univers, enfin presque.

— Et si je voulais rester dans le micromonde, Ben ? Vous croyez que je pourrais survivre ?

Il y eut un long silence. Rick la dévisagea.

Rourke se leva et jeta un nouveau morceau de combustible dans la cheminée.

— Pourquoi voudriez-vous rester ici, mademoiselle King ?

Karen fixa le feu.

— C'est... dangereux, bien sûr, mais... c'est... tellement beau ! J'ai vu des choses que je n'aurais même pas imaginées.

Rourke se leva, alla se resservir du ragoût et revint s'asseoir. Il souffla sur un morceau de viande pour le refroidir.

— Selon un dicton zen, un homme sage peut vivre confortablement en enfer, répondit-il enfin. Somme toute, on n'est pas si mal ici. Il suffit d'acquérir quelques petits savoir-faire supplémentaires.

Karen regarda la fumée disparaître dans le trou du plafond en se demandant où elle allait. Rourke avait dû creuser une cheminée. Quel travail énorme juste pour pouvoir faire du feu ! Comment réussissait-on à survivre dans le micromonde ? Il y était parvenu, mais elle, en serait-elle capable ?

Rick se tourna vers elle.

— Puis-je te rappeler qu'il ne nous reste plus beaucoup de temps ?

Il avait raison.

— Ben, reprit Karen. Nous devons retourner à Nanigen.

Rourke se renversa dans son fauteuil et les regarda en plissant les yeux.

— Je me demande si je peux vous faire confiance.

— Vous pouvez, Ben.

— Je l'espère. Venez, nous allons nous occuper

de vous renvoyer à la maison. Vous avez du métal sur vous ?

Karen dut laisser son couteau.

La salle de séjour comportait un renfoncement desservi par une courte galerie et fermé par une porte. Rourke l'ouvrit en grand. Derrière, posé sur le sol, se trouvait un énorme disque métallique d'un gris brillant troué au centre comme un beignet.

— C'est un aimant au néodyme de deux mille gauss, expliqua-t-il. Un champ surpuissant. Après la mort de Farzetti et de Cowells, je suis tombé malade à mon tour. Je me suis alors demandé si un champ magnétique intense ne pourrait pas stabiliser les fluctuations dimensionnelles qui déréglaient certaines de mes réactions enzymatiques comme la coagulation sanguine. Je me suis donc mis dans ce champ magnétique où je suis resté quinze jours. J'étais malade comme un chien. J'ai failli mourir. Mais je m'en suis sorti en fin de compte. Et je pense que je suis désormais immunisé contre les microbulles.

— Donc en restant dans cet aimant, on pourrait survivre ? demanda Rick.

— Vous pourriez, répondit Rourke en insistant sur le conditionnel.

— Je préfère retourner au générateur.

— Bien sûr. Voilà pourquoi je vais vous révéler le secret du Tantalus.

Il les fit ressortir de la chambre aimantée et les entraîna dans un nouveau tunnel long et sinueux. Ils se demandèrent où il les emmenait. Ben Rourke avait l'air d'aimer les mystères. Ils débouchèrent dans une grande caverne, plongée dans l'obscurité et remplie de formes non identifiables.

Rourke appuya sur un interrupteur et une ligne de LED éclaira trois avions. La caverne était un hangar souterrain fermé par de hautes portes coulissantes.

— Oh, mon Dieu ! s'écria Karen.

Les avions avaient un cockpit à l'air libre, des ailes

courtes, deux dérives et une hélice à l'arrière, et un train d'atterrissage rétractable.

— Comme ils étaient cassés, les gens de Nanigen n'ont pas jugé bon de les remporter. Je les ai réparés et ils m'ont permis de sillonner toutes les montagnes des environs. Je les ai aussi armés, ajouta-t-il avec une claque sur le cockpit de l'avion près de lui.

— Comment ça ? s'étonna Rick en inspectant les ailes. Je ne vois pas de mitraillettes.

Rourke se pencha à l'intérieur du cockpit et en sortit une machette.

— C'est un peu moyenâgeux, mais je n'ai pas trouvé mieux.

— Ils pourraient voler jusqu'à Nanigen ?

— C'est risqué.

Il leur expliqua que les micro-avions ne dépassaient pas les onze kilomètres à l'heure.

— Et les alizés soufflent en moyenne à vingt-cinq kilomètres à l'heure sur Oahu. Si vous avez le vent de face, vous reculerez. Si vous êtes vent arrière, vous pourrez peut-être atteindre Pearl Harbor, mais rien n'est moins sûr. Et encore faudrait-il que je vous laisse prendre mes avions. Ce sont des monoplaces. Ils ne peuvent emporter qu'une personne. Vous êtes trois. Donc il n'en restera plus pour moi, n'est-ce pas ?

— Docteur Rourke, je suis prêt à vous acheter très cher l'un de vos appareils, dit Danny. J'ai hérité d'une rente. Elle sera à vous.

— Je n'ai aucun besoin d'argent, monsieur Minot.

— Alors qu'est-ce qui vous intéresserait ?

— J'aimerais que vous démasquiez Vincent Drake. Si vous pensez y arriver, vous pouvez prendre mes avions.

— Absolument, nous aurons M. Drake, promit Danny.

Karen restait silencieuse. Rick lui jeta un coup d'œil inquiet.

Il demanda alors à Rourke comment il comptait survivre s'il n'avait plus d'avion.

Rourke chassa la question d'un haussement d'épaules.

— J'en construirai un autre. J'ai récupéré tout un tas de pièces détachées.

Il entreprit ensuite de leur expliquer le fonctionnement des appareils.

— C'est très simple. Tout est contrôlé par ordinateur. Voici le manche. Si vous commettez une erreur, l'ordinateur la corrige. Il y a une radio. Et voici le casque.

Ils pourraient se parler en vol, mais ne disposaient ni de radar ni d'instruments de navigation. Alors, comment pourraient-ils retrouver Nanigen ?

— Le parc industriel de Kalikimaki doit être facilement repérable depuis le ciel. Vous devriez voir le groupe d'entrepôts sur Farrington Highway.

Il leur indiqua la direction à suivre.

— Bon, reprit Rick. Supposons que nous arrivions à regagner Nanigen. Qu'est-ce qu'on fait ensuite ?

— Le noyau du générateur est gardé par des robots.

— Des robots ?

— Des robots volants. Mais je ne pense pas qu'ils vous poseront des problèmes. Vous êtes trop petits pour être repérés par leurs capteurs. Ils ne vous verront pas. Vous pourrez passer devant eux sans les activer. Et il existe un moyen d'actionner le générateur pour les micro-humains comme nous. C'est moi qui l'ai conçu. Le tableau de commandes est situé dans le sol, sous une trappe, au centre de l'hexagone numéro trois. Cette trappe est entourée d'un cercle blanc que vous devriez facilement repérer.

— Et le générateur est difficile à actionner ?

— Non. Vous n'avez qu'à ouvrir la trappe et enfoncer le bouton rouge et vous retrouverez aussitôt votre taille nor...

Il s'arrêta, les yeux rivés sur Rick. Sur son bras plus précisément.

Rick se tenait appuyé contre un avion. Sa manche roulée laissait voir ses ecchymoses qui s'étaient allongées.

— Vous allez bientôt entrer en phase critique. Une fois que l'hémorragie commence, c'est foutu ! Retournons vite à l'aimant.

Karen regarda ses bras. Ils n'étaient pas beaux à voir, eux non plus. Chaque minute leur était comptée, mais il leur fallait attendre le lever du jour. Pourvu qu'aucun d'entre eux ne fasse d'hémorragie d'ici là !

Ben Rourke leur conseilla de dormir à l'intérieur de l'aimant. Il ne pouvait rien leur garantir, mais il espérait que le champ magnétique retarderait l'évolution des symptômes. La salle de l'aimant était équipée d'une cheminée, elle aussi, et il y alluma un feu de noix-chandelles. Karen et Rick se glissèrent au creux de l'aimant et s'enroulèrent dans des couvertures pour la nuit. Malgré leur épuisement, ils craignaient de ne pas trouver le sommeil. Pourtant, le temps passait plus vite dans le micromonde et ils avaient plus souvent besoin de récupérer.

Danny Minot avait refusé de dormir dans l'aimant. Il avait préféré s'installer dans un des fauteuils de la grande salle sous une couverture.

Après avoir remis des noix dans le feu, Rourke lui annonça qu'il allait préparer les avions et disparut dans le tunnel qui menait au hangar.

Roulé sur son fauteuil, Danny Minot n'arrivait pas à dormir. Il but les dernières gorgées de Jack Daniel's et jeta la bouteille. Son bras le lançait, la peau tendue émettait des petits craquements. Il souleva la couverture. Les larves bougeaient. À cette vue insoutenable, il fondit en larmes. Peut-être était-ce dû à l'alcool, ou à l'état effroyable de son bras, ou à la situation dans laquelle il se trouvait, en tout cas, il n'en pouvait plus. Il jeta un regard affolé vers le tunnel dans lequel Rourke avait disparu en se demandant quand il allait revenir.

Et c'est là que son bras se fendit.

Il y eut d'abord un bruissement de papier qu'on déchire. Il ne sentit rien, mais cela lui fit baisser les yeux. Il vit apparaître à travers sa chair éclatée la tête brillante d'une larve qui se tortillait pour se dégager suivie d'un corps énorme et sans fin.

— Oh, mon Dieu, elle sort !

La larve se mit alors à faire une chose étrange et horrible. Un filet de bave s'écoulait de sa bouche... non... en fait, il s'agissait d'un fil de soie. Et bien qu'elle soit encore en partie fichée dans son bras, d'un rapide mouvement circulaire de la tête, la larve commença à enrouler cette soie autour de son corps.

Qu'est-ce qu'elle faisait ? Elle ne sortait pas, elle changeait de phase ! Elle se transformait en cocon sans pour autant quitter son bras !

Terrifié, il tenta de l'arracher. Elle se débattit rageusement en crachant de la soie et en essayant de le mordre de ses petites dents, bien décidée à rester arrimée à sa chair.

— Karen ? Rick ? appela-t-il doucement.

La porte de leur alcôve était fermée. Ils ne pouvaient pas l'entendre. De toute façon, ils ne pouvaient pas l'aider non plus.

— Ohhh...

Il réprima un gémissement de panique. Et l'écran vidéo dans la salle à côté ? Rourke avait dit qu'il s'agissait d'un système de communication relié à Nanigen. Il regarda autour de lui. Rick et Karen se trouvaient dans la salle de l'aimant, et Rourke, dans le hangar. Il repoussa sa couverture, se leva et entra dans la salle de communication. Il examina l'écran et trouva l'objectif. C'était une minicaméra tournée vers lui. Et il y avait un boîtier à la base de l'écran. Il l'ouvrit et découvrit un interrupteur et un bouton rouge marqué CONNEXION. Facile ! Il appuya sur l'interrupteur. Une seconde plus tard, l'écran s'alluma et un fond bleu apparut. Danny enfonça alors le bouton rouge.

Presque aussitôt résonna une voix féminine, mais l'écran resta vide.

— Service de sécurité Nanigen. D'où appelez-vous ?

— Du Tantalus. Aidez-moi...

— Monsieur, qui êtes-vous ? Quelle est votre position ?

— Je suis Danny Minot...

Brusquement, le visage de son interlocutrice surgit sur l'écran. L'air très calme, très pro.

— Mettez-moi en contact avec Vin Drake, s'il vous plaît !

— Il est très tard, monsieur.

— C'est urgent ! Dites-lui que je suis au Tantalus et que j'ai besoin d'aide.

41.

Vin Drake était assis à la meilleure table du restaurant The Sea avec sa maîtresse du moment, Emily St. Claire, surfeuse et architecte d'intérieur. The Sea, situé sur la plage de Waikiki, était une des adresses les plus courues d'Honolulu. De leur table située à l'écart, près d'une fenêtre ouverte, ils avaient une vue magnifique sur Diamond Head. Une douce brise les caressait et faisait bruire les frondes d'un palmier voisin. Ils finissaient de dîner. Emily donnait des petits coups de fourchette distraits dans sa ganache au chocolat tout en sirotant un verre de château-d'Yquem.

Drake fit tourner son single malt, un Macallan 1958.

— Il va falloir que je parte quelques jours sur la côte Est.

— Pour quoi faire ? demanda Emily.

— Je dois rencontrer des associés. Tu veux venir ?

— Boston en novembre ? Très peu pour moi.

Les lumières des maisons qui longeaient la côte clignotaient. Le phare de Diamond Head jeta un bref éclat.

— Nous pourrions aller ensuite à Paris.

— Mm... peut-être, si on prend ton jet...

Au même moment retentit un petit bourdonnement et Drake tâta sa veste.

— Excuse-moi, dit-il en sortant son téléphone crypté de sa poche.

Il se leva, posa sa serviette sur la table et se dirigea vers une fenêtre. Sur l'écran de son appareil, il voyait en direct le visage de Danny Minot.

— Vous dites que vous êtes à la base Tantalus ?

— Pas exactement, répondit Danny Minot. Nous sommes dans le fort de Ben Rourke.

— Quoi ?

— Il a toutes sortes d'équipem...

— Vous me dites que Ben Rourke est vivant ?

— Absolument. Et il ne vous aime pas, monsieur Drake.

— Décrivez-moi ce... euh... fort.

— C'est un vieux nid de rat. J'ai besoin d'un médecin...

— Un nid de rat ? le coupa Drake. Où se trouve-t-il exactement ?

— Il est à deux mètres au-dessus de la base Tantalus.

Drake resta silencieux quelques instants. Ils avaient escaladé cette falaise ! Ils avaient survécu à la jungle impénétrable qui aurait dû les éliminer en quelques minutes !

— Monsieur Drake ! Il faut me transporter d'urgence à l'hôpital, insista Danny d'une voix de plus en plus fébrile. J'ai le bras infesté. Regardez...

Drake le vit sur l'écran remonter sa manche. Son bras ressemblait à un sac bourré de boules d'où émergeaient des têtes blanches. Et les boules bougeaient. Elles étaient énormes. Son estomac se souleva devant cette vision.

— Elles commencent à éclore, monsieur Drake ! gémit Danny.

Il rapprocha son bras et la caméra zooma sur la tête d'une larve qui se tortillait pour se dégager de la chair tandis que de sa bouche palpitante s'écoulait un fil de soie. La caméra se déplaça et il vit d'autres larves qui s'agitaient et perçaient la peau.

— Merci, monsieur Minot, je vois très bien...

— C'est horrible. Je ne sens plus mon bras.

— Je suis désolé, Daniel...

Il sentit sa gorge se nouer et se tourna vers Emily St. Claire qui semblait s'impatienter.

— Pour l'amour du ciel, aidez-moi ! le supplia le petit visage sur son écran.

— Qui est avec vous ? demanda brusquement Drake en plaquant le téléphone contre son oreille.

— Je ne vois plus votre visage !

Drake recula son appareil.

— Nous allons vous aider. Qui d'autre est avec vous ?

— Je veux aller dans un hôpital de pointe...

— Oui, oui, bien sûr. Qui est avec vous ?

— Karen King et Rick Hutter.

— Et les autres ?

— Ils sont tous morts, monsieur Drake.

— Peter Jansen aussi ?

— Oui.

— Vous êtes sûr qu'il est mort ?

— Il a été abattu. D'une balle explosive en pleine poitrine. Sous mes yeux.

— Quelle horreur ! Où sont King et Hutter ?

— Je m'en fous ! Faites-moi transporter à l'hôpital !

— Mais où sont-ils ?

— Ils dorment, répondit-il d'une voix lasse en secouant la tête. Rourke est dans le hangar.

— Un hangar ? Quel hangar, Daniel ?

— Rourke a dérobé des avions à la base Tantalus. C'est un voleur, monsieur Drake...

Rourke avait donc récupéré des micro-avions. Comment avait-il survécu aux microbulles ? Il avait dû découvrir un moyen de les surmonter. C'était une information d'une valeur inestimable.

— Comment Rourke a-t-il échappé aux micro-bulles, Daniel ?

Une lueur rusée éclaira le visage de Danny Minot.

— Oh, ça ? Mais c'est tout simple !

— Qu'est-ce qu'il a fait ?

— Je vous le dirai... si vous m'aidez.

— Daniel, je fais tout mon possible pour vous aider.

— Ben a découvert le secret.

— De quoi s'agit-il ?

— C'est d'une simplicité incroyable.

— Dites-moi !

Danny sentit qu'il tenait Drake. Il ne lui faisait aucune confiance, mais il était plus intelligent que lui.

— Faites-moi conduire dans un hôpital, monsieur Drake, et je vous dirai comment survivre aux micro-bulles.

Drake pinça les lèvres.

— Très bien...

— Voilà le marché, monsieur Drake. Et il est non négociable.

— Mais je suis tout à fait d'accord, bien sûr. Alors voilà ce que je veux que vous fassiez, Daniel. Écoutez-moi bien.

— Je vous demande juste de m'aider...

— Pourriez-vous prendre l'un de ces avions ?

N'importe quel idiot peut les piloter, même vous, mon petit Daniel.

— Je vous demande juste de m'aider...

— C'est ce que j'essaie désespérément de faire.

— Sortez-moi juste de là ! hurla Daniel.

— Pourriez-vous écouter une minute ce que je vous dis ?

Drake se dirigea vers la fenêtre ouverte et se pencha à l'extérieur. Il fallait qu'il sorte de là, qu'il lui parle, qu'il lui pompe l'information sur Rourke... puis qu'il s'occupe vite de tous ces micro-humains. Son regard remonta la plage de Waikiki. Le petit Daniel allait avoir besoin d'un repère. Il vit alors un éclat de lumière.

Le phare de Diamond Head !

Sur sa gauche, à l'intérieur des terres, les nuages couronnaient les montagnes. Cela signifiait que les alizés soufflaient des sommets vers Diamond Head. C'était important.

— Daniel, vous savez à quoi ressemble Diamond Head ?

— Tout le monde connaît.

— Je veux que vous preniez un de ces avions et que vous voliez vers cette pointe.

— Quoi ?

— Ils sont très faciles à piloter. Vous ne pouvez pas vous écraser. En cas de choc, ils rebondissent, tout simplement.

Silence.

— Vous m'écoutez, Daniel ?

— Oui.

— Quand vous approcherez de Diamond Head, vous verrez une lumière qui clignote au bord de l'eau. C'est le phare. Vous ne pouvez pas le manquer. Je serai dans une voiture de sport rouge garée le plus près possible. Vous n'aurez qu'à atterrir sur le capot.

— Je veux qu'un hélicoptère d'EVASAN m'attende pour m'évacuer.

— Nous devons d'abord vous décompresser. Vous êtes trop petit pour un hélicoptère.

— Vous avez peur qu'ils me perdent, c'est ça ? gloussa-t-il.

— Quel humour, Daniel ! Nous vous conduirons dans le meilleur hôpital.

— Elles éclosent !

— Volez simplement jusqu'au phare.

Drake coupa la communication et rempocha son téléphone. Puis il regagna sa table et embrassa Emily sur la joue.

— J'ai une urgence. Je suis désolé.

— Oh, Seigneur, Vin ! Où vas-tu ?

— À Nanigen. Ils ont besoin de moi.

Il fit signe à un serveur qui obliqua vers lui.

Emily secoua la tête et but une gorgée de vin. Puis elle reposa son verre.

— Comme tu voudras, soupira-t-elle sans regarder Drake.

— Je me rattraperai, Emily, je te le promets. Nous irons à Tahiti avec mon Gulfstream.

— Tahiti, c'est ringard. Je préférerais le Mozambique.

— Comme tu voudras.

Il plongea la main dans sa veste, en sortit une épaisse liasse de billets de cent dollars et la tendit au serveur sans les regarder.

— Prenez soin de madame.

Puis il se rua dehors.

Il s'arrêta en chemin à un gros magasin de discount qui se trouvait derrière le boulevard Kapiolani. Puis il appela Don Makele.

— Retrouvez-moi au phare de Diamond Head le plus vite possible. Apportez-moi une radio à démodulateur. Prenez un pick-up de la sécurité. Je vais en avoir besoin.

Drake ressortit du magasin chargé d'un sac qui contenait un objet volumineux et le mit dans le coffre de sa voiture.

Danny éteignit l'écran vidéo et retourna dans la salle de séjour se servir un verre d'eau. Il mourait de soif. Le liquide qui s'écoulait de son bras depuis que les larves commençaient à en sortir avait trempé sa chemise et gouttait sur son pantalon. Le pire, c'était de voir les larves s'enrouler dans leur cocon tout en restant attachées à son bras. Son cœur battait trop vite. Il était terrifié, mais il savait ce qu'il avait à faire. Dans ce monde c'était tuer ou être tué. Il se recroquevilla dans le fauteuil près du feu. Et quand Rourke revint du hangar, il fit semblant de dormir. Il se mit même à ronfler pour être encore plus convaincant.

Il regarda entre ses yeux plissés Rourke ajouter du combustible dans le feu et se mettre au lit.

Danny se leva et s'avança à pas de loup vers le tunnel.

— Où allez-vous ? demanda Rourke.

Danny s'arrêta net.

— Aux toilettes.

— N'hésitez pas si vous avez besoin de quoi que ce soit.

— Bien sûr, Ben.

Il descendit le tunnel, passa devant la porte des toilettes et courut à toute vitesse jusqu'au hangar. Dès qu'il entra, il alluma les lampes. Il y avait trois avions. Lequel choisir ? Il prit le plus gros en espérant qu'il aurait le plus d'autonomie et de puissance. Un câble partait de la batterie et disparaissait dans le sol. Il le débrancha.

Il avait oublié d'ouvrir les portes du hangar. Elles étaient maintenues en place par des épingles en métal. Il les retira et fit coulisser les panneaux, révélant la lune montante et un ciel tapissé d'étoiles tropicales sur lequel se détachaient les silhouettes fantomatiques des arbres. Il grimpa dans le cockpit, boucla sa ceinture et se pencha vers le panneau de commandes.

À cet instant, la terreur s'empara de lui. Il n'avait pas de clé de contact.

Il scruta le tableau de bord et trouva enfin un bouton avec un symbole de mise en marche. Il l'enfonça. Le panneau s'éclaira et l'avion tressauta tandis que le moteur électrique démarrait. Paré à décoller. Son bras gauche reposait sur sa cuisse comme un accessoire de film d'horreur, la manche partait en lambeaux sous les larves qui se frayaient un chemin à coups de dents. Deux nouvelles larves étaient sorties et s'enroulaient dans leur cocon. C'était horrible ! Comment la nature pouvait-elle être aussi cruelle ? C'était si répugnant, si inhumain ! Et totalement injuste !

Il remua le manche : les ailerons bougèrent. Il poussa la manette des gaz. À l'arrière, l'hélice se mit à tourner à toute vitesse et l'appareil avança par petits rebonds. Danny laissa échapper un juron. Il enfonça la manette des gaz et l'appareil décolla enfin du sol pour s'élancer dans la nuit hostile.

42.

Eric Jansen était descendu assez tard acheter à manger sur Kapiolani et revenait chez lui chargé d'une boîte de porc kalua et de riz. Il salua les deux types assis dans l'allée, sur des chaises de jardin. Ils buvaient de la bière tout en écoutant de la musique à côté de leur pick-up peinturluré. Il entra dans l'immeuble par la porte de service et monta jusqu'à un appartement situé au premier étage.

Il s'agissait d'un studio meublé. Eric s'installa devant la petite table, ouvrit la boîte et se mit à manger. Il songea qu'il ferait mieux de jeter un coup d'œil à son ordinateur car il était parti plus d'une heure. Il alla dans la chambre et ouvrit le tiroir de la commode où se trouvaient un ordinateur portable et une boîte métallique remplie de pièces électroniques ainsi qu'un fer à souder, des cutters, des pinces, du ruban adhésif et un rouleau de fil de soudure.

Une lumière clignotait sur la boîte. Cela signifiait qu'un appel de détresse avait été lancé sur le réseau intranet de Nanigen. Merde, il l'avait raté !

Le message était crypté. Il pianota quelques touches sur le clavier pour lancer le programme de décryptage qu'il avait téléchargé du réseau de

404

Nanigen. Une minute plus tard, la conversation était transcrite sur son ordinateur.

— *Vous dites que vous êtes à la base Tantalus ?*
— *Pas exactement. Nous sommes dans le fort de Ben Rourke.*
— *Quoi ?*
— *Il a toutes sortes d'équipem...*
— *Vous dites que Ben Rourke est vivant ?*
— *Absolument. Et il ne vous aime pas, monsieur Drake.*

Eric se pencha sur la commode en tendant l'oreille. Cet appel avait été passé par la liaison audiovisuelle établie entre la base Tantalus et Nanigen. Il n'avait pas l'image, mais il avait le son. La conversation se poursuivait.

— *Et les autres ?*
— *Ils sont tous morts, monsieur Drake.*
— *Peter Jansen aussi ?*
— *Oui.*
— *Vous en êtes certain ?*
— *Il a été abattu. D'une balle explosive en pleine poitrine. Sous mes propres yeux.*

Eric laissa échapper un cri comme s'il avait reçu un coup de poing et ferma les yeux.
— Non, hurla-t-il. Non, non !
Il frappa la commode, se retourna, martela le lit des deux poings avant de fracasser une chaise contre le mur. Il se laissa tomber sur le matelas et enfouit son visage entre ses mains.
— Peter... oh, Peter... T'es qu'un putain de salaud, Drake, un putain de salaud !
Eric Jansen ne pleura pas longtemps. Il n'avait pas le temps. Il se leva et relança l'enregistrement pour écouter la fin du message.

— Quand vous approcherez de Diamond Head, vous verrez une lumière qui clignote au bord de l'eau... Volez jusqu'au phare.

Il avait surveillé toutes les communications intranet de la compagnie dans l'espoir d'avoir des nouvelles de son frère et des autres étudiants. Il était pratiquement sûr que Drake les avait largués quelque part, à l'arboretum probablement, sans pouvoir, hélas, en être certain. Il s'y était rendu avec le pick-up, il avait traversé le tunnel et gagné la vallée pour tenter, en vain, de capter un signal quelconque avec son matériel. Envers et contre tout, il avait espéré que Peter réapparaîtrait tôt ou tard. Il avait confiance dans la débrouillardise de son frère. Il n'avait pas perdu l'espoir de pouvoir sauver Peter et les autres.

Il avait commis une terrible erreur. Il aurait dû aller trouver immédiatement les flics, quitte à y laisser sa propre peau.

L'appel remontait à presque une heure. Merde ! Il avait pris son temps pour aller s'acheter à manger ! Il lâcha un nouveau juron, ouvrit le tiroir en grand, ramassa l'ordinateur et le casque et descendit l'escalier quatre à quatre. Dans l'allée, les deux types étaient toujours assis près du pick-up. Eric n'avait pas de voiture. Il avait passé un marché avec son propriétaire. Il lui donnait cinquante dollars chaque fois qu'il s'en servait. Il tendit un billet à l'un des deux gars, se glissa derrière le volant et posa son équipement sur le siège à côté de lui.

— Quand est-ce que tu reviens ?

Il démarra.

— J'en sais rien.

— Un problème ?

— Il y a eu un décès dans ma famille.

— Oh, désolé, mon vieux !

Il s'engagea dans l'avenue Kalakaua et le regretta aussitôt. C'était la principale artère qui desservait Waikiki et elle était encombrée d'une multitude de piétons et de véhicules. Il aurait dû se rendre à

Diamond Head par l'autre côté. Quoique ça devait rouler tout aussi mal. Alors qu'il avançait péniblement d'un feu à l'autre le long des grands hôtels, il se remit à pleurer et, cette fois, se laissa aller. *C'est ma faute !* se répétait-il. *Mon frère est mort par ma faute !*

Drake avait organisé son assassinat en ne lui laissant aucune chance de s'en tirer. Eric ne savait pas exactement comment il avait procédé, toujours est-il qu'il avait réussi simultanément à mettre le bateau en panne dans le ressac et à lancer deux Hellstorm contre lui. Les robots tueurs avaient surgi de la cabine dès que le bateau avait calé. Il les avait d'abord pris pour des insectes avant d'apercevoir leurs hélices ainsi que leurs munitions. Quand il avait sauté à la mer, les robots l'avaient poursuivi, et il avait dû rester sous l'eau pour leur échapper. Il avait juste eu le temps d'envoyer le texto à Peter avant de plonger, sans pouvoir lui expliquer pourquoi.

Eric était bon nageur et savait se défendre dans les grosses vagues. Ne portant pas de gilet de sauvetage, il avait pu descendre profondément sous les déferlantes pour se protéger des robots. Il avait considéré que le ressac était l'endroit le plus sûr. En tout cas plus sûr que tout ce qui s'offrait à lui. Il avait nagé jusqu'à une petite crique connue localement sous le nom de l'anse Secrète. Elle était entourée de falaises, à l'abri des regards. De la terre, seul un petit sentier y menait.

Après s'être assuré que personne ne le voyait il avait enfin émergé de l'eau. Il s'était fait ramener à Honolulu par des gars du coin qui ne lui avaient pas posé de questions et se moquaient de savoir d'où il sortait. Ça ne lui avait pas paru une bonne idée d'aller trouver la police. Elle n'aurait jamais voulu croire que le P-DG de sa société avait envoyé contre son vice-président des petits robots volants équipés d'armes hautement toxiques pour le tuer. Ils l'auraient pris pour un schizophrène. Et Drake aurait su qu'il était vivant et lui aurait envoyé d'autres Hellstorm : sa mort

407

n'aurait été que partie remise. De retour à Honolulu, il n'avait pas regagné son appartement, de crainte que Drake n'y ait tendu un autre piège. Il s'était rendu chez un prêteur sur gages et lui avait laissé sa montre chrono Hublot contre quelques milliers de dollars. Puis il s'était planqué, bien décidé à trouver un moyen pour traîner Drake en justice. Et il avait donc loué un studio minable qu'il payait en liquide.

En qualité de directeur de la technologie de Nanigen, Eric Jansen connaissait le réseau intranet de l'entreprise sur le bout des doigts. Ses connaissances en physique l'avaient bien aidé. Il lui avait suffi d'une petite expédition à Radio Shack pour se bricoler un système d'écoute. Il avait commencé par scanner les canaux internes et ainsi appris que son frère s'était précipité à Hawaii avant de disparaître avec les autres étudiants. Il soupçonnait Drake d'y être pour quelque chose. Mais il refusait de croire qu'il ait pu les assassiner. Drake était trop intelligent pour prendre un risque pareil. Il en avait déduit que Drake les avait expédiés dans le micromonde temporairement, et qu'ils finiraient bien par réapparaître.

Il avait donc attendu que son frère refasse surface, car il avait confiance en lui. Il était persuadé que Peter s'en sortirait et réapparaîtrait d'une manière ou d'une autre et que lui, Eric, parviendrait à le récupérer. Et Peter pourrait corroborer son témoignage sur les crimes de Drake.

Mais cela n'arriverait plus.

Il s'était totalement planté. Il aurait dû se rendre tout de suite à la police. Même si on ne l'avait pas cru, même si Drake l'avait tué, cela aurait pu sauver la vie de Peter. Tout le problème venait d'Omicron. Eric s'était bien gardé de dire à Peter ce qu'il avait découvert sur ce projet. Il avait voulu protéger son jeune frère. Et tout ça pour rien !

Il tourna au parc Kapiolani et put enfin accélérer. Il slaloma entre les véhicules, avec l'espoir d'arriver à temps au phare.

43.

Six cent soixante-dix mètres plus haut, Danny Minot pointait le nez de son micro-avion vers les nuages afin de gagner de la hauteur pour franchir les bords du cratère du Tantalus hérissés d'arbres sombres et menaçants. Il se retourna en se demandant si un micro-avion ne l'avait pas suivi. Il ne vit personne. Il continua à monter.

C'était plus facile qu'un jeu vidéo. Les micro-avions avaient été conçus de façon à résister à tous les chocs. Mais avaient-ils des feux de navigation ? Il enfonça un bouton et des lampes s'allumèrent : une rouge et une verte au bout des ailes, une blanche à l'avant. Il les éteignit pour que les autres ne puissent pas le suivre, mais finit par les remettre quelques instants plus tard. Ça le rassurait finalement de voir ces clignotements familiers sur les ailes.

Soudain, la ville d'Honolulu s'étala à ses pieds. Les hôtels de Waikiki se dressaient vers le ciel à une hauteur incroyable. Des files de voitures rouges et blanches serpentaient sur les boulevards ; un bateau de croisière était amarré dans le port. La lune dessinait une avenue étincelante de lumière sur l'océan d'un noir d'encre. Une masse sombre se dressait à la gauche de Waikiki Beach. C'était Diamond Head. De sa situation en hauteur, il distinguait nettement le cercle dessiné par le cratère. Quelques lumières brillaient au centre. Il pouvait même discerner la crête rocheuse qui le couronnait. Mais il ne voyait aucune lumière qui clignotait, juste la silhouette sombre de Diamond Head. Où se trouvait le phare ?

Il poussa le moteur et mit le cap sur le cratère.

Tout à coup, son avion tourna sur lui-même et Danny poussa un hurlement de terreur. Pris brusquement dans les alizés qui balayaient la montagne, l'appareil enchaîna tonneau sur tonneau. Dans une bordée de jurons, Danny s'acharna sur le manche pendant que l'avion dégringolait dans les turbulences. Enfin, l'appareil se stabilisa et retrouva un vol rectiligne. Porté par un courant laminaire, il allait très vite, tel un nageur entraîné dans le courant d'une rivière. Danny regarda le sol. La forêt défilait en dessous de lui. Ou plutôt c'était lui qui filait au-dessus. L'altimètre indiquait qu'il était monté à neuf cents mètres.

Le clair de lune lui offrait une vue magnifique. Derrière lui s'étalaient les profondeurs du cratère du Tantalus, sombre comme une caverne. On n'y voyait aucune lumière, aucune trace du fort Rourke ni de la base Tantalus. Juste en dessous de lui, les phares des voitures révélaient les routes sinueuses sur les flancs de la montagne. Devant lui, les tours de la ville se rapprochaient nettement et il eut l'impression qu'elles scintillaient d'énergie et se dressaient à des hauteurs impossibles. L'espace d'un instant, il eut la sensation d'arriver dans la capitale d'un empire galactique. Mais ce n'était qu'Honolulu. Et il ne voyait toujours pas le phare de Diamond Head.

Le vent l'emportait à droite vers les hôtels qui bordaient Waikiki Beach et l'écartait de Diamond Head. Il manipula le manche et la commande des gaz et s'inclina à gauche en maintenant la puissance au maximum.

Il ne voulait pas être soufflé sur la ville ; ce serait

la mort assurée. Il finirait écrasé sous les voitures ou aspiré par la climatisation d'un immeuble. Le nez toujours pointé sur Diamond Head, il se mit sur VITESSE D'URGENCE. Un avertissement clignota sur l'écran. DÉCHARGE EXCESSIVE DE LA BATTERIE. Temps de vol restant : 20 minutes 25 secondes... 18 minutes 5 secondes... 17 minutes 22 secondes... son autonomie fondait à toute allure. Il tomberait en panne d'énergie dans quelques minutes.

Il vérifia sa vitesse réelle. 11,4 kilomètres à l'heure. Il trouva la radio et l'alluma.

— Mayday ! Mayday ! Ici Danny Minot. Je suis à bord d'un petit avion. Un très petit avion. Est-ce que vous m'entendez ? Monsieur Drake, vous êtes là ? Je ne pourrai pas atteindre Diamond Head... je suis poussé sur la ville... oh, mon Dieu !

Un hôtel venait de surgir devant lui tel un cuirassé de l'espace. Il vit deux géants debout sur un balcon, un verre à la main. Son avion fonçait inexorablement sur eux, poussé par le vent. Leurs têtes étaient plus grosses que celles du mont Rushmore. L'homme posa son verre et baissa la bretelle de sa compagne, découvrant un sein colossal au mamelon érigé qui saillait de deux mètres. L'homme le pétrit d'une main d'une taille monstrueuse et leurs visages se rapprochèrent pour s'embrasser.

Persuadé qu'il allait les percuter, Danny hurla tout en luttant contre les commandes. Il passa entre leurs deux nez dans un vrombissement d'hélice et, aspiré dans de nouvelles turbulences, tourna le coin de l'immeuble et disparut.

L'homme s'écarta d'un bond de sa partenaire.

— Merde, qu'est-ce que c'était ?

Elle aussi avait vu un truc bizarre. Un homme microscopique aux commandes d'un avion minuscule avec des lumières qui clignotaient au bout des ailes. Le petit homme hurlait. Elle avait distinctement entendu son cri d'insecte au-dessus du bourdonnement du moteur. Et elle avait vu sa bouche ouverte, ses yeux exorbités... C'était impossible ! Elle rêvait debout.

— Il y a vraiment des insectes horribles dans ce pays, Jimmy.

— Ça devait être un de ces cafards volants comme on en trouve à Hawaii.

— Rentrons.

Le vent faiblit et Danny reprit le contrôle de son avion. Il traversa l'avenue Kalakaua avec un bref regard sur la foule des noctambules. Il remarqua qu'il ne dérivait plus latéralement. Son avion avait une vitesse supérieure à celle du vent. Il vira pour reprendre la direction du nord-est et, longeant la plage de Waikiki, se dirigea droit sur Diamond Head.

Enfin, alors qu'il scrutait la masse familière qui se découpait sous la lune, il vit un éclat de lumière. Plus rien. Un éclat. Plus rien. C'était bien le phare.

— Sauvé !

Il ramena le régime du moteur sur CROISIÈRE. Quel désastre s'il tombait en panne de batterie maintenant ! Il commençait à bien se débrouiller. Il suffisait d'attraper le coup.

Il reprit de l'altitude, décidé à rester largement au-dessus des immeubles. C'était drôle comme votre vie pouvait basculer en un instant. Un moment, on se croit fichu et, une seconde plus tard, on se retrouve en route pour le meilleur hôpital de la ville tout en admirant Waikiki Beach au clair de lune. *La vie est belle !* songea-t-il.

Une forme surgit de la nuit. Il entrevit à peine un battement d'ailes et n'eut que le temps de pousser sur le manche pour éviter la collision.

— Crétin de papillon ! Tu ne peux pas regarder où tu vas ? T'as pas de tête ?

Il l'avait échappé belle. S'il l'avait percuté, il aurait pu tomber à la mer. Il voyait l'écume des vagues en dessous de lui.

Il perçut subitement un son bizarre. Comme un

écho... *Wish, wing !*... Ça recommençait... *Wish, wing !
Tsk ! Tsk ! Hii ! Hii !* Qu'est-ce que c'était ? Un animal
émettait des bruits effrayants dans l'obscurité. Danny
entendit alors un tambourinement. *Pom pom, pom pom,
pom pom...* Il vit un autre papillon de nuit. C'était lui
qui faisait ce bruit... et, soudain, le papillon disparut.

Quelque chose avait rayé l'insecte du ciel.

— Oh, merde !

Des chauves-souris ! Elles balayaient les papillons
de leur sonar. Et il se retrouvait au beau milieu de leur
zone de chasse. Il était mal barré !

Il poussa de nouveau la manette des gaz sur
VITESSE MAXIMUM.

Il entendait les impulsions du sonar qui résonnaient dans les ténèbres, à gauche, à droite, au-dessus,
en dessous, tout près, au loin... mais il ne voyait pas les
chauves-souris et c'était ça le pire. Partout autour de
lui, des prédateurs évoluaient dans les trois dimen-
sions. C'était comme se baigner de nuit au milieu de
requins affamés. Il ne voyait rien du tout, mais il les
entendait capturer leurs proies. *Voum... voum... hii...
hii... hii, hi, hi...* Un vrai massacre.

Et soudain il en vit une. Une forme anguleuse le
rasa et tua un papillon juste devant lui. L'avion trembla
et tressauta dans les turbulences de son sillage. Dieu
du ciel ! La chauve-souris était bien plus grosse qu'il
ne l'imaginait !

Il devait atterrir. Se poser n'importe où, même sur
le toit d'un hôtel. Il mit l'avion en piqué et plongea
dans un rugissement de moteur vers l'immeuble le
plus proche... et se retrouva à foncer droit sur la
plage... Oh merde ! Il passait trop loin de l'immeuble,
trop près de l'eau...

Les cris des chauves-souris se rapprochaient. Puis
le faisceau d'un sonar le balaya, disparut... suivit un
silence... et soudain le faisceau le frappa de plein fouet
et fit vibrer sa poitrine. FRR... HIP... HIP... HII-HII-
HII. La chauve-souris le bombardait d'ultrasons. Les

413

ping se rapprochaient en se concentrant sur lui. Une cacophonie l'enveloppa.

— Je ne suis pas un papillon ! hurla-t-il.

Il inclina le manche brusquement pour effectuer un vertigineux virage sur l'aile. Avec sa main valide, il martela la carlingue pour imiter le roulement de tambour des papillons, dans l'espoir de perturber le radar de la chauve-souris.

Il comprit trop tard qu'en tapant sur l'avion il lui indiquait exactement où il se trouvait.

Dans un éclair, il vit de la fourrure marron, de longs poils à l'extrémité argentée, des ailes d'une envergure inimaginable qui lui cachèrent la lune et une gueule béante aux canines acérées.

L'aile cassée, le cockpit vide, le micro-avion tomba en vrille et disparut dans une nappe d'écume à quelques mètres de la plage.

44.

Le phare de Diamond Head
31 octobre, 23 h 45

Rourke s'était assoupi, mais il se réveilla en s'apercevant que Danny Minot n'était pas revenu des toilettes. Un bon moment s'était écoulé ; le feu s'éteignait. Il se leva et courut vers les toilettes. Pas de Danny.

Le fort occupait un terrier très étendu avec de nombreux tunnels inutilisés. Peut-être Danny s'était-il perdu dans une de ces galeries. Rourke entra dans l'une d'elles.

— Monsieur Minot ? Vous êtes là ?

Rien. Pas de réponse non plus dans la suivante. Rourke remarqua alors un courant d'air. Le hangar... Il s'y précipita et le trouva grand ouvert avec un avion en moins.

Il referma les portes et alla réveiller Rick et Karen.

— Votre ami est parti. Il a pris un avion.

Ils ne savaient pas ce qui lui avait pris. Peut-être avait-il paniqué, avec son bras en si mauvais état, et avait-il décidé de voler tout seul jusqu'à Nanigen. Ce qui demandait plus de courage que Danny n'avait jamais semblé en posséder.

— Peut-être qu'on devrait prendre les avions pour se lancer à sa recherche, suggéra Karen.

Rourke s'y opposa catégoriquement.

— Le vent a pu l'emporter n'importe où sur l'île. Et pas question de voler de nuit avec les chauves-souris. Ce serait du suicide.

Danny était sans doute déjà mort. Et s'il avait survécu, Rourke ne voyait pas comment il espérait s'introduire dans Nanigen.

— Je n'y comprends rien, soupira Karen.

— Il a paniqué, conclut Rick.

Vin Drake attendait, assis dans sa voiture. La lumière du phare qui tournait au-dessus de lui brillait à travers les branches des arbres. La lune baignait la scène d'une lueur argentée. Quel univers magnifique ! Il se sentait bien, là, funambule en équilibre au-dessus du monde.

Un pick-up noir vint se garer à côté de lui. Drake descendit et monta dans le véhicule. Il résuma la situation à Don Makele.

— Il est dans les airs. Il connaît un moyen de soigner les microbulles. Il me le dira dès qu'il aura atterri.

— Et ensuite ? demanda Makele.

Drake ne répondit pas. Il coiffa le casque et regarda en direction de la montagne.

— Daniel ? Daniel, vous êtes là ?

Il n'entendit rien d'autre que le sifflement des ondes. Il se tourna vers Makele.

— Il faut guetter ses lumières. Rouge et verte. Toutes petites.

— Qu'est-ce que vous allez faire de lui ? insista Makele.

— Le vent souffle du Tantalus, continua Drake, ignorant sa question. Il devrait arriver d'une seconde à l'autre.

Une voiture entra sur le parking. Drake arracha le casque de sa tête.

— Allez voir ce que c'est.

Makele s'approcha de la voiture, vit un couple qui se pelotait et revint rassurer Drake.

Drake reprit ses appels, toujours sans succès. Les voitures se succédaient, le rayon lumineux du phare tournait des dizaines de fois, le couple d'amoureux finissait par disparaître et les deux hommes scrutaient toujours le ciel, à la recherche de lumières autres que les étoiles.

— Le petit Daniel a menti, soupira Drake.

— À quel sujet ? demanda Makele.

— En disant qu'on peut soigner les microbulles.

Il a menti pour que je l'épargne. Ha, ha !

Ils guettèrent le faible vrombissement d'un micro-avion. Don Makele remarqua que le vent soufflait assez fort. S'ils loupaient le gamin, il finirait dans la mer. Drake sortit quelque chose du coffre de sa voiture de sport et le mit à l'arrière du pick-up. Puis il revint vers Makele.

— Je vous donne trois parts de société en plus. Ça vous en fait sept. Ce qui représente une valeur nette de sept millions.

Le chef de la sécurité émit un grognement.

— Qu'est-ce qu'on fait du gamin ?

— On l'interroge.

Drake tapa sur le casque qui permettait de communiquer avec les micro-humains.

— Et après ?

En guise de réponse, Drake s'appuya contre le pick-up et abattit sa paume sur le métal.

— Les moustiques sont mauvais, ce soir ! déclara-t-il en regardant le ciel.

— Je vois.

Les deux hommes attendirent encore un moment. Don Makele recula de quelques pas le long du pick-up pour voir ce que Drake avait posé sur le plateau. C'était un bidon en plastique. Il sentait l'essence.

Drake lança encore quelques appels et finit par retirer son casque.

— M. Minot a eu un accident. Ou il a changé d'avis.

Il monta dans le pick-up et tendit les clés de son coupé à Don Makele.

— Que voulez-vous que je fasse de votre voiture, monsieur ?

— Déposez-la à Nanigen. Et rentrez chez vous en taxi.

Drake démarra et s'engagea dans un rugissement sur la route de Diamond Head. Makele regarda ses feux arrière disparaître en secouant la tête.

45.

Le fort de Rourke
1ᵉʳ novembre, 1 heure

Recroquevillés à l'intérieur de l'aimant, Karen et Rick attendaient la fin de la nuit.

— Nous sommes les derniers, murmura Karen.

Rick esquissa un sourire sans joie.

— Je n'imaginais pas que nous finirions ensemble, Karen.

— Qu'est-ce que tu t'imaginais ?

— Eh bien, je pensais que tu survivrais, mais pas moi.

— Comment te sens-tu ?

— En pleine forme.

C'était un mensonge. Son visage était couvert d'ecchymoses et ses articulations le faisaient souffrir.

En regardant ses bleus, Karen se demanda à quoi elle ressemblait. *Je dois avoir l'allure de quelqu'un qui s'est fait tabasser.*

— Tu as besoin de passer dans le générateur, Rick.

Il étudia son visage à la lueur du feu.

— Toi aussi.

— Écoute, Rick... – Comment lui dire ce qu'elle avait décidé ? Autant y aller carrément. – Je ne vais pas repartir.

— Quoi ?

— Je crois que ça va aller pour moi.

— Quoi ?

— Je ne veux pas retourner à Nanigen. Je préfère tenter ma chance ici.

Ils étaient assis, épaule contre épaule, enroulés dans des couvertures, les yeux rivés sur les braises. Elle le sentit se raidir et il se tourna vers elle, les yeux écarquillés.

— De quoi tu parles, Karen ?

— Personne ne m'attend, Rick. J'étais très malheureuse à Cambridge. Je ne m'en rendais même pas compte. Et ici, je suis plus heureuse que je ne l'ai jamais été. C'est un monde dangereux mais neuf. Et qui ne demande qu'à être exploré.

Rick sentit une sorte de poids lui écraser la poitrine et il n'aurait su dire si cela venait des microbulles ou de ce qu'il éprouvait.

— Qu'est-ce qui... Tu es amoureuse de Ben ou quoi ?

Elle éclata de rire.

— De Ben ? Tu plaisantes ? Je n'aime personne. Ici, je n'ai pas besoin d'aimer quelqu'un. Je peux vivre seule et librement. Je peux étudier la nature... donner des noms à des choses qui n'en ont pas...

— Pour l'amour du ciel, Karen...

Après un silence, elle lui demanda :

— Tu te sens capable de regagner Nanigen par tes propres moyens ? Ben va sans doute partir en avion avec toi.

— Tu ne peux pas faire ça.

Le feu se mit à pétarader et à craquer. Rick sentait la déception lui serrer les entrailles. Il essaya de l'ignorer. Il dévisagea Karen et ses cheveux de jais qui chatoyaient à la lueur du feu, mais ses yeux étaient irrésistiblement attirés par la tache sombre sur son cou. Ce bleu l'inquiétait. Était-ce lui qui le lui avait fait ? Quand il lui avait serré le cou ? L'idée qu'il ait pu lui faire mal lui était insoutenable...

— Karen…

— Oui ?

— Je t'en prie, ne reste pas ici. Tu risques de mourir. Ne fais pas ça.

Elle lui pressa la main et la relâcha.

— J'ai envie de tenter ma chance.

— J'ai peur que ta chance ne suffise pas.

Elle le regarda fixement.

— C'est à moi de décider.

— Mais je suis concerné.

— Pourquoi ?

— Parce que je t'aime.

Il l'entendit inspirer d'un coup. Elle tourna la tête. Les cheveux qui tombèrent sur ses yeux l'empêchèrent de voir son expression.

— Rick…

— Je n'y peux rien, Karen. Quelque part en chemin, je suis tombé amoureux de toi. Je ne sais pas comment c'est arrivé, mais c'est arrivé. Quand tu as été avalée par l'oiseau, j'ai cru que tu étais morte, Karen. À ce moment-là, j'aurais donné ma vie contre la tienne. Et je ne savais même pas que je t'aimais. Et quand je t'ai récupérée et que tu ne respirais pas, j'ai eu tellement peur… je ne pouvais pas supporter l'idée de te perdre…

— Rick, je t'en prie… pas maintenant…

— Alors, pourquoi m'as-tu sauvé ?

— Parce qu'il le fallait, répondit-elle d'une voix tendue.

— Parce que tu m'aimais.

— Écoute, ne va pas…

Il était allé trop loin. Elle ne l'aimait pas, elle ne l'appréciait même pas. Il aurait dû se taire. Mais c'était plus fort que lui.

— Je vais rester avec toi. On aura les microbulles ensemble et on s'en sortira. Comme on s'est sortis de tout le reste.

— Rick, tu ne peux pas rester avec moi. Je suis quelqu'un de très solitaire.

Il la prit dans ses bras et sentit son corps qui trem-blait. Il repoussa ses cheveux, caressa sa pommette du bout des doigts et tourna doucement sa tête vers lui.

— Tu n'es pas seule.

Il l'embrassa et elle n'essaya même pas de l'ar-rêter. En se penchant vers elle, il s'aperçut que tout son corps le lançait : il montait de ses articulations et de ses os une douleur lancinante qui s'étendait en lui comme un liquide. Faisait-il une hémorragie interne ? Karen sursauta brusquement et il se demanda si elle souffrait comme lui.

— Tu as mal ?

— Tu ne peux pas rester, éluda-t-elle.

— Pourquoi ? Donne-moi une seule bonne raison.

— Je ne t'aime pas. Je suis incapable d'aimer qui que ce soit.

— Karen...

Leur conversation n'alla pas plus loin, car les lumières s'éteignirent subitement laissant la pièce seu-lement éclairée par la faible lueur des braises. Presque immédiatement, une odeur étrange émana des tunnels. On se serait cru dans une station-service. Et ça devenait irrespirable.

Ben Rourke entra en trombe.

— C'est de l'essence ! hurla-t-il. Sortez vite !

46.

Au même moment, un véritable tremblement de terre accompagné d'un grondement secoua les tunnels et une lueur jaune apparut par le trou dans le plafond au-dessus du foyer.

— Au hangar ! hurla Ben tandis que Rick et Karen se levaient d'un bond en rejetant les couvertures.

À peine engouffrés dans le tunnel, ils furent balayés par un souffle brûlant chargé de fumée. Karen chuta. Rick la releva, elle se débattit quand il voulut l'entraîner et, d'un coup, tomba à genoux et s'affaissa, sans doute évanouie. Rick ne voyait plus rien dans le nuage épais qui les enveloppait. Il hissa Karen sur son dos et courut derrière Ben. Sa tête se mit à tourner, il avait de plus en plus de mal à respirer et comprit que les galeries s'étaient vidées de leur oxygène. Ben se mit à le tirer en hurlant, mais il s'effondra et lâcha Karen. Sous le choc, celle-ci reprit connaissance. Elle se releva et essaya à son tour de le traîner.

— Secoue-toi, Rick ! Tu ne vas pas me laisser tomber !

Titubant, toussant, à moitié suffoqués, ils continuèrent tant bien que mal à avancer malgré les vapeurs toxiques qui s'accumulaient sous le plafond.

— Passez sous la fumée ! cria Rourke.

Ils se mirent à ramper sous les tourbillons lorsqu'un horrible grondement fit de nouveau trembler le sol. Ils arrivèrent enfin dans le hangar. Rick et Karen sautèrent dans les avions pendant que Rourke ouvrait une des portes coulissantes. Celle-ci s'effondra brusquement, révélant un rideau de flammes qui barrait l'entrée de la caverne.

Rourke tomba en arrière en toussant.

— Ben ! hurla Karen.

Elle le vit se remettre à genoux, puis se relever et leur faire de grands gestes.

— Partez !

— Et vous, Ben ? hurla Karen.

— Foutez le camp ! répondit-il en reculant d'un pas titubant vers le tunnel d'où sortait à présent de la fumée.

Au bord de l'évanouissement, Karen démarra son avion et fit signe à Rick de décoller.

Ils quittèrent le sol en même temps et traversèrent la caverne de front pendant que Rourke s'éloignait d'un pas de plus en plus chancelant. Karen se retourna et le vit tomber à genoux pour repartir en rampant vers son fort. Il ne pouvait plus respirer. Il ne pourrait jamais y arriver.

Mais le mur de flammes approchait. Karen se tassa dans le cockpit tandis que le micro-avion traversait le feu et ressortait dans la fraîcheur de la nuit. Elle se retourna et vit Rick voler à côté d'elle. Il avait l'air indemne.

Elle inclina doucement le manche pour le tester et regarda encore derrière elle. Le fort de Rourke n'était plus qu'une mer de flammes dont la lueur rougissait le Gros Caillou. Soudain, elle vit la silhouette d'un géant se découper sur l'incendie. L'homme tenait un jerrican d'essence en plastique rouge et en arrosait la base Tantalus. Il recula d'un pas, gratta une allumette et les flammes illuminèrent son visage. C'était Vin Drake. Dans la lueur du brasier, son visage

424

rayonnait de sérénité. On l'aurait cru devant un feu de camp, plongé dans de paisibles pensées. Il secoua la tête d'un côté à l'autre, comme s'il avait de l'eau dans les oreilles ou s'il guettait un bruit.

Rick perdit tout à coup le contrôle de son avion, fit un tonneau et percuta le Gros Caillou. Il crut mourir, mais l'appareil rebondit contre la roche, dévissa pour finalement se redresser et se stabiliser. Ces engins étaient vraiment solides ! Il regarda autour de lui. Karen avait disparu ! Les arbres dressaient devant lui un mur impénétrable. Il les scruta sans voir la moindre lumière ni la moindre trace de Karen. Il y avait une radio dans le cockpit, mais il n'osait pas s'en servir. C'est alors qu'il aperçut deux lumières qui clignotaient devant lui, une verte et une rouge. Les feux de navigation de Karen !

Il alluma les siens et balança les ailes. Elle l'imita. Parfait ! Ils se voyaient. Elle entra dans la couronne d'un arbre et il la suivit. Les yeux rivés sur ses feux, il voyait à peine les branches et les feuillages tandis qu'elle l'entraînait dans ce labyrinthe de végétation.

Il réussit enfin à la rattraper. Puis il alluma la radio. Au diable Drake ! Même s'il les entendait, il ne pourrait plus les atteindre.

— Ça va, Karen ?

— Je crois. Et toi ?

— Ça boume.

Il prit subitement conscience qu'elle n'avait nulle part où aller en dehors de Nanigen. Elle ne pouvait plus rester sur le Tantalus puisque tout avait disparu. Mais il préféra ne pas lui rappeler cette triste réalité.

Tandis qu'ils décrivaient des cercles à l'abri des branches, ils virent Drake descendre la pente et de nouvelles flammes surgir. Il continuait à répandre le feu, apparemment décidé à éradiquer toute trace de la base et du fort de Rourke. Dans la forêt humide, ces foyers mourraient d'eux-mêmes sans attirer l'attention.

Drake repartit sous les arbres. Le faisceau de sa

lampe ballottait au rythme de ses pas. Ils entendirent un bruit de moteur et virent un pick-up cahoter sur le chemin qui suivait la lèvre du cratère. Puis les phares du véhicule basculèrent de l'autre côté et l'obscurité retomba. Pas totalement, pourtant, car les lumières d'Honolulu brillaient à travers les branches. Karen vola vers le sommet de l'arbre.

— Les chauves-souris ! cria Rick quand elle sortit à découvert. Il faut qu'on se pose quelque part.

— Où ça, Rick ? On ne peut pas atterrir. Il y a autant de prédateurs sur le sol que dans les airs.

— Suis-moi.

Elle se plaça dans son sillage. Il contournait les branches, les feuilles, les obstacles, par la droite ou par la gauche, sans quitter la couronne des arbres, là où les chauves-souris ne risquaient pas de s'aventurer. Il jetait de temps en temps un coup d'œil derrière lui pour vérifier que les feux de navigation de Karen le suivaient et qu'elle n'avait donc pas perdu sa trace. La lueur des incendies s'estompa derrière eux au fur et à mesure qu'ils descendaient dans les profondeurs du cratère. Ils atteignirent une zone où le vent soufflait moins fort et d'où ils ne voyaient plus les incendies.

— On va se poser par ici, annonça Rick à la radio.

Il remonta une longue branche pour l'inspecter. Elle était large, propre, sans mousse, avec plus de place qu'il n'en fallait pour eux deux. Il se posa sans problème. Ces avions auraient pu atterrir sur une pièce de dix cents. Karen arriva à son tour et se rangea à côté de lui.

Mais la branche se balançait, agitée par le vent, et les avions risquaient de tomber.

— Il faut les attacher, déclara Rick en descendant du cockpit.

Il découvrit des amarres à l'intérieur du nez et des ailes, sans doute une invention de Rourke. Il sécurisa les deux appareils.

Karen se mit à pleurer doucement, prostrée dans son cockpit.

— Qu'est-ce qui t'arrive ?

— Ben. Il était piégé. Il n'a pas pu survivre.

— Tu le sous-estimes, répliqua Rick, persuadé que Ben avait plus d'un tour dans son sac.

Mais il n'y avait aucun moyen de savoir si Ben était mort dans les flammes ou s'il en avait réchappé.

Leur veille commença. Les instruments de bord affichaient 1 h 34. L'aube était encore lointaine, il leur fallait s'armer de patience.

Les alizés forcissaient et la branche tanguait comme un navire dans la tempête. À la lueur du clair de lune, Karen s'aperçut que les taches sur ses bras s'élargissaient. Elle n'osait imaginer à quoi ressemblait le reste de son corps.

À force de se balancer, Rick avait la nausée et il se demandait si son malaise venait des microbulles ou si c'était une séquelle des venins de l'araignée et de la guêpe. Il pensa à la distance qu'ils devraient couvrir au lever du jour. Vingt-cinq kilomètres, dont un long passage au-dessus de Pearl Harbor et de la mer. *C'est impossible !* songea-t-il. *Nous n'y arriverons jamais.*

47.

Quand Eric Jansen entra sur le parking du phare de Diamond Head, l'endroit était désert. Aucune trace de la voiture de Drake. Il arrivait trop tard ! Et si c'était trop tôt, au contraire ?

Il se gara dans un coin et réfléchit. Que faire ? Attendre Drake ? Mais s'il était déjà passé ? Tout raconter à la police ? Cela risquait de coûter la vie aux derniers survivants, car Drake savait où ils se trouvaient et irait les tuer.

Non, il devait se rendre au Tantalus de toute urgence.

Quelques minutes plus tard, rugissant et pétaradant, son pick-up bariolé remontait la Tantalus Drive. La route en épingles à cheveux bordée de propriétés luxueuses s'arrêtait devant une grille. Elle se poursuivait de l'autre côté par une piste défoncée. L'entrée n'était pas fermée. Eric engagea le quatre-quatre sur le chemin de terre et continua son ascension sous une forêt de goyaviers. Il déboucha enfin sur la lèvre du cratère. La piste, creusée d'ornières et de trous, n'était praticable que par des tout-terrains et Eric se félicita d'avoir des gros pneus. Il arriva à l'espace aménagé pour faire demi-tour sans avoir rien vu qui ressemble au véhicule de Drake. L'endroit était désert.

Faute de lampe de poche, il orienta le pick-up tous phares allumés vers le Gros Caillou. Il descendit et tendit l'oreille. Voyant alors une lueur rouge derrière les arbres, il se précipita dans cette direction. Il trouva au pied du Gros Caillou des braises encore rougeoyantes tandis que de la fumée s'élevait du sol et l'air empestait l'essence.

Drake avait réussi son coup ! Il avait tué tout le monde !

Regrettant plus que jamais de ne pas avoir apporté de lampe de poche, Eric s'agenouilla et finit par trouver l'entrée de la tanière de Rourke.

— Il y a quelqu'un ? cria-t-il.

Pas de réponse. Il enfonça un doigt dans la terre en se demandant s'il y avait des survivants. Il faisait trop sombre pour voir quoi que ce soit et ils étaient si petits qu'il avait peur d'écraser l'un d'eux par mégarde. Non, il devait se rendre à l'évidence : personne n'avait survécu.

Il repartit vers son véhicule.

De leur perchoir, Rick et Karen avaient vu les phares apparaître sur la lèvre du cratère.

Rick avait observé le véhicule un moment, puis il s'était tourné vers Karen.

— Je vais voir ce que c'est.

— Non, je t'en prie !

Sans l'écouter, il détacha les amarres qui retenaient son avion, puis il démarra, décolla et s'éloigna en direction du bord du cratère et du Gros Caillou.

Comme il n'était pas question qu'elle reste seule, Karen l'imita et le rattrapa.

Les yeux rivés sur l'homme qui descendait du camion, Rick sortit de l'abri des branches. Il tendit l'oreille, à l'affût des chauves-souris. N'entendant aucun sonar, il se rapprocha de l'inconnu. Celui-ci se dirigea vers le Gros Caillou et s'agenouilla sans que

Rick puisse apercevoir son visage. Et quand il se redressa pour revenir à travers le sous-bois, Rick ne put que suivre sa vague silhouette sombre en slalomant entre les troncs et les branches.

L'homme arriva à son véhicule et Rick vit qu'il s'agissait d'un drôle de pick-up tout peinturluré aux pneus énormes. L'homme monta à bord et la lumière du plafonnier éclaira son visage au moment où Rick passait devant le pare-brise.

Il l'avait déjà vu quelque part. Mais où ?

— Karen ? appela-t-il à la radio alors que le quatre-quatre démarrait dans un rugissement. Qui c'est ce type ?

Elle dépassa Rick et vira à son tour devant le camion. Elle commençait à bien maîtriser son appareil.

— C'est le frère de Peter !

— Je croyais qu'il était mort ! Il est de mèche avec Drake ?

— Comment veux-tu que je le sache ?

Le pick-up repartit vers la vallée.

Karen mit son moteur sur VITESSE D'URGENCE. Même à pleine puissance et malgré le mauvais état de la piste qui ralentissait le véhicule, les deux avions avaient déjà du mal à le suivre. Et dès qu'il atteindrait la route goudronnée, il les sèmerait. Ils devaient attirer l'attention du conducteur sans tarder.

Eric conduisait vitres fermées. Karen se mit à la hauteur de son visage et remua les ailes. Non seulement il ne réagit pas, mais il accéléra et ils se retrouvèrent noyés dans un nuage de poussière.

— Mets-toi dans son sillage, cria Rick.

Il devait bien y avoir derrière le quatre-quatre une zone de calme et il piqua pour essayer de la trouver. Pris dans les turbulences, son avion se retourna d'un coup et manqua de peu de s'écraser sur le plateau arrière du véhicule.

Le camion arriva alors à un passage raviné par la pluie. Eric ralentit, baissa sa vitre et se pencha pour étudier le terrain.

Karen s'engouffra dans la cabine. Quand Eric rentra la tête à l'intérieur, elle passa lentement devant son nez en balançant l'avion d'une aile sur l'autre, tous feux de navigation allumés.

Il pila.

— Hé...

Il la suivit des yeux tandis qu'elle passait en rase-mottes au-dessus du tableau de bord. Il tendit la main, la paume en l'air et elle se posa dessus. Rick entra à son tour dans l'habitacle et atterrit sur le tableau de bord.

— Qui–êtes-vous ? demanda Eric d'une voix tonnante tout en veillant à ne pas les balayer de son souffle.

Karen montra son casque. Elle se souvenait que Jarel Kinsky avait dit que les micro-humains pouvaient communiquer par l'intermédiaire des radios avec les gens de taille normale.

— Mais–bien–sûr !

Il la reposa délicatement avec son avion sur le tableau de bord, ouvrit la boîte à gants et en sortit un casque qu'il brancha sur le fatras d'équipement électronique posé à côté de lui.

— Allez–sur–soixante–et–onze–vingt-cinq–gigahertz, dit-il.

Rick et Karen réglèrent leurs radios sur la fréquence indiquée.

— Vous–me–comprenez–à–présent ? demanda Eric d'une voix toujours aussi forte mais, juste après, les mêmes mots parvinrent normalement à leurs oreilles. Vous m'entendez ? C'est une radio avec un démodulateur. Elle enregistre ma voix et l'accélère avant de vous la retransmettre. Et elle ralentit également les vôtres pour que je les comprenne.

Ils résumèrent à Eric tout ce qui leur était arrivé.

— Nous devons aller dans le générateur le plus vite possible, conclut Karen.

— Bien sûr, mais d'abord... parlez-moi de mon frère.

Quand ils lui racontèrent la mort de Peter, Eric martela le volant, ce qui les projeta en l'air avec leurs avions. Ils retombèrent dans un nuage de poussière. Au bout de quelques instants, Eric rouvrit les yeux, son visage avait retrouvé son calme.

— Je vous emmène à Nanigen. Je m'occuperai ensuite de Vincent Drake.

48.

Dan Watanabe fut réveillé par le bourdonnement dc son téléphone. Il tâtonna dans le noir, le fit tomber de sa table de chevet et l'entendit heurter le sol. Il chercha l'interrupteur, soudain inquiet pour sa famille : sa fille de sept ans qui vivait avec son ex-femme, sa mère... En fait, l'appcl venait du chef de la sécurité de Nanigen.

— Vous avez une minute, lieutenant ?

Watanabe passa sa langue sur ses lèvres sèches.

— Ouais.

— Il y a eu un incendie sur le Tantalus, ce soir.

— Quoi ? grogna-t-il.

— Tout petit, personne n'a dû le remarquer. Mais il a fait des victimes.

— Je ne vous suis pas.

— Les étudiants... ils ont été assassinés.

Il s'assit d'un bond, instantanément réveillé.

Il fallait mettre l'homme en garde à vue, obtenir ses aveux...

— Où êtes-vous ? Je vais vous envoyer une voit...

— Non, je veux juste parler avec vous.

— Vous connaissez le Deluxe Plate ?

C'était un bar ouvert toute la nuit.

Don Makele était le seul client. Assis dans un box du fond, il serrait une tasse de café, l'air complètement brisé.

Watanabe ne perdit pas de temps en préambule.

— Parlez-moi des étudiants.

— Ils sont morts. Vin Drake a tué au moins huit personnes. Huit personnes qu'il a miniaturisées.

— Quelle taille faisaient-elles ?

Don Makele montra un écart d'un centimètre entre son pouce et son index.

— Bon... mettons que je vous crois.

— Nanigen a inventé un appareil capable de tout réduire, même les êtres humains.

Une serveuse s'approcha et demanda à Watanabe s'il voulait petit-déjeuner. Il secoua la tête et attendit qu'elle s'en aille pour continuer.

— Cet appareil peut-il en réduire un autre ?

— Bien sûr.

— Et aussi une paire de ciseaux ?

Makele cligna des yeux.

— Où voulez-vous en venir ?

— À Willy Fong et à Marcos Rodriguez.

Makele ne répondit pas.

— Je sais que vous vouliez me parler des étudiants. Mais je veux aussi tout savoir sur les robots qui ont égorgé Fong et Rodriguez.

— Comment savez-vous qu'il s'agissait de robots ?

— Vous vous figurez que les services de la police d'Honolulu n'ont pas de microscopes ?

— Les robots n'étaient pas censés tuer qui que ce soit.

— Alors que s'est-il passé ?

— Ils ont été reprogrammés pour.

— Par qui ?

— Par Drake, je suppose.

— Et qu'est-il arrivé aux étudiants ?

Makele lui expliqua ce qui s'était passé dans les stations de ravitaillement de la vallée de Manoa et sur la base du Tantalus.

— Les gamins ont dû découvrir quelque chose de grave sur Drake, parce qu'il m'a donné l'ordre de... de me débarrasser d'eux.

— En les tuant ?

— Oui. Quand ils se sont retrouvés dans la vallée de Manoa, Drake m'a demandé de les empêcher d'en sortir vivants. Mais plusieurs ont réussi à atteindre le Tantalus.

Il parla alors de Ben Rourke à Watanabe.

— Drake a réduit son refuge en cendres. Et je suis presque sûr que c'est lui qui a tué notre directrice financière et notre vice-président...

Watanabe avait le vertige. Vin Drake aurait assassiné treize personnes. Si c'était vrai, il était extrêmement dangereux.

— Et qu'est-ce qui me prouve que ce n'est pas vous qui délirez complètement ? demanda-t-il au chef de la sécurité.

Don Makele se tassa sur lui-même.

— Faites comme vous voulez. Mais moi, j'avais besoin de vous dire la vérité.

— Êtes-vous impliqué dans ces meurtres ?

— Oui, pour sept millions de dollars.

Au cours de sa carrière dans la police, Dan Watanabe avait assisté à de nombreuses confessions. Celles-ci l'avaient toujours surpris. Pourquoi les gens décidaient-ils soudain de passer aux aveux ? Cela n'était pas dans leur intérêt. La vérité ne les délivrait pas, elle les envoyait en prison.

— La dernière fois que nous nous sommes vus, lieutenant, vous m'avez parlé de Moloka'i.

Watanabe fronça les sourcils. Il ne s'en souvenait pas... Ah, si ! Don Makele l'avait déjà prononcé à l'ancienne.

— Vous disiez que Moloka'i était la meilleure de nos îles. Je pense que vous vouliez parler de ses habitants...

Watanabe finit son café et se renfonça sur son siège sans quitter Don Makele des yeux.

— Je ne saurais vous dire.

— Je suis né à Puko'o, un tout petit village à l'est de Moloka'i. Juste quelques maisons et la mer. C'est ma grand-mère qui m'a élevé. Elle m'a appris l'hawaiien... enfin, elle a essayé. Elle m'a aussi transmis le sens du devoir. Je suis entré dans les marines, j'ai servi mon pays et ensuite... eh bien, je ne sais pas ce qui m'est arrivé. J'ai commencé à faire des choses pour de l'argent. Ces étudiants ne méritaient pas ce que nous leur avons fait. Nous les avons abandonnés à une mort certaine. Quant à ceux qui ont survécu, Drake a envoyé des hommes les éliminer. Je suis prêt à faire beaucoup de choses pour sept millions de dollars, mais il y a des limites. Je ne veux plus obéir aux ordres de Vin Drake. *Pau hana.* C'est fini.

— Et où est Drake à présent ? demanda Watanabe, désormais convaincu que c'était un fou dangereux.

— À Nanigen, je pense.

Watanabe ouvrit son téléphone d'un geste sec.

— On va l'avoir.

— Je vous déconseille d'y aller comme ça, lieutenant.

— Ah bon ? s'étonna Watanabe en écartant l'appareil de son oreille.

Makele entendit clairement la sonnerie à l'autre bout du fil.

— Pourtant, nos groupes d'intervention sont plutôt efficaces.

— Pas contre les microrobots. Ils vous flairent et ils volent. C'est un véritable nid de guêpes qui vous attend.

— Très bien. Alors dites-moi ce qu'on doit faire.

— C'est impossible d'entrer sans l'autorisation de Vin Drake. Il contrôle les robots. Avec une commande. Comme une télé.

On décrocha enfin au bout de l'autre ligne.

— Marty ? dit Watanabe. Nous avons un problème à Nanigen.

Eric Jansen engagea son pick-up dans l'entrée du parc industriel de Kalikimaki et passa devant Nanigen. En dehors du projecteur au sodium qui illuminait l'entrée, l'endroit semblait éteint et mort en ces premières heures du dimanche matin.

Karen King et Rick Hutter étaient assis, près de leurs avions, sous une danseuse tahitienne en plastique fixée au tableau de bord, qui se trémoussait dans son pagne.

Eric fit pénétrer son véhicule à l'intérieur d'un entrepôt en construction, limité à une carcasse et à quelques murs en béton, sur la parcelle voisine de Nanigen. Il se gara hors de vue, derrière un mur. Il coupa le moteur, descendit et scruta les alentours, tous ses sens en alerte. Ils pouvaient y aller.

Il mit le casque radio à démodulateur.

— Prenez vos avions et suivez-moi.

Karen et Rick décollèrent. Tandis qu'il s'approchait de Nanigen, Eric entendit les hélices bourdonner près de ses oreilles et s'aperçut qu'ils volaient derrière sa tête pour se protéger du vent.

— Ça va ? demanda-t-il à la radio.

— Très bien, répondit Karen.

En fait, elle avait l'impression de couver une grippe carabinée. Elle avait des douleurs dans toutes les articulations. Et Rick devait se sentir encore plus mal avec toutes les toxines qu'il avait dans l'organisme et qui accéléraient sans aucun doute les problèmes de microbulles.

La porte d'entrée était verrouillée. Eric l'ouvrit avec une clé et la maintint entrebâillée le temps que Rick et Karen engouffrent leurs avions à l'intérieur. Puis il la referma derrière eux.

Il remonta le couloir lentement, toujours suivi du bourdonnement des deux avions. Il se retourna et les vit soudain monter et descendre, chahutés dans les courants d'air générés par la climatisation du bâtiment. Sa tête provoquait, elle aussi, des turbulences qui les ballottaient dans son sillage tandis qu'il avançait.

— Ne vous faites pas aspirer par une prise d'air ! mit-il en garde Karen et Rick.

— Vous feriez mieux de nous porter, répliqua Karen. On ne pourrait pas se poser sur votre épaule ?

— Non, je préfère que vous voliez. Vous devrez peut-être fuir en vitesse si jamais il m'arrive des... ennuis.

Il s'arrêta avant l'angle du couloir et, après avoir vérifié d'un bref coup d'œil qu'ils restaient derrière lui, il avança lentement la tête pour scruter le long corridor bordé de part et d'autre de pièces vitrées, aux fenêtres aveuglées par des stores noirs. Personne en vue. Il s'engagea dans le couloir, tourna dans un autre plus petit et arriva à une porte. Il l'ouvrit et entra, toujours suivi par les avions.

— Mon bureau, annonça-t-il dans son micro.

La pièce avait été mise à sac, ses papiers éparpillés, son ordinateur avait disparu. Eric ouvrit un tiroir de son bureau, plongea la main dedans et poussa un soupir de soulagement.

— Ouf, elle est encore là !

Il sortit un petit boîtier qui ressemblait à une manette de jeu.

— C'est ma commande de robot. Elle devrait me permettre de les désarmer.

Il ramena ensuite Karen et Rick vers le corridor principal, passa devant les stores baissés et s'arrêta devant une porte sur laquelle était écrit : NOYAU DU GÉNÉRATEUR.

Il voulut l'ouvrir. Impossible !

— Merde ! Elle est fermée de l'intérieur. Ce qui veut dire...

— ... qu'il y a quelqu'un de l'autre côté, termina Rick.

— Peut-être. Mais la salle du générateur possède un autre accès en passant par la zone Omicron.

Les robots de la zone Omicron étaient peut-être

programmés pour tuer. Ils ne le sauraient qu'une fois à l'intérieur. Eric reprit le couloir, tourna à droite et s'arrêta devant une porte que rien ne distinguait des autres. Elle portait juste un petit symbole mystérieux, sous lequel était écrit « Danger Micro Technologique ».

— Que signifie ce logo ? demanda Rick.

— Juste qu'il y a de l'autre côté des robots capables de provoquer la mort ou de graves blessures. On risque d'y passer un mauvais quart d'heure. Espérons que cet appareil pourra les contrôler, ajouta-t-il en agitant le petit boîtier.

Il testa la poignée de la porte. Elle n'était pas fermée à clé. Avant de l'ouvrir, il pianota quelques touches sur le clavier de son appareil.

— Comme Drake me croit mort, il n'a pas dû prendre la peine de supprimer mon code confidentiel, celui qui désactive les robots. Du moins je l'espère. On va bien voir.

Il hésita un instant, soupesant le danger qui les attendait de l'autre côté. Puis il ouvrit la porte, entra, fit passer les deux avions et la referma.

Ils venaient de pénétrer dans le principal laboratoire du Projet Omicron. Les lumières étaient baissées et la salle plongée dans la pénombre. Elle n'était pas très grande, à peine la taille d'un labo d'ingénierie. Elle contenait des bureaux, des plans de travail, des paillasses équipées de grosses loupes, des étagères métalliques couvertes de petites pièces détachées. Une fenêtre en verre très épais donnait sur le noyau du générateur. À côté se trouvait une porte qui menait directement du Projet Omicron dans le noyau.

Eric s'arrêta au milieu du laboratoire, la commande à la main, et regarda autour de lui, aux aguets. Jusque-là, tout se passait bien. Il ne voyait pas de robots, mais il savait qu'ils étaient là, accrochés au plafond. Avant qu'ils attaquent, il espérait entendre le faible bourdonnement de leurs turbines quand ils se détacheraient du plafond. Mais il n'entendait rien, ne voyait rien et ne sentait rien. Sa commande fonctionnait encore : il les avait désarmés. Il poussa un soupir de soulagement.

— C'est bon, dit-il.

Il y avait sur les paillasses des objets dissimulés sous des housses noires, aux formes difficiles à discerner dans la pénombre.

— Je vais vous montrer pourquoi Vin Drake a décidé de me tuer, continua Eric. Et pourquoi il a tué mon frère et vos amis.

Il leur fit signe de se poser sur son bras et il s'approcha lentement d'une paillasse, en les abritant de la main pour les protéger du courant d'air. Il retira une housse et un petit avion apparut, lisse et brillant, l'air menaçant. Il n'avait pas de cockpit.

— C'est un Hellstorm, un véhicule aérien non piloté.

— Vous voulez dire un drone ? remarqua Rick.

— Exactement.

L'engin avait une envergure de vingt-cinq centimètres. Eric approcha son bras pour qu'ils puissent l'examiner.

— Vous avez devant vous un prototype géant de Hellstorm. Après avoir été testé en vol, il sera réduit à un centimètre.

En guise de train d'atterrissage, l'appareil disposait de quatre pattes articulées qui se terminaient par les mêmes coussinets adhésifs que les hexapodes. Sous ses ailes, il portait des missiles : deux tubes de verre équipés de longues aiguilles d'acier. Il possédait également des ailerons et une sorte de moteur de fusée à l'arrière.

— À quoi ça sert ? demanda Rick.

— À quoi ça sert ? Eh bien, c'est un drone militaire de la taille d'un moustique. Il peut servir à espionner. Il peut aussi tuer des gens. Il échappe à tous les systèmes de sécurité existants. Il peut se glisser sous une porte ou par une simple fente dans l'encadrement d'une fenêtre. Ou s'accrocher aux vêtements ou à la peau d'une personne. Ou aussi ramper, grâce à ses pattes. Ou pénétrer dans une pièce en remontant une gaine électrique à l'intérieur d'un mur. Il peut tuer n'importe qui, n'importe où, n'importe quand. Vous voyez ces fusées sous ses ailes ? Ce sont des micro-missiles chargés de supertoxines que Nanigen a décou-vertes et extraites de diverses formes de vie du micromonde : vers, araignées, champignons, bac-téries... Le missile a une autonomie de dix mètres. Ce qui veut dire que le drone peut tirer à distance. Si l'un de ces missiles à supertoxines se plante dans votre peau, vous mourez instantanément. Un microdrone peut ainsi tuer deux personnes puisqu'il transporte deux missiles.

— À quoi servent ces écopes sur le fuselage ? Ce sont les entrées d'air du moteur ?

— Non, ce sont des testeurs d'air. Ils permettent de repérer la cible.

— Comment ça ? s'étonna Karen.

— Le Hellstorm est capable de vous sentir. Chaque personne dégage une empreinte olfactive unique. Chacun de nous possède une odeur légè-rement différente de celle des autres. Notre ADN est unique et donc la combinaison de phéromones dégagée par notre corps l'est aussi. On peut donc pro-grammer un microdrone afin qu'il recherche l'odeur d'une personne en particulier. Même dans la foule d'un concert de rock, le drone est capable de vous repérer et de vous tuer.

— C'est un cauchemar !

— Un cauchemar sans fin. Imaginez une céré-monie officielle avec le président des États-Unis et un millier de Hellstorm lâchés dans les airs, tous pro-grammés pour le tuer. Il suffit que l'un d'entre eux l'atteigne et il est mort. Les microdrones pourront décimer n'importe quel gouvernement n'importe où, au Japon, en Chine, en Grande-Bretagne, en Alle-magne... N'importe quelle nation peut se retrouver décapitée par un essaim de microdrones. Ce labo est une véritable boîte de Pandore, soupira Eric en englobant la pièce d'un large geste.

— En fait, Nanigen ne s'intéresse pas à la médecine, conclut Karen.

— Au contraire, Nanigen s'y intéresse beaucoup. Mais elle œuvre aux deux extrémités du système. Elle cherche à la fois des moyens pour sauver des vies et des moyens pour en éliminer. Ce Hellstorm était à la base un système d'administration de médicaments.

— Et quand vous avez découvert les agissements de Drake, il s'est vu forcé de vous tuer.

— Ça ne s'est pas passé tout à fait comme ça. J'ai toujours été au courant du Projet Omicron. Nanigen a passé un contrat avec le gouvernement des États-Unis pour développer des microdrones. Seulement nos recherches ont été plus fructueuses que nous ne l'avons laissé entendre aux gens du département de la Défense. Vin a alors commencé à leur mentir en prétendant que c'était un échec.

— Mais pourquoi ? s'étonna Rick.

— Parce qu'il avait d'autres projets pour ses microdrones. Nous avions un problème de brevet. Une partie de cette technologie avait été inventée et brevetée par une compagnie de la Silicon Valley, Rexatack. Vin Drake a investi dans Rexatack, puis il a pillé leurs brevets pour construire le Hellstorm. Ensuite il a décidé de revendre rapidement cette invention parce que Rexatack s'apprêtait à intenter un procès à Nanigen et à faire valoir ses droits. Je me suis fâché avec Vin uniquement parce qu'il voulait vendre le microdrone au plus offrant.

— Et pas au gouvernement américain ? dit Karen.

— Non. Vin voulait toucher de l'argent très vite. Or beaucoup de gouvernements étrangers ont de l'argent à dépenser, et des dollars, qui plus est. Des pays dont l'économie croît plus vite que la nôtre. Prêts à payer n'importe quel prix pour s'approprier une telle technologie. Je ne prétends pas que le gouvernement américain ferait forcément des choses

442

agréables avec nos microdrones. Je dis juste que certains gouvernements pourraient s'en servir pour commettre des horreurs. Certains haïssent les États-Unis, ils méprisent l'Europe, ils se méfient de leurs plus proches voisins et ils détestent et craignent leurs propres congénères. Ils n'hésiteraient pas à utiliser les microdrones pour aboutir à leurs fins. Sans compter les groupes terroristes internationaux qui rêveraient de les posséder également. J'ai appris que Drake était allé à Dubaï rencontrer les représentants officiels de plusieurs puissances pour leur vendre la technologie Hellstorm. Je lui ai dit que je n'étais pas d'accord. Que c'était une violation du droit américain. Qu'il mettait le monde entier en danger. Mais je n'ai rien fait.

— Pourquoi ? demanda Rick.

Eric soupira.

— Drake m'avait donné des parts de Nanigen qui valaient des millions. Si je l'avais dénoncé aux autorités, Nanigen aurait coulé et mes actions n'auraient plus valu un sou. Je me suis donc tu. Par cupidité. Je m'étais lancé dans les études par passion pour la physique sans imaginer une seconde que cela pourrait me rendre millionnaire. Pourtant, c'est la peur de voir ces millions me filer entre les doigts si je dénonçais Drake qui m'a perdu. Drake a décidé de me tuer. J'étais allé essayer mon bateau en mer et je devais retrouver Alyson Bender pour déjeuner à Kaneohe, sur la côte au vent. Alyson ou Drake ont dissimulé des Hellstorm sur mon bateau. Des prototypes armés pour me tuer. Mes moteurs ont calé, et c'est là qu'une de ces saloperies est sortie de la cabine. J'ai d'abord cru que c'était un moustique, puis j'ai remarqué les hélices et les missiles à aiguille. J'ai compris que j'avais affaire à un Hellstorm. Quand j'en ai vu un second apparaître, j'ai vite envoyé un texto à mon frère et j'ai plongé. Je savais que le ressac me protégerait. Les microdrones ne pouvaient pas repérer mon odeur ni m'envoyer leurs missiles tant que je nageais sous l'eau. Ensuite, j'ai regagné Honolulu et je me suis caché. Si j'étais allé trouver la police, Drake m'aurait traqué avec ses drones. Il est complètement grisé par leur pouvoir !

Eric se tut et une autre voix s'éleva alors dans le silence :

— Je ne me serais pas mieux décrit, Eric ! Bravo ! Je suis très touché.

Une petite lueur vive s'alluma, un faisceau laser dansa brusquement dans la pénombre et Vin Drake apparut derrière une rangée d'ordinateurs.

49.

Parc industriel de Kalikimaki
1er novembre, 3 h 40

Drake était assis dans l'ombre derrière les ordinateurs, tout de noir vêtu. Il portait une oreillette et tenait dans sa main droite un FN semi-automatique belge équipé d'un laser tactique fixé à l'avant du pontet. Dans sa main gauche, il serrait la télécommande des robots. Il s'avança vers le centre de la pièce et pointa le canon sur les yeux d'Eric, puis vers son bras pour prendre les deux avions dans le faisceau.

— Coucou, je vous vois !

Ils l'entendaient parfaitement avec leurs casques. Il utilisait une radio à démodulateur.

— Décolle ! lança Rick à Karen.

Ils démarrèrent aussitôt et, se laissant tomber du bras d'Eric, piquèrent pleins gaz vers le sol.

Drake ne parut pas s'en préoccuper. Debout de profil, le bras tendu, il pointa son pistolet et la lumière sur les yeux d'Eric. Dans son autre main, l'écran de la télécommande brillait d'une faible lueur.

— En fait, ta commande est déconnectée, Eric, dit-il en enfonçant une touche. Il n'y a que la mienne qui fonctionne.

Rick inclina son avion pour venir tourner au-dessus de la tête d'Eric. Il ne voyait plus Karen.

— Reviens près de moi, lui dit-il à la radio.

— Rick, est-ce que Drake nous entend ?

— Bien sûr que je vous entends !

D'un geste brusque, Drake braqua son pistolet vers eux, le laser dansa autour des deux avions et ils virent son gros visage sournois. Un bref instant, Rick crut qu'il allait leur tirer dessus avant de songer qu'il ne pourrait jamais les atteindre : ils étaient bien trop petits et bougeaient trop vite.

Drake ramena le canon sur la tête d'Eric et enfonça une autre touche.

— Et voilà !

Eric redressa la tête.

— Qu'est-ce que tu as fait ?

— J'ai activé les robots, répondit gaiement Drake. Il recula d'un pas et attendit.

— Ils vont t'attaquer toi aussi...

— Ça m'étonnerait ! ricana Drake et, sans prévenir, il le frappa au visage avec la crosse de son pistolet.

Eric s'effondra en poussant un grognement.

— C'est quoi votre problème, les frères Jansen ? On dirait que vous avez besoin de vous faire tabasser régulièrement.

Il lui donna un coup de pied dans les côtes. Le souffle coupé, Eric essaya de s'éloigner à quatre pattes.

— Où vas-tu, Eric ? Tu as perdu quelque chose ?

— Va te faire foutre !

Drake lui donna un méchant coup de pied sur la tempe. Eric se recroquevilla sur lui-même et parut s'évanouir tandis que la lumière du fusil dansait sur lui.

Puis il essaya de se relever, en vain.

— Tu sais, Eric, il y a quelque chose que tu n'as pas compris. Les robots ignorent mon odeur. Ils vont tuer tout le monde sauf moi. Moi, ils me respectent, gloussa-t-il.

Eric se toucha le visage et regarda sa main. Elle était couverte de sang. Une petite coupure de rasoir venait d'apparaître sur son front.

— Pas de chance, Eric ! Il y en a déjà un qui t'a trouvé, on dirait.

Eric rampa vers Drake qui recula en riant.

Eric se mit à se taper sur les cheveux, sur les oreilles et à se secouer.

— Tu essaies de te débarrasser des robots, Eric ? Tu les sens ramper sur ton visage ? Dans tes cheveux ? Ils seront bientôt dans ta circulation sanguine. Ne t'inquiète pas, ça ne fait pas mal. Tu te verras juste saigner.

Pendant que Drake s'acharnait sur Eric, Rick avait volé vers la porte du générateur. Il fallait qu'il trouve absolument un moyen d'entrer. Il passa plusieurs fois devant pour l'examiner. Il repéra une petite ventilation au-dessus qui paraissait tout juste assez large pour laisser passer les micro-avions. Il revint vers Karen, s'approcha jusqu'à ce que leurs ailes se touchent et coupa la radio.

— Il ne peut pas nous entendre si on se parle de vive voix, hurla-t-il. J'ai trouvé un passage au-dessus de la porte. Suis-moi.

Il prit de l'altitude pour arriver au-dessus de la bouche d'aération puis fonça vers l'ouverture pleins gaz. Ses ailes accrochèrent le bord de la fente et, déséquilibré, l'appareil partit en vrille dès qu'il émergea dans la salle du générateur. Heureusement, le temps que Karen traverse à son tour, Rick l'avait déjà redressé et volait droit sur les hexagones en dessous. Il repéra celui du milieu et aperçut le cercle blanc qui signalait la trappe du panneau de contrôle.

— Je vais atterrir près du cercle, cria-t-il à Karen qui volait sur sa droite, en espérant que sa voix porterait au-dessus du vent.

— Je sais ce que vous essayez de faire ! tonna alors la voix de Drake dans leurs casques. Je vous ai vus entrer dans la salle du générateur. Sachez pour votre gouverne que les robots dans cette salle sont capables de vous voir et de vous sentir.

Ils virent Drake qui les observait derrière la

fenêtre. Il leur montra la télécommande et enfonça quelques touches.

— Ça y est ! J'ai modifié leur sensibilité pour qu'ils puissent vous repérer, annonça-t-il avec un geste vers le plafond.

Karen suivit son regard et aperçut des petits points scintillants qui commençaient à s'agiter. Ils se détachaient du plafond, comme de petites gouttes d'eau, et se déployaient ensuite. Elle en vit un pivoter vers Rick et le prendre en chasse. Il était turbopropulsé par une hélice dans un carter et il avait un long cou de serpent terminé par des couteaux. Alors qu'il passait devant elle, elle remarqua qu'il possédait une paire d'yeux à facettes comme les insectes. Mais il s'agissait d'un système de vision par ordinateur. Et, comprit-elle brusquement, si le robot possédait deux yeux, cela signifiait qu'il était doté d'une vision binoculaire, avec une perception en profondeur.

— Rick ! Derrière toi ! hurla-t-elle.

Rick ne l'entendit pas, obnubilé par le cercle blanc vers lequel il plongeait. Le robot allait le rattraper ; elle devait l'en empêcher. Sans réfléchir, elle se lança à la poursuite du prédateur et de sa proie. Du coin de l'œil, elle vit d'autres objets volants et un bref regard lui permit de constater que des douzaines de robots, si ce n'est plus, les prenaient en chasse. Elle eut l'impression qu'ils convergeaient tous sur Rick et sur elle. Les robots scintillaient. Certains opéraient un mouvement pour les encercler

— Rick, derrière toi ! hurla-t-elle encore.

Il tourna la tête et, à la vue du danger, vira brusquement et remonta pour se débarrasser de son poursuivant. Mais le robot réagit au quart de tour et gagna encore du terrain.

Karen le talonnait toujours. Peut-être pourrait-elle le détourner en le percutant avec son avion. Comme son hélice se trouvait à l'arrière, le nez pouvait servir d'arme contondante. Elle visa le robot et mit les gaz.

Elle se tassa dans le cockpit, rentra la tête dans les épaules et télescopa le robot de plein fouet.

Avec un *ping*, l'avion partit d'un côté, le robot de l'autre et les deux se mirent à tourbillonner dans les airs. Le robot se stabilisa le premier, pivota et fonça vers Karen qui venait à peine de reprendre le contrôle de son avion. Elle le vit avec stupeur déplier deux bras articulés munis de coussinets adhésifs et s'accrocher à son aile. Elle essaya de se dégager en secouant le manche pour s'incliner d'un côté à l'autre, mais le robot tint bon. Et il commença à découper son aile avec ses lames.

Rick fit demi-tour dès qu'il vit le robot attaquer l'avion de Karen. Mais comment la libérer ? Son avion ne possédait aucun armement. Pas de mitraillette, pas de missiles, rien. Une minute... Rourke avait mis des machettes dans les cockpits. Il devait y en avoir une pas très loin. Il chercha à tâtons et la trouva sous son siège. Il chargea le robot en brandissant la machette tel un soldat de la cavalerie.

— Ya ha !

Il l'abattit de toutes ses forces sur le cou du robot et lui trancha la tête. Le cou et les lames tourbillon-nèrent dans les airs tandis que le robot décapité lâchait sa proie et se mettait à zigzaguer, apparemment perdu.

Karen reprit aussitôt le contrôle de son appareil, mais d'autres robots les attendaient par douzaines.

L'un d'eux refermait déjà ses pinces sur l'avion de Rick, le secouait et entreprenait de le découper avec ses lames. Rick donnait des coups de machette sans réussir à l'atteindre. L'avion partit en vrille. Un autre robot le saisit, arrêtant brusquement sa chute. Les deux robots se mirent à le tirer chacun de son côté, comme s'ils se disputaient leur prise tout en la décou-pant.

Rick sauta, armé de sa machette. Tandis qu'il chutait, il vit l'avion de Karen tournoyer au-dessus de lui. Des robots y étaient accrochés et Karen ne le contrôlait plus. Le temps de voir qu'un robot déchiquetait son hélice et qu'un autre éventrait la carlingue, il atterrit sur le dos sans se faire mal, sa machette toujours à la main.

Il se releva d'un bond. La salle du générateur lui parut gigantesque. Il n'avait aucune idée de l'endroit où se trouvait le micropanneau de contrôle : impossible de distinguer le cercle blanc à présent qu'il était par terre ! Le sol en plastique, éclairé par en dessous, était jonché de grains de poussière gros comme des balles de golf. Rick regarda autour de lui, cherchant en vain l'avion de Karen. Pas moyen de la voir elle non plus, tellement il y avait de saletés !

Il entendit une sorte de *ouf !* Karen King venait d'atterrir sur ses pieds, comme un chat, à une centaine de mètres. Elle avait sauté, elle aussi. Sa machette à la main, elle surveillait les robots. Au-dessus de leurs têtes, une douzaine d'entre eux se disputaient les restes des avions et les réduisaient en miettes. Les débris pleuvaient autour d'eux. Pour le moment, seuls les avions semblaient les intéresser.

— C'est par là ! cria Karen avec un geste de sa machette.

Il aperçut le cercle, surpris qu'il soit si loin. Ils se lancèrent tous les deux dans un sprint désespéré vers la trappe, une véritable course d'obstacles par-dessus les grains de poussière et les détritus. Rick se prit les pieds dans un cheveu humain et s'étala de tout son long. Quand il se releva, Karen avait disparu.

Au-dessus de lui, les robots avaient fini de déchiqueter les avions et sillonnaient la pièce en tous sens, comme s'ils cherchaient quelque chose. Rick se demanda s'ils les voyaient courir. D'autres robots se détachaient des murs et du plafond par dizaines. Communiquaient-ils entre eux ? Ils allaient bien finir par les apercevoir.

50.

Noyau du générateur
1ᵉʳ novembre, 5 h 10

— Ce n'est pas une mauvaise façon de mourir, déclara Drake en pianotant sur la télécommande. On ne sent pratiquement rien.

Eric gisait affalé contre le mur du labo Omicron, près de la porte du générateur, sonné par la raclée qu'il venait de recevoir. Drake tenait son pistolet braqué sur son visage, la lumière plantée dans ses yeux. Eric sentait un robot lui couper le front. Le sang gouttait sur son visage et lui rentrait dans les yeux. Il voyait de minuscules engins voler devant lui, leurs turbopropulseurs vrombissant comme des moustiques. Drake devait les diriger avec sa télécommande, car ils se précipitèrent tous en même temps sur son visage. Il les sentit qui se posaient sur ses joues, sur son cou, qui exploraient ses paupières. Un robot s'introduisit dans sa chemise. Il entendait bourdonner son moteur.

— Tu vois comme ils m'ignorent ? fanfaronna Drake. C'est parce que c'est moi qui les commande.

Du pouce, il bougea une manette et un robot remonta la joue d'Eric pour s'arrêter au coin de son œil.

— Je peux les faire entrer dans n'importe quel orifice de ton corps.

— Pourquoi t'acharnes-tu sur moi ?

— C'est de la recherche, Eric.

Eric perçut une petite piqûre près de l'œil. Le robot avait planté ses ciseaux dans sa peau, puis il plongea la tête dans cette fente et s'y enfonça en taillant son chemin à coup de lames. Une gouttelette de sang perla sur la joue d'Eric.

Les voitures de police avaient fermé la route d'accès du parc industriel et dressé un périmètre de sécurité autour de Nanigen. Des camionnettes se mirent en position et l'unité de sauvetage d'otages se déploya. Les stroboscopes des voitures de police se reflétaient sur l'entrepôt métallique.

Dan Watanabe attendait derrière un des véhicules, les yeux rivés sur la porte. Il avait transmis la direction des opérations au groupe d'intervention, mais il avait quand même son mot à dire.

— Où est Dorothy ? demanda-t-il à Kevin Hope, le commandant.

— Elle arrive, le rassura ce dernier.

— Et l'unité de décontamination ?

En réponse à sa question, un camion jaune vint s'arrêter à leur hauteur dans un grondement de moteur. Une équipe de pompiers en descendit. Ils enfilèrent des combinaisons de protection en Tyvek, puis ils installèrent un centre de décontamination avec une tente, un équipement de rinçage et une chaîne de traitement des victimes.

— Qu'y a-t-il dans ce bâtiment ? s'enquit le commandant. Un virus ?

On lui avait donné l'ordre de se déployer à peine vingt minutes auparavant et il ne savait pas encore sur quoi portait son intervention.

— Non. Des robots.

— Pardon ?

— De minuscules robots qui découpent tout ce qu'ils trouvent.

Le commandant Hope le dévisagea d'un drôle d'air.

— Ne me dites pas qu'on va tirer sur des robots !

— Impossible. On ne peut pas les atteindre.

— Et il y a des otages à l'intérieur ?

— Pas à notre connaissance, mais nous n'en savons rien.

Quelqu'un lui tendit un gilet tactique et Watanabe l'enfila. Un autre homme lui donna un talkie-walkie multicanaux. Il prit l'appareil et l'alluma.

— Vous voulez que ce soit moi qui l'appelle ? demanda-t-il au commandant Hope.

— C'est vous qui nous avez déclenchés, Dan. C'est à vous de nous sortir de là.

Watanabe haussa les épaules, sortit un bout de papier et composa le numéro de téléphone griffonné dessus.

Dans le laboratoire Omicron, Eric sentait une demi-douzaine de robots lui charcuter le corps tandis que Drake le tenait en joue. Il hésitait entre forcer Drake à lui tirer une balle dans la tête ou attendre quelques minutes que les robots lui sectionnent les artères.

Il entendit un bourdonnement. Drake sortit son portable de sa veste et regarda l'identité de son correspondant. NUMÉRO MASQUÉ, lut-il. Il décida d'y répondre. Il prit une profonde inspiration pour calmer les battements de son cœur.

— Oui ?

— Vincent Drake ?

— Qui est à l'appareil ?

— Dan Watanabe, monsieur, de la police d'Honolulu. Y a-t-il quelqu'un dans le bâtiment avec vous, monsieur ?

— Oh, mon Dieu, lieutenant, mais je suis tout seul ! Je travaille encore. Que se passe-t-il ?

— Votre bâtiment est cerné, monsieur. Voulez-vous sortir lentement, les mains sur la tête ? Il ne vous sera fait aucun mal, je vous le promets.

— Dieu du ciel, lieutenant ! Vous devez faire

erreur ! Mais je serais ravi de vous obéir. Donnez-moi juste une minute...

— Non, monsieur, vous devez sortir immédiatement.

— Bien sûr. Absolument.

Drake coupa la communication et s'avança sur Eric, le visage déformé par la rage.

— Tu as prévenu la police ?

Eric secoua la tête. Il avait déjà perdu beaucoup de sang. Sa chemise en était trempée par endroits, il sentait une vague de chaleur descendre le long de son cou.

Drake le remit brutalement sur ses pieds et approcha son visage tout près du sien.

— T'es bien comme ton putain de frère à fourrer ton sale nez dans ce qui ne te regarde pas ! Oh ! s'exclama-t-il en lui touchant la joue. Je crois que tu as un robot dans l'œil.

Prends-lui la manette.

Eric avait la main gauche posée sur la poignée de la porte, dans son dos, et il appuya dessus. Le battant s'ouvrit et, tandis qu'il basculait en arrière dans la salle du générateur en entraînant Drake dans sa chute, de la main droite il lui arracha la télécommande des doigts.

Drake roula sur le côté et tira sur lui. Eric sentit l'impact sur sa jambe, tandis que la balle lui traversait la cuisse. Pourtant, bizarrement, il ne ressentit aucune douleur. Il était en état de choc. Mais il tenait la commande à présent et c'était ça le plus important. Il savait ce qui lui restait à faire. Il la cogna sur le sol, encore et encore, jusqu'à ce qu'elle se brise entre ses doigts.

Désormais, plus personne ne pouvait contrôler les robots.

Il vit, à sa grande surprise, le pistolet tomber devant lui alors que Drake se relevait. Tous les deux se ruèrent dessus en même temps.

Karen et Rick avaient vu la porte s'ouvrir et deux silhouettes gargantuesques dégringoler dans la salle.

Puis un coup de feu avait retenti et l'onde de choc les avait balayés. Les deux géants s'étaient roulés par terre et les secousses les avaient fait sauter en l'air. Une goutte de sang s'était écrasée à côté d'eux et les avait aspergés d'une pluie de gouttelettes. Enfin, ils avaient réussi à se relever pour repartir à toutes jambes vers le cercle blanc.

Un des hommes avait roulé sur le dos. Il tenait la commande des robots et l'avait cognée par terre. Elle s'était désintégrée et des morceaux de circuits imprimés avaient plu sur Karen et l'avaient fait chuter. Elle avait bien cru se faire écraser par le pistolet quand il avait glissé vers elle. Et elle avait eu à peine le temps de s'échapper avant que les deux hommes ne se battent pour ramasser l'arme.

Eric venait de s'emparer du pistolet et le braquait sur Drake, encore allongé sur le dos.

Eric se releva. Du sang coulait le long de sa jambe.

— Si tu fais un geste, je te tire une balle dans la tête.

— Attends, Eric. On peut s'en sortir vivants, tous les deux.

— Pas question ! Tu as tué mon petit frère, lui rappela Eric en ajustant son doigt sur la détente.

— Voyons, Eric, tu te trompes complètement. J'ai tout fait pour le sauver.

— Tu es fou !

Rick et Karen atteignirent enfin le cercle, assourdis par la palpitation des hélices des robots qui vrombissaient autour d'eux. Sans savoir où en étaient les deux hommes qui se battaient, ils se penchèrent vers la trappe. Elle ressemblait à une plaque d'égout avec une poignée escamotable au milieu.

Rick s'agenouilla et tira dessus. En vain. La trappe semblait coincée.

Plusieurs robots tournaient au-dessus de leurs têtes. L'un d'eux fonça sur Karen toutes lames dehors. *Bing !* D'un coup de machette, elle l'envoya valdinguer.

— Dos à dos ! hurla-t-elle en brandissant son arme.

Rick se redressa d'un bond et se plaqua contre elle. Les robots tentaient sans cesse des incursions, leurs lames d'acier prêtes à frapper. Alors qu'il faisait des moulinets avec sa machette, Rick aveugla un robot en tranchant net ses yeux composés. L'engin heurta le sol et, tortillant le cou dans tous les sens, redécolla en volant n'importe comment.

Ils avaient beau frapper les robots, ceux-ci n'avaient pas peur et n'étaient retenus par aucun instinct de conservation.

— Ouvre la trappe ! cria Karen. Je te couvre.

Pendant qu'elle repoussait les robots, Rick se pencha pour tirer de nouveau sur la poignée. Impossible ! Il essaya de la forcer en se servant du manche de sa machette comme d'un levier, puis il essaya de la briser en tapant dessus. La lame rebondit sur le plastique.

— Je n'y arrive pas !

— Je t'en prie, Rick... Aïe !

Un robot venait de la couper.

— Vite, Rick ! Dépêche-toi ! gémit-elle.

Avec l'énergie du désespoir, il s'arc-bouta sur la trappe et celle-ci céda enfin. À l'intérieur se trouvait un unique bouton rouge. Rick sauta dessus à pieds joints.

Le sol trembla et s'enfonça en dessous de Karen et Rick. Il se retrouvèrent au centre d'une chambre hexagonale.

Un robot était entré avec eux dans la cellule. Il avait l'air perdu. Rick lui tapa dessus avec sa machette tandis qu'il ricochait d'un mur à l'autre.

Les lumières changèrent de couleur. Suivit un bourdonnement. Rick eut l'impression de dériver, puis il se mit à flotter dans l'espace, à danser avec le robot, à danser avec Karen, emporté avec eux dans une valse folle.

Le tenseur du générateur s'activa, les champs se croisèrent et se recroisèrent en boucles poloïdales. Enfin les hexagones remontèrent Rick Hutter, Karen King et un robot gigantesque au niveau du sol. Rick et Karen avaient retrouvé leur taille normale. Le robot était gros comme un réfrigérateur.

Eric gisait sur le sol et saignait abondamment d'une blessure à la jambe et de plusieurs coupures de robots, mais il était conscient et tenait toujours en joue Drake qui rampait vers lui, le visage empreint de frayeur.

— Aide-moi à sortir Eric, dit Rick à Karen.

Ils soulevèrent Eric par les épaules et par les pieds pour le traîner hors de la pièce. L'arme lui échappa des mains et heurta le sol. Drake commit alors une grave erreur. Au lieu de courir vers la porte, il se précipita vers le pistolet.

Ce bref instant suffit à Rick et Karen pour sortir Eric Jansen et claquer la porte. Karen repoussa le verrou qu'elle aperçut derrière le battant.

Drake se retrouva ainsi enfermé dans la salle du générateur en compagnie d'une centaine de micro-robots et d'un robot géant. Celui-ci tournait ses yeux composés d'un côté à l'autre tout en agitant son cou de cygne. Les pales de son hélice rugissaient, mais il n'arrivait pas à décoller. Il était devenu trop lourd.

Drake considéra le gros robot, puis il se leva en brandissant le pistolet. À travers la vitre à l'épreuve des balles, Rick et Karen le regardèrent ramasser la télécommande et la rejeter aussitôt : Eric l'avait complètement détruite.

Ils virent ses lèvres bouger et entendirent sa voix assourdie par la vitre les supplier :

— Laissez-moi sortir !

Rick secoua la tête.

Drake tira sur la fenêtre. L'impact étoila la vitre sans la briser. Il s'approcha.

— Je vous en prie, aidez-moi. Je suis sincèrement désolé.

Une goutte de sang apparut au bout de son nez. Il recula de quelques pas et, jetant des regards affolés autour de lui, chassa de la main un robot qui tournait autour de sa tête. Il agita son pistolet en poussant un juron. Son viseur laser balaya la pièce et prit un robot dans le faisceau. Drake tira. Un autre robot traversa la lumière. Drake fit feu une nouvelle fois. Et il continua ainsi à vider son arme sur les robots jusqu'à ce que la salle soit remplie de fumée de cordite.

Son téléphone sonna. Il le sortit de sa poche.

— Allô, lieutenant. Vous voulez bien venir me chercher, s'il vous plaît ? Je vous dirai tout, bien sûr. J'ai des petits problèmes dans la salle du générateur... La salle du générateur. Au centre du bâtiment. Des robots ? Non, il n'y a pas de robots ici, lieutenant. Vous ne risquez absolument rien...

Le mobile glissa de ses mains ensanglantées et tomba bruyamment sur le sol. Une tache écarlate s'étala sur le devant de sa chemise.

Il toussa en crachant du sang et s'avança d'un pas chancelant. Il s'appuya contre la vitre et fixa Rick et Karen.

— Je vous ferai tuer ! Je vous le jure !

Il écarquilla les yeux et une goutte de sang apparut au coin de sa paupière droite. Un robot émergea de la sclérotite et avança à la surface du globe oculaire en laissant un sillon rouge derrière lui. On aurait dit que le regard de Drake le suivait tandis qu'il traversait son œil.

— Fous le camp ! murmura-t-il.

Il passa son doigt sur sa paupière et hurla en voyant le sang qui le maculait.

Puis il retourna son pistolet contre sa tempe et pressa la détente.

Rien ne se passa. Il avait vidé le chargeur sur les robots.

Dans son dos, le robot géant venait de le repérer et s'avançait, les bras ballants. Son col de cygne armé de lames se détendit d'un coup : il s'enfonça par en dessous dans son abdomen et fit exploser son torse. Puis le robot arracha le cadavre du sol, le secoua et le jeta à travers la pièce.

Pendant ce temps, Rick et Karen s'occupaient d'Eric Jansen. Rick avait arraché sa chemise pour l'enrouler autour de la jambe d'Eric et la comprimer. Il prit ensuite Eric sous les aisselles et le traîna à travers le laboratoire Omicron. Il était à peine conscient tellement il avait perdu de sang.

Ils entendirent alors vrombir des robots. Karen sentit une piqûre sur sa nuque et tapa dessus. Sa main se retrouva pleine de sang.

— La pièce est contaminée ! Dépêche-toi, Rick.

Sans réfléchir, elle prit la main d'Eric et essaya de le charger sur son dos, mais il était trop lourd. Un bref instant elle se demanda « Qu'est-ce qui ne va pas ? » avant de comprendre que ses superpouvoirs s'étaient envolés.

Ils réussirent à tirer Eric dans l'entrée et, là, se retrouvèrent face à face avec des hommes en tenue de combat qui fonçaient vers eux, arme au poing. Juste derrière eux apparut un inspecteur bedonnant. Vêtu en civil, il portait un gilet tactique, mais on voyait qu'il n'appartenait pas au groupe d'intervention.

— Reculez ! leur cria Rick. Il y a des robots !

— Je sais, répondit l'inspecteur, imperturbable. Sortez-les de là ! Vite ! ajouta-t-il à l'intention de ses hommes.

Il se retourna vers Karen et Rick.

— Il y a d'autres personnes à l'intérieur ?

— Drake. Il est mort.

— Tout le monde dehors ! cria l'inspecteur.

Des policiers entraînèrent Rick et Karen pendant que d'autres emportaient Eric qui avait perdu connaissance.

Le dernier à sortir fut l'inspecteur. Il apparut sur le seuil, dans les premières lueurs de l'aube, le front ensanglanté. Les robots avaient eu Dan Watanabe.

— Où est Dorothy ? s'écria-t-il.

Dorothy Girt venait d'arriver dans sa Toyota. Elle se précipita vers lui.

— Vous avez apporté votre aimant ?

— Bien sûr.

Elle lui tendit le gros fer à cheval qu'elle avait attrapé au passage avant de quitter son labo.

— Tout le monde en décontamination, otages et policiers ! ordonna Watanabe tandis qu'il retirait son gilet. Dorothy va s'occuper de vous.

Une équipe d'urgentistes fit d'abord passer Eric dans la tente, puis elle le monta à bord d'un hélicoptère d'EVASAN. Et c'est en dernier, après tout le monde, que le lieutenant Watanabe entra sous la tente blanche pour que Dorothy le débarrasse de ses robots.

51.

Dans la salle du générateur, une seule chose bougeait encore : le robot géant. Après s'être débarrassé du corps de Drake, il explorait la pièce à la recherche d'une issue. Comme il n'en trouvait pas, il passa sur la commande forage. Il inclina son col de cygne vers le sol plastifié et creusa. Quand il eut percé un trou suffisamment large, il plongea dans le sous-sol bourré d'électronique et continua à faire ce pour quoi il était programmé : couper et sectionner tout ce qu'il trouvait.

Des grondements, des bruits de déchirure et des craquements montaient des entrailles de la salle du générateur, accompagnés de jets d'étincelles jaunes et bleues. Il y eut un sifflement d'ébullition et un nuage de vapeur surgit tout à coup du fond de l'installation. C'étaient le bruit et la fureur libérés par les aimants supraconducteurs défaillants. Le bâtiment trembla tandis que le chaos se répandait dans les champs magnétiques du générateur. Les aimants se mirent brusquement à chauffer et firent bouillir l'hélium liquide surfondu qui les entourait. Des vapeurs d'hélium s'échappèrent des profondeurs. Toutes les lumières du bâtiment s'éteignirent. Les disjoncteurs avaient sauté. Mais le robot géant continuait à fouailler les entrailles de la machine infernale de Drake.

Il restait encore une personne vivante dans l'entrepôt de Nanigen, un homme maigre qui regardait le robot géant saccager les appareils du sous-sol. C'était le Dr Edward Catel, l'homme de liaison du consortium Davros. Il se déplaçait lentement, sans faire de gestes brusques ni quoi que ce soit qui risquerait d'attirer l'attention du robot. Il retira un disque dur de son rack, et le glissa dans sa veste, puis, rapidement, il quitta le sous-sol par une échelle et, de là, gagna un tunnel d'évacuation. Un bruit sourd retentit derrière lui, suivi d'un ronflement : le robot avait déclenché un incendie.

Le tunnel horizontal doublé de tôle ondulée aboutissait à une nouvelle échelle que le Dr Catel escalada. Le disque dur au fond de sa poche contenait cinq téraoctets de données : l'ensemble des plans du Dr Ben Rourke concernant le générateur tensoriel, ainsi que les inestimables données relatives aux essais réalisés sur le générateur. Quand le Dr Catel avait fini par comprendre que Vin Drake en personne avait sans doute commandité le meurtre de ses propres employés, il lui était apparu que celui-ci ne pouvait plus diriger Nanigen. Il avait pris contact avec plusieurs personnes qui essayaient depuis longtemps de savoir ce que faisait Nanigen. Il leur avait annoncé qu'il était prêt à leur obtenir les plans du générateur moyennant finance. Et il avait décidé de venir s'en emparer ce soir-là sans savoir que Drake se trouverait, lui aussi, à Nanigen.

Il s'arrêta au sommet de l'échelle, sous la trappe, et tendit l'oreille. Que se passait-il au dessus ? Il entendait des sirènes, le vrombissement d'un hélicoptère. Il ferait peut-être mieux d'attendre quelques heures avant de sortir, le temps que les choses se calment.

Il sentit quelque chose rouler sur sa joue et goutter sur son col. Il toucha son visage. Pas d'erreur possible ! Un robot venait de l'attaquer. Le tunnel était contaminé. Il sentait le robot s'enfoncer dans sa joue. Il ne fallait pas qu'il pénètre dans une artère importante, car il lui suffirait ensuite de nager vers son cerveau et de le taillader pour déclencher une hémorragie cérébrale. Tant pis, il devait prendre le risque de sortir.

Il souleva la trappe et déboucha au milieu d'un bouquet d'acacias, sur le parking. Un camion de pompiers était garé au coin, mais tous les hommes étaient tournés vers la fumée qui montait du bâtiment.

Il s'enfonça rapidement sous les arbres tout en se tâtant la joue. Il fallait qu'il se débarrasse de ce robot au plus vite. Sans ralentir, il plongea deux doigts dans sa bouche, arracha l'engin de sa paroi buccale et l'écrasa entre ses doigts. Ignorant les épines d'acacias qui accrochaient ses vêtements, il passa de parcelle en parcelle. Enfin, après avoir contourné un entrepôt, il sortit du parc industriel. Il suivit d'un bon pas le trottoir jusqu'à l'arrêt de bus du Farrington Highway et s'assit sous l'auvent. Le soleil levant dorait le paysage. On était dimanche. Il n'y aurait peut-être pas de bus avant des heures. Il ne lui restait plus qu'à attendre. Il éprouvait une certaine satisfaction mêlée d'un sentiment de sécurité à porter une veste déchirée tachée de sang. Il sourit. Il aurait pu passer pour un SDF, et gravement malade de surcroît, bref le genre de personne que tout le monde évitait de regarder. Et il détenait le seul disque dur qui contenait la totalité des plans de Ben Rourke pour le générateur. Il n'y en avait pas d'autres.

Une tache sombre s'élargissait sur sa jambe de pantalon. C'était du sang. Inquiet, il ouvrit sa braguette, se tâta la cuisse et attrapa le robot. Il le pinça entre ses doigts et l'observa. Il voyait tout juste les petites lames qui étincelaient sous le soleil.

— Mais où errez-vous ainsi ? murmura-t-il.

Cela parachevait le tableau. Il avait vraiment l'air d'un fou à parler à ses doigts en citant Shakespeare. Il était un électron libre. Il travaillait à son compte désormais.

Il écrasa le robot, telle une tique, entre ses ongles et essuya sa main sanguinolente sur son pantalon. Un camion de pompiers passa devant lui, toutes sirènes hurlantes.

Une semaine plus tard, le lieutenant Watanabe rendit visite à Eric Jansen, à l'hôpital. La jambe enveloppée de pansements, Eric avait le visage pâle et les traits tirés, anémié par le sang qu'il avait perdu. L'inspecteur avait posé son ordinateur portable sur la table de chevet et lui montrait l'image d'un robot coupé parfaitement en deux, exposant ses entrailles.

— Nous avons trouvé l'identité du jeune Asiatique dont je vous avais parlé. Il s'appelait Jason Chu.

Eric hocha lentement la tête.

— Jason Chu, dit-il, travaillait pour Rexatack, la société qui détenait les brevets sur la technologie des drones Hellstorm.

— Ce M. Chu a donc organisé une descente à Nanigen pour savoir ce qu'on y fabriquait avec les brevets de sa société.

— Exactement.

— Et vous aviez programmé des robots pour assurer la surveillance ?

— Oui, mais pas pour tuer qui que ce soit. C'est Drake qui les a reprogrammés.

Il ferma les yeux et resta ainsi un long moment. Puis il les rouvrit.

— Vous pouvez m'inculper. Mon frère est mort par ma faute. Je me fiche de ce qui va m'arriver.

— Vous n'êtes pas inculpé pour le moment, répondit prudemment Watanabe.

Une infirmière entra.

— Les visites sont terminées.

Elle vérifia les moniteurs et se retourna vers Watanabe.

— Vous avez compris, messieurs ?

— Je ne suis pas un homme, madame, protesta poliment Dorothy Girt en se levant.

Watanabe se leva à son tour et se pencha vers Eric.

— Dorothy aimerait beaucoup pouvoir analyser un robot en état de marche.

Eric haussa les épaules.

— Vous en avez plein la salle du générateur.

— Plus maintenant. Le bâtiment a entièrement brûlé. Vous pensez, tout ce plastique ! Les pompiers ont mis deux jours à éteindre l'incendie. Il ne reste rien. Aucun robot. Nous pensons avoir retrouvé le corps de Drake. Le rapport dentaire nous le confirmera. Quand à cet appareil qui réduisait tout, il n'en reste que des cendres.

— Allez-vous procéder à des arrestations ? demanda Eric au moment où Watanabe et Dorothy quittaient sa chambre.

Watanabe s'arrêta sur le seuil.

— Les coupables sont morts. Et des pressions ont été exercées sur le procureur pour qu'il n'y ait aucune poursuite. Disons que certaines personnes au gouvernement préfèrent que cette affaire de robots ne s'évente pas. On va sans doute faire passer l'incendie pour un accident industriel, conclut-il avec une certaine déception dans la voix. Mais on ne sait jamais, ajouta-t-il avec un coup d'œil vers la médecin légiste. C'est le genre de casse-tête auquel nous aimons bien nous atteler, Dorothy et moi.

— Oui, j'adore les casse-tête, acquiesça sèchement Dorothy. Venez, Dan, laissons ce jeune homme se reposer.

52.

Molokai
18 novembre, 9 heures

La pluie venait de traverser l'ouest de Molokai et les alizés qui forcissaient balayaient les palmiers le long de la plage et soufflaient l'écume des vagues. Sur la plage, en retrait, un groupe de tentes faites de toile et de bambous claquaient au vent. Le campement écologique Dixie Maru avait connu des jours meilleurs. Mais il était à portée de bourse d'un étudiant.

Karen King s'assit sur son lit de camp et s'étira. Le vent souleva le rideau de mousseline devant la fenêtre et révéla la vue sur la plage, les palmiers et l'étendue d'eau turquoise. Non loin de la rive surgit soudain un geyser.

Karen attrapa Rick Hutter par l'épaule et le secoua.

— Une baleine, Rick !

Rick roula sur le dos et entrouvrit les yeux.

— Où ça ? demanda-t-il d'une voix ensommeillée.

— Ça ne t'intéresse pas ?

— Bien sûr que si. Mais je dormais.

Il se redressa et regarda par la fenêtre.

Karen contempla les muscles de son dos et de ses épaules. Au laboratoire, à Cambridge, elle n'avait jamais imaginé que Rick puisse être si bien bâti sous les affreuses chemises de flanelle qu'il affectionnait.

— Je ne vois rien.

— Attends. Elle va peut-être recommencer.

Ils observèrent la mer en silence. Au loin, de l'autre côté du canal de Molokai, la crête embrumée du Koolau Pali d'Oahu barrait l'horizon, ses sommets couronnés de petits nuages cotonneux. Il pleuvait sur le Pali. Rick glissa la main autour de la taille de Karen. Elle posa sa main sur la sienne et la pressa.

Sans prévenir, une baleine à bosse surgit entièrement de l'eau et retomba dans un *plouf* gigantesque.

Ils continuèrent à scruter la mer, mais plus rien ne vint troubler son calme. La baleine avait dû gagner les profondeurs ou s'éloigner.

Rick brisa le silence.

— J'ai reçu un coup de fil du flic, le lieutenant Watanabe.

— Quoi ? Tu ne me l'avais pas dit !

— Nous pouvons quitter Hawaii.

Karen secoua la tête.

— Ils étouffent l'affaire !

— Ouais. Il ne nous reste plus qu'à regagner notre vieux Cambridge...

— Parle pour toi. Il n'est pas question que je rentre. Pas maintenant.

— Pourquoi ?

— Parce que je veux trouver un moyen de retourner là-bas.

— Dans le micromonde, tu veux dire ?

Elle se contenta de sourire.

— Mais Karen, ce n'est plus possible ! Et même si ça l'était, ce serait de la folie, ajouta-t-il en contemplant ses bras qui portaient encore des traces d'ecchymoses. Le micromonde tue les hommes comme des mouches.

— Bien sûr, tous les nouveaux mondes sont dangereux. Mais pense à toutes ces découvertes..., soupira-t-elle. Rick, je suis une scientifique. Je dois repartir là-bas. En fait, il me paraît inconcevable de ne pas le faire. La technologie existe et tu sais aussi bien que moi qu'on ne « désinvente » jamais ce qui a été inventé.

— Oui, même si l'invention est mauvaise.

— Exactement. Les robots tueurs et les micro-drones ne sont pas près de disparaître. Et ils vont entraîner pour le genre humain de nouvelles façons de mourir encore plus horribles. Cette technologie va engendrer des guerres abominables. Le monde ne sera jamais plus le même.

Un coup de vent secoua la tente et la toile claqua contre leurs sacs.

— Et nous ? demanda Rick une fois la bourrasque passée.

— Nous ?

— Ouais. Toi et moi...

Il essaya de la renverser sur le lit. Mais Karen était perdue dans ses pensées. Elle se représentait la vue depuis leur campement sur les falaises du Tantalus : la vallée verdoyante remplie de brume, sillonnée de cascades cristallines... Une vallée perdue, encore inexplorée, ou du moins qu'aucun œil humain n'avait vraiment regardée de près.

— Il doit bien y avoir...

Quelque chose attira son attention. Un éclat métallique qui s'était envolé d'un des sacs. Un frisson la parcourut au souvenir des robots qui tournoyaient dans les airs comme des insectes...

Cette chose était si petite qu'elle passa entre les mailles de la moustiquaire et s'envola par la fenêtre.

Non, ce n'était rien, songea-t-elle

Elle se tourna vers Rick.

— Il doit bien y avoir un moyen de retourner là-bas.

Bibliographie

On trouvera ci-dessous des références aux meilleurs ouvrages de vulgarisation scientifique ainsi que des exposés de qualité pour les lecteurs avertis.

Agosta, William. *Bombardier Beetles and Fever Trees, A Close-up Look at Chemical Warfare and Signals in Animals and Plants*. Reading, Massachusetts : Addison-Wesley, 1995.
– *Thieves, Deceivers and Killers, Tales of Chemistry in Nature*. Princeton, New Jersey : Princeton University Press, 2001.
Arnold, Harry A. *Poisonous Plants of Hawaii*. Tokyo : Tuttle, 1968.
Attenborough, David. *Life on Earth*. Boston : Little, Brown, 1979.
– *The Private Life of Plants*. Princeton, New Jersey : Princeton University Press, 1995.
Ayres, Ian. *SuperCrunchers*. New York : Bantam, 2007.
Ball Jr., Stuart M. *Hiker's Guide to O'ahu*. Édition revue et corrigée. Honolulu : University of Hawaii Press, 2000.
Baluska, Frantisek, Stefano Mancuso, et Dieter Volkmann, eds. *Communication in Plants : Neuronal Aspects of Plant Life*. Berlin : Springer Verlag, 2006. (Spécialisé.)

Beerling, David. *The Emerald Planet, How Plants Changed Earth's History*. New York : Oxford, 2007.

Belknap, Jody Perry, *et al. Majesty : The Exceptional Trees of Hawaii*. Honolulu : The Outdoor Circle, 1982.

Berenbaum, May R. *Bugs in the System : Insects and Their Impact on Human Affairs*. New York : Perseus, 1995.

Bier, James E., *et al.*, et le département de géographie, University of Hawaii. *Atlas of Hawaii*. Honolulu : University of Hawaii Press, 1973.

Bodanis, David. *The Secret Garden*. New York : Simon & Schuster, 1992.

Bonner, John Tyler. *Why Size Matters : From Bacteria to Blue Whales*. Princeton, New Jersey : Princeton University Press, 2006.

– *Life Cycles : Reflections of an Evolutionary Biologist*. Princeton, New Jersey : Princeton University Press, 1993.

Bryan, William Alanson. *Natural History of Hawaii*. Honolulu : Hawaiian Gazette Co. Ltd., 1915. (Disponible sur Google Books.)

Buhner, Stephen Harrod. *The Lost Language of Plants : The Ecological Importance of Plant Medicines to Life on Earth*. White River Junction, Vermont : Chelsea Green Publishing, 2002.

Chippeaux, Jean-Philippe. *Venins de serpent et envenimations*, IRD Editions.

Cox, George W. *Alien Species in North America and Hawaii, Impacts on Natural Ecosystems*. Washington, DC : Island Press, 1999.

Darwin, Charles. *La Faculté motrice dans les plantes*. Nabu Press, 2012, http://darxin-online.org.uk/.

Dicke, Marcel, et Willem Takken. *Chemical Ecology, From Gene to Ecosystem*. Dordrecht, Pays-Bas : Springer, 2006.

Eisner, Thomas. *Eisner's World : Life Through Many Lenses*. Sunderland, Massachusetts : Sinauer Associates, 2009.

– *For Love of Insects*. Cambridge, Massachusetts : The Belknap Press of Harvard University Press, 2003.

Eisner, Thomas, Maria Eisner, et Melody Siegler. *Secret

Weapons : Defenses of Insects, Spiders, Scorpions, and Other Many-Legged Creatures. Cambridge, Massachusetts : The Belknap Press of Harvard University Press, 2005.

Eisner, Thomas, et Jerrold Meinwald, eds. *Chemical Ecology : The Chemistry of Biotic Interaction.* Washington, DC : National Academy Press, 1995.

Fleming, Andrew J., ed. *Intercellular Communication in Plants, Annual Plant Reviews,* vol. 16. Oxford, Royaume-Uni : Blackwell, 2005.

Foelix, Rainer D. *Biology of Spiders.* Deuxième édition. New York : Oxford University Press–George Thieme Verlag, 1996.

Galston, Arthur W. *Life Processes of Plants.* New York : Scientific American, 1994.

Gotwald Jr., William H. *Army Ants : The Biology of Social Predation.* Ithaca, New York : Cornell University Press, 1995.

Gullan, Penny J., and Peter S. Cranston. *The Insects : An Outline of Entomology.* Quatrième édition. Oxford : Wiley-Blackwell, 2010.

Hall, John B. *A Hiker's Guide to Trailside Plants in Hawaii.* Honolulu : Mutual Publishing, 2004.

Hillyard, Paul. *The Private Life of Spiders.* Princeton, New Jersey : Princeton University Press, 2008.

Hölldobler, Bert, et Edward O. Wilson. *The Ants.* Cambridge, Massachusetts : The Belknap Press of Harvard University Press, 1990.

Homère. *L'Odyssée.* Folio classique.

Howarth, Francis G., et William P. Mull. *Hawaiian Insects and Their Kin.* Honolulu : University of Hawaii Press, 1992.

Jones, Richard. *Nano Nature : Nature's Spectacular Hidden World.* New York : Metro Books, 2008.

Kealey, Terence. *The Economic Laws of Scientific Research.* New York : St. Martin's Press, 1996.

Kepler, Angela Kay. *Trees of Hawaii.* Honolulu : University of Hawaii Press, 1990.

Krauss, Beatrice H. *Native Plants Used as Medicine in*

Hawaii. Honolulu : Harold L. Lyon Arboretum, 1981.

Liebherr, James K., et Elwood C. Zimmerman. *Insects of Hawaii*. Vol. 16 : *Hawaiian Carabidae (Coleoptera) : Part 1 : Introduction and Tribe Platynini*. Honolulu : University of Hawaii Press, 2000.

Magnacca, Karl N. « Conservation Status of the Endemic Bees of Hawaii, Hylaeus (Nesoprosopis) (Hymenoptera : Colletidae) ». *Pacific Science*. Vol. 61, nᵒ 2, avril 2007, pp. 173-190.

Marshall, Stephen A. *Insects : Their Natural History and Diversity*. Buffalo, New York : Firefly Books, 2006.

Martin, Gary J. *Ethnobotany : A Methods Manual*. Chapman & Hall, 1995 ; réédition Londres : Earthscan, 2004.

McBride, L. R. *Practical Folk Medicine of Hawaii*. Hilo : Petroglyph Press,1975.

McMonagle, Orin. *Giant Centipedes : The Enthusiast's Handbook*. Elytra & Antenna : ElytraandAntenna.com, 2003.

Meier, Jürg, et Julian White, eds. *Handbook of Clinical Toxicology of Animal Venoms and Poisons*. Boca Raton : Taylor & Francis, 1995.

Moffett, Mark W. *Adventures Among Ants*. Berkeley : University of California Press, 2010.

Palmer, Daniel D. *Hawaii's Ferns and Fern Allies*. Honolulu : University of Hawaii Press, 2002.

Perkins, Robert Cyril Layton « Insects of Tantalus ». *Proceedings of the Hawaiian Entomological Society*. Vol. 1, pt. 2, pp. 38-51. (Disponible sur Google Books.)

– Auteur de différents chapitres de *Fauna Hawaiiensis*, ed. David Sharp, *op. cit.*

Pukui, Mary Kawena et Samuel H. Elbert. *Hawaiian Dictionary*. Édition revue et corrigée. Honolulu : University of Hawaii Press, 1986.

Scott, Susan, and Craig Thomas. *Poisonous Plants of Paradise : First Aid and Medical Treatment of Injuries from Hawaii's Plants*. Honolulu : University of Hawaii Press, 2000.

Serres, Michel, Bruno Latour. *Conversations on Science, Culture, and Time*. Ann Arbor : University of Michigan, 1990.

Sharp, David, ed. *Fauna Hawaiiensis, or the Zoology of the Sandwich (Hawaiian) Isles*. Vols. 1-3. Cambridge : Cambridge University Press, 1899-1913. (Le principal collecteur et auteur de chapitre de cette série était Robert Cyril Layton Perkins, *op. cit.* PDF facsimilé téléchargeable sur le site web de Karl N. Magnacca : http://nature.berkeley.edu/~magnacca/fauna.html. Également disponible sur Google Books.)

Simonson, Douglas, *et al. Pidgin to Da Max Hana Hou. [Pidgin Hawaiian dictionary.]* Honolulu : The Bess Press, 1992.

Sohmer, S. H., et R. Gustafson. *Plants and Flowers of Hawaii*. Honolulu : University of Hawaii Press, 1987.

Spradbery, J. Philip. *Wasps : An Account of the Biology and Natural History of Solitary and Social Wasps*. Seattle : University of Washington Press, 1973.

Stamets, Paul. *Mycelium Running*. Berkeley : Ten Speed Press, 2005.

Stone, Charles P., et Linda W. Pratt. *Hawaii's Plants and Animals : Biological Sketches of Hawaii Volcanoes National Park*. Honolulu : Hawaii Natural History Association, 1994.

Swartz, Tim. *The Lost Journals of Nicola Tesla*. New Brunswick, New Jersey : Global Communications, s.d.

Swift, Sabina F., and M. Lee Goff. « Mite (Acari) Communities Associated with 'Ohi'a... » *Pacific Science* (2001). Vol. 55, n° 1, pp. 23-55.

Walter, David Evans, et Heather Coreen Proctor. *Mites : Ecology, Evolution, and Behavior*. Sydney, Australie : University of New South Wales Press, 1999.

Ward, Peter D., et Donald Brownlee. *Rare Earth, Why Complex Life Is Uncommon in the Universe*. New York : Copernicus (Springer-Verlag), 2000.

Wilson, Edward O. *Naturalist.* New York : Warner Books, 1995.

Wolfe, David W. *Tales from the Underground : A Natural History of Subterranean Life.* New York : Basic Books, 2001.

Xenophon. « L'expédition perse » in *L'Anabase.* Les premiers discours de Xénophon à ses troupes. Un exemple de commandement en situation critique qui a servi de modèle au discours que Peter Jansen fait aux autres étudiants pour les rallier.

Zimmer, Carl. *Parasite Rex : Inside the Bizarre World of Nature's Most Dangerous Creatures.* New York : Simon & Schuster Touchstone, 2000.

Zimmerman, Elwood C. *Insects of Hawaii.* Vol. 1. Honolulu : University of Hawaii Press, 2001. (Réédition du volume 1, publié en 1947, enrichi d'une nouvelle préface.)

*Composition et mise en pages réalisées
par Étianne Composition
à Montrouge.*

Dépôt légal : novembre 2012
N° d'édition : 52413/01
Imprimé au Canada